Юмор живой, детектив образцовый
В солнечных книжках Дарьи Донцовой!
Отдых прекрасный душе и уму!
Да, это стоит прочесть! Почему?

Отличное настроение обеспечено!

**Читайте романы
примадонны иронического детектива
Дарьи Донцовой**

Сериал «Любительница частного сыска Даша Васильева»:

1. Крутые наследнички
2. За всеми зайцами
3. Дама с коготками
4. Дантисты тоже плачут
5. Эта горькая сладкая месть
6. Жена моего мужа
7. Несекретные материалы
8. Контрольный поцелуй
9. Бассейн с крокодилами
10. Спят усталые игрушки
11. Вынос дела
12. Хобби гадкого утенка
13. Домик тетушки лжи
14. Привидение в кроссовках
15. Улыбка 45-го калибра
16. Бенефис мартовской кошки
17. Полет над гнездом Индюшки
18. Уха из золотой рыбки
19. Жаба с кошельком
20. Гарпия с пропеллером
21. Доллары царя Гороха
22. Камин для Снегурочки
23. Экстрим на сером волке
24. Стилист для снежного человека
25. Компот из запретного плода
26. Небо в рублях
27. Досье на Крошку Че
28. Ромео с большой дороги
29. Лягушка Баскервилей
30. Личное дело Женщины-кошки
31. Метро до Африки
32. Фейсконтроль на главную роль
33. Третий глаз-алмаз
34. Легенда о трех мартышках
35. Темное прошлое Конька-Горбунка
36. Клетчатая зебра
37. Белый конь на принце
38. Любовница египетской мумии
39. Лебединое озеро Ихтиандра
40. Тормоза для блудного мужа
41. Мыльная сказка Шахерезады
42. Гений страшной красоты
43. Шесть соток для Робинзона
44. Пальцы китайским веером
45. Медовое путешествие втроем
46. Приват-танец мисс Марпл

Сериал «Евлампия Романова. Следствие ведет дилетант»:

1. Маникюр для покойника
2. Покер с акулой
3. Сволочь ненаглядная
4. Гадюка в сиропе
5. Обед у людоеда
6. Созвездие жадных псов
7. Канкан на поминках
8. Прогноз гадостей на завтра
9. Хождение под мухой
10. Фиговый листочек от кутюр
11. Камасутра для Микки-Мауса
12. Квазимодо на шпильках
13. Но-шпа на троих
14. Синий мопс счастья
15. Принцесса на Кириешках
16. Лампа разыскивает Алладина
17. Любовь-морковь и третий лишний
18. Безумная кепка Мономаха
19. Фигура легкого эпатажа
20. Бутик ежовых рукавиц
21. Золушка в шоколаде
22. Нежный супруг олигарха
23. Фанера Милосская
24. Фэн-шуй без тормозов
25. Шопинг в воздушном замке
26. Брачный контракт кентавра
27. Император деревни Гадюкино
28. Бабочка в гипсе
29. Ночная жизнь моей свекрови
30. Королева без башни
31. В постели с Кинг-Конгом
32. Черный список деда Мазая
33. Костюм Адама для Евы
34. Добрый доктор Айбандит
35. Огнетушитель Прометея
36. Белочка во сне и наяву
37. Матрешка в перьях

Сериал «Виола Тараканова. В мире преступных страстей»:

1. Черт из табакерки
2. Три мешка хитростей
3. Чудовище без красавицы
4. Урожай ядовитых ягодок
5. Чудеса в кастрюльке
6. Скелет из пробирки
7. Микстура от косоглазия
8. Филе из Золотого Петушка
9. Главбух и полцарства в придачу
10. Концерт для Колобка с оркестром
11. Фокус-покус от Василисы Ужасной
12. Любимые забавы папы Карло
13. Муха в самолете
14. Кекс в большом городе
15. Билет на ковер-вертолет
16. Монстры из хорошей семьи
17. Каникулы в Простофилино
18. Зимнее лето весны
19. Хеппи-энд для Дездемоны
20. Стриптиз Жар-птицы
21. Муму с аквалангом
22. Горячая любовь снеговика
23. Человек-невидимка в стразах
24. Летучий самозванец
25. Фея с золотыми зубами
26. Приданое лохматой обезьяны
27. Страстная ночь в зоопарке
28. Замок храпящей красавицы
29. Дьявол носит лапти
30. Путеводитель по Лукоморью
31. Фанатка голого короля
32. Ночной кошмар Железного Любовника
33. Кнопка управления мужем
34. Завещание рождественской утки

Сериал «Джентльмен сыска Иван Подушкин»:

1. Букет прекрасных дам
2. Бриллиант мутной воды
3. Инстинкт Бабы-Яги
4. 13 несчастий Геракла
5. Али-Баба и сорок разбойниц
6. Надувная женщина для Казановы
7. Тушканчик в бигудях
8. Рыбка по имени Зайка
9. Две невесты на одно место
10. Сафари на черепашку
11. Яблоко Монте-Кристо
12. Пикник на острове сокровищ
13. Мачо чужой мечты
14. Верхом на «Титанике»
15. Ангел на метле
16. Продюсер козьей морды
17. Смех и грех Ивана-царевича

Сериал «Татьяна Сергеева. Детектив на диете»:

1. Старуха Кристи – отдыхает!
2. Диета для трех поросят
3. Инь, янь и всякая дрянь
4. Микроб без комплексов
5. Идеальное тело Пятачка
6. Дед Снегур и Морозочка
7. Золотое правило Трехпудовочки
8. Агент 013
9. Рваные валенки мадам Помпадур
10. Дедушка на выданье
11. Шекспир курит в сторонке
12. Версаль под хохлому
13. Всем сестрам по мозгам
14. Фуа-гра из топора
15. Толстушка под прикрытием
16. Сбылась мечта бегемота

Сериал «Любимица фортуны Степанида Козлова»:

1. Развесистая клюква Голливуда
2. Живая вода мертвой царевны
3. Женихи воскресают по пятницам
4. Клеопатра с парашютом
5. Дворец со съехавшей крышей
6. Княжна с тараканами
7. Укротитель Медузы горгоны
8. Хищный аленький цветочек

А также:

Кулинарная книга лентяйки
Кулинарная книга лентяйки-2. Вкусное путешествие
Кулинарная книга лентяйки-3. Праздник по жизни
Простые и вкусные рецепты Дарьи Донцовой
Записки безумной оптимистки. Три года спустя. Автобиография
Я очень хочу жить. Мой личный опыт

Дарья Донцова

Матрешка в перьях

роман

эксмо
Москва
2014

УДК 821.161.1-312.4
ББК 84(2Рос=Рус)6-44
Д 67

Оформление серии *В. Щербакова*

Донцова, Дарья Аркадьевна.

Д 67 Матрешка в перьях : роман / Дарья Донцова. — Москва : Эксмо, 2014. — 320 с. — (Иронический детектив).

ISBN 978-5-699-72530-4

Вечно мне, Евлампии Романовой, неудобно отказывать людям! Мой старый друг Володя Костин попросил приютить его свояченицу Эжени. Сестрица супруги засиделась в девках, обратилась к свахе, а он посоветовал сменить имя и квартиру. Так Женя стала Эжени, попала в наш дом, и мне пришлось сопровождать ее на вечеринку, где девушка якобы встретит свою судьбу! Эжени действительно познакомилась с кавалером и укатила с ним в светлую даль... Мужчина, умыкнувший красотку, оказался мне знаком — совсем недавно я видела его на месте преступления!.. В наше детективное агентство обратился артист Вениамин Подольский: ему подбрасывали письма с угрозами. Пришлось мне «поработать» в его подъезде консьержкой. Сегодня Подольский попросил проводить его до кафе, но, когда мы переходили дорогу, кто-то застрелил моего подопечного! Одна шальная пуля попала в случайную прохожую, однако ее тело подхватил и увез какой-то подозрительный тип. Именно он на вечеринке охмурил Эжени, а я не смогла помешать!

УДК 821.161.1-312.4
ББК 84(2Рос=Рус)6-44

ISBN 978-5-699-72530-4

Глава 1

Законный брак невероятно мешает личной жизни...

Я схватилась за раскаленную крышку кастрюли, обожглась, подула на пальцы, сообразила, что перепутала руки — болит-то у меня левая, в которой я по-прежнему сжимаю горячую крышку, тут же швырнула ее в мойку и услышала звон.

Из груди вырвался стон:

— Моя любимая чашка!

— Разбила! — всплеснула руками Жанна, сидевшая на диванчике у окна. — Ну ничего, купишь новую.

— Такую не найти, — расстроилась я. — Ее Макс привез из Лондона. Очень красивая кружечка, беленькая с картинкой, изображающей мопса в красной маечке.

— Вот об этом я только что и говорила, — нравоучительно заметила Жанна. — Законный брак в самом деле лишает женщину права на личную жизнь. Посмотри на себя: двое детей, муж, домашнее хозяйство, работа. Когда ты для себя живешь?

— Ой, как жалко чашечку... — бормотала я о своем, рассматривая осколки.

— Лампа, дорогая, ты совсем о себе не думаешь. Так нельзя, нужно отдыхать. А то как я ни зайду, ты суп варишь!

— На плите не суп, а травяной отвар. Мопсиха Муся кашляет, ветеринар велел ей питье приготовить, — пояснила я.

— У тебя никогда свободной минутки нет, — пожалела меня соседка.

Я стала осторожно вынимать осколки из мойки.

— И зачем они мне, свободные минуты?

— Как! — поразилась Жанна. — А личная жизнь? А самосовершенствование? Чтение умных книг, посещение театральных и кинопремьер, выставок, общение с талантливыми людьми, а не со сковородками, где шкворчат котлеты? Слышала о Вениамине Подольском?

— М-м-м... — пробормотала я.

Златова закатила глаза.

— Боже! О нем же сейчас все интеллигентные люди говорят! Это художник, композитор, киноактер, режиссер, певец, журналист...

— А еще на гармошке играет, — буркнула я себе под нос, осторожно снимая кастрюльку с плиты.

Слава богу, Златова не услышала мое ехидное замечание.

— Теперь Вениамин выпустил роман «Нежность», — продолжала она. — Он вызвал бурю эмоций. В пятницу я иду на его презентацию в музей поэта Сергеева-Загорецкого. Ты там когда-нибудь была?

Я сделала вид, что полностью поглощена процеживанием питья для Муси. Жанна встала.

— Ладно, пора прическу делать. Непременно жду тебя сегодня в восемь. Познакомишься с кучей потрясающих людей, с творческими личностями, вынырнешь из болота нудных семейных обязанностей.

Я сделала грустное лицо.

— Жанночка, огромное спасибо за приглашение на твой праздник. Кстати, бланк приглашения очень оригинально оформлен.

— День рождения бывает раз в году, отмечать его надо красиво, — расцвела Златова.

— Только извини, дорогая, — забормотала я, — не знаю, как и быть. К нам приехала гостья, неудобно уйти и оставить ее одну.

— В чем проблема? — удивилась Жанна. — Бери ее с собой. В приглашении указано: на два лица. Но я уверена, что Макс не придет, проигнорирует торжество.

— Что ты, мой муж к тебе прекрасно относится, — возразила я. — Просто у него ненормированный рабочий день, поэтому...

— Можешь не оправдываться, — отмахнулась Златова, — я совершенно не переживаю по поводу тех, кто не появится в ресторане. Как зовут твою знакомую?

— Эжени, — вздохнув, ответил я.

Соседка схватила со стола ручку, придвинула к себе пригласительный билет и через пару секунд сказала:

— Вот, теперь это приглашение для Лампы и Эжени. Причина, мешавшая тебе поучаствовать в моем празднике, устранена. Я буду вас ждать. Забеги хоть на пятнадцать минут. Что бы ни случилось, непременно зайди. Дай честное слово, что приедешь! Иначе я очень-очень расстроюсь, день варенья будет испорчен!

— Хорошо, — натужно весело сказала я. — Но к началу торжества я могу не успеть.

— Ничего страшного, гулять-то будем до утра, — пообещала Жанна. — Не провожай, я дорогу знаю. Ну, до вечера! Помни, ты просто обязана появиться в ресторане.

Она развернулась и исчезла в коридоре, через мгновение раздался хлопок входной двери.

Я открыла окно, чтобы из кухни выветрился запах чужих духов.

Златова живет на этаж ниже. Я познакомилась с ней после переезда в квартиру Макса, и до недавнего времени мои отношения с соседкой были не особенно близкими. Чаще всего она забегала ко мне попросить хлеба, который часто забывает купить, да пару раз, улетая в командировку, оставляла у нас свои ключи — просто так, на всякий случай, ни цветов, которые надо поливать, ни кошки, нуждающейся в корме, у нее нет. Я не лезу к Жанне в душу, не задаю вопросов о ее личной жизни, поэтому практически ничего о ней не знаю. Но, поскольку ни о муже, ни о детях она никогда не упоминает и живет одна, мне кажется, что соседка никогда не была замужем и не рожала. Где работает Златова, я тоже понятия не имею, вероятно, она фрилансер, потому что часто сидит дома целый день — сейчас лето, у нас открыты балконы, и иногда я слышу, как у нее бубнит телевизор. Причем, похоже, Жанна получает немалые деньги: она ездит на новой машине представительского класса, всегда модно и дорого одета, носит сумки, драгоценные украшения и обувь всемирно известных брендов, от нее пахнет совсем не дешевым парфюмом. Гостей дома Златова не собирает — мне никогда не приходилось звонить ей ночью в дверь и просить сделать музыку потише. Вероятно, к Жанне заглядывают друзья, но они всегда ведут себя тихо. Одним словом, мы с соседкой просто улыбались друг другу в лифте, делились хлебом, чаем, обсуждали погоду. Но не так давно Жанна неожиданно пригласила меня к себе на чашечку кофе, а потом стала часто заглядывать ко мне без всякого повода, теперь мы вроде бы дружим.

— Макс владелец частного детективного агентства? — однажды спросила Златова.

— Да, — кивнула я.

— А ты работаешь с мужем? — продолжила она.

— Иногда, — осторожно ответила я.

— Наверное, это очень интересно?

— Угу, — пробормотала я и перевела разговор на другую тему.

Жанна поняла, что я не намерена откровенничать о службе мужа, и более ни о чем не спрашивала.

Неделю назад она позвала меня на свой день рождения. Я взяла приглашение, повосхищалась его оформлением, пообещала прийти в ресторан и благополучно забыла о торжестве. Но соседка предусмотрительно заскочила сегодня с напоминанием о вечеринке. И что теперь делать? Я не хочу, да и не имею возможности веселиться сегодня вечером в трактире.

— Лампочка! — раздался в коридоре высокий голос. — Ку-ку! Мы приехали. Наконец-то нашелся психотерапевт, который взялся исправить настроение Бони. Мы побывали на первом сеансе, а еще, на всякий случай, я приобрела специальные БАДы.

Поняв, что вернулась моя гостья, я заулыбалась. Кстати, в паспорте у нее написано: «Евгения Ивановна Буданова», но с недавнего времени она откликается исключительно на имя Эжени. Или Эжи.

— Прекрасный специалист! — продолжила Женя, вбегая в столовую. — Сразу нашел причину подавленности Бони: у его матери тяжело протекала беременность, затем были неудачные роды, вот мы и имеем гору неприятностей. Но не стоит унывать! Главное, проблема обозначена! Спасибо друзьям из «Изменись», что подсказали нужного человека. Ничего, сыночек, мама тебя сделает веселым и счастливым... А это что? Боже, какая уродская картинка! Что на ней намалевано? Это кто? Пятиногая лошадь или собака? Нет, ни псы, ни лошади не способны ездить на мопеде, а тут не пойми кто сидит на мотоцикле. Или на чем? Ой, Лампа, прости, это же, наверное, рисунок Кисы. Черт, я была бестактна! Для детсадовки малышка прекрасно рисует. Надеюсь, крошка не слышала мои глупые комментарии? Боня, Боня! Куда подевался вредный мальчишка? Боня, немедленно отзовись! Боня, не ходи к Кисе, она вчера простудилась, еще заразишься... Боня! С ума сойти, какой неслух!

— Успокойся, — остановила я Эжени, которая держала в руках приглашение Жанны. — Роза Леопольдовна повела девочку в бассейн, они вернутся часа через два, не раньше. И Киса совершенно здорова.

— Она вчера кашляла, — возразила Эжени. — Прямо задыхалась! У меня сердце кровью обливалось это слушать. Твоя няня чудовище! Подопечная заходится в коклюше, а Роза преспокойно у телика расселась. Я сразу принесла коробочку с потрясающими пастилками от хронического бронхита. Купила их в лучшей аптеке...

— Хочешь чаю? — невежливо перебила я Буданову.

— Наливай, — кивнула та. И продолжила: — Даю няньке упаковку с леденцами, а она, вместо того чтобы сразу кинуться лечить девочку и положить ей в рот проверенное средство, заявила: «Не волнуйтесь, ребенок просто поперхнулся печеньем». Ну ничего себе! Киса позеленела, посинела, покраснела, чуть не умерла...

Я наполнила чайник водой, попутно размышляя. Если сложить Эжи и Жанну, как следует их перемешать, а потом разделить на две части, то получатся две нормальные женщины. Сейчас же они как плюс и минус, полярно разные личности.

Златова занята исключительно собой, чужие дети ее не волнуют, и она более чем равнодушна к домашним животным. Думаю, если на глазах у Жанны кто-то вывалится с сорокового этажа, она, скорей всего, скажет: «Не следовало стоять у окна! Ничего, замажет ссадины йодом, и все, нечего из-за пустяка в «Скорую» звонить! Вы полагаете, человек разбился насмерть? Ну, тогда тем более нет смысла звать докторов, не помогут. И нам вредно нервничать. Если упавший умер, то беспокоиться уже не о чем. Давайте лучше кофейку попьем».

А Эжени, увидев крохотную царапинку на чьей-то руке, завопит: «Боже! Ужас! Катастрофа! Скорее хирурга! Реаниматолога! Готовьте операционную! Кровь течет рекой! Спасайте несчастного!»

Жанна считает, что любая собака должна жить в будке, сидеть на цепи, охранять хозяев и добывать себе корм собственноручно, то есть, простите, собственнолапно. Кошки, на взгляд Златовой, и вовсе бесполезные существа. При упоминании хомяков, крысок, хорьков, попугайчиков, морских свинок соседка округляет глаза и спрашивает:

— Ну и зачем они нужны?

Вот к черепахам Жанна относится хорошо, ведь из них варят вкусный суп. Пару лет назад она слетала на какие-то острова, походила по местным ресторанам и с той поры считает тортил полезными созданиями.

Эжени готова зацеловать любую дворовую собаку, кошку и даже мышь. Моих мопсов она залюбила почти до смерти. Фира и Муся, обожающие путаться у людей под ногами и всегда бдительно поджидающие, когда обедающий человек уронит на пол кусочек чего-то вкусненького, заслышав вопль Эжени: «Мои сладенькие плюшечки!», с несвойственной им скоростью ныкаются в самые укромные, по их разумению, углы. Муся, например, сопя от напряжения, залезает под мою кровать, а Фира, у которой более толстая попа, несется в ванную, ложится на пол и прикидывается ковриком. Но маскировка не помогает. Эжи вытаскивает Мусю, потом бежит в ванную и хватает Фиру, при этом она безостановочно верещит:

— Мусенька, ты почему забиваешься под койку? Страдаешь аутизмом? Не переживай, я тебя обязательно вылечу! Где градусник? Куда подевались таблетки «Отличное настроение» для собак? Фирочка, зачем ты разлеглась на холодной кафельной плитке? У тебя жар? Нет сил? Ноги не ходят? Ничего, я сделаю тебя здоровой!

Собаки пытаются отползти в сторону, однако не тут-то было. Через пару секунд у Муси в попе торчит термометр, у Фиры полна пасть самых лучших в мире гомеопатических средств от простуды, а Эжени продолжает обнимать-утешать-целовать почти впавших в кому от навязчивых проявлений любви собак.

Как любит говорить моя свекровь Капа: «Что слишком, то плохо». Я не часто соглашаюсь с ее мнением, но в данном случае она права. И больше всех мне жаль Боню, которого Эжени из самых лучших побуждений таскает по врачам, постоянно кутает, кормит по часам исключительно здоровой пищей, не разрешает бегать и играть с мопсихами, укладывает спать в стеганой пижаме, предварительно бдительно проверив, не открыта ли в спальне форточка, постоянно тискает несчастного. Неудивительно, что Боне понадобился психотерапевт. Вот только не пойму, как тот работал с клиентом? Как психолог с ним договорился? Лично я за неделю проживания Эжени в нашей квартире не услышала от замороченного малыша ни одного звука. Боня не умеет разговаривать.

— Мальчик мой, пришел наконец-то! — бурно обрадовалась Эжи. — Господи, ты до сих пор в куртке и ботинках! Небось вспотел! Иди скорей сюда, мамочка сыночка переоденет.

Я с сочувствием посмотрела на крошечное существо, которое, опустив голову, брело к Эжени, еле-еле перебирая ножками, и не выдержала:

— Оставь его хоть на минуту в покое. Сними с несчастного куртку, размотай шарф, стащи пуловер, освободи его от сапог. На улице июнь, а не декабрь. Отпусти Боню побегать по коридорам с Фирой и Мусей.

— Нет, его надо переодеть в домашний комбинезончик. Бонечка сейчас ходил по квартире в уличном, вспотел, и если не натянуть на него тоненькую курточку со штанишками, он обязательно простудится! Ведь в столовой открыта форточка! — возразила Буданова.

— Боня не может вспотеть, — отрезала я.

— Почему? — удивилась Эжи.

— Позволь напомнить, что Боня собака породы чихуахуа, у него нет потовых желез, — хмыкнула я.

Глава 2

Эжени схватилась за сердце.

— Боже! Боня потерял свои железки? Когда? Ты видела, да? И мне не сказала?

Я вытащила из буфета банку с заваркой.

— Все хорошо. Боня здоров. Собаки не потеют, так как природа не предусмотрела для них данную функцию.

— Фу-у... — выдохнула Эжени. Затем быстро раздела покорного песика и сказала ему: — Походи пока так.

Обрадованный Боня бодро потрусил вон из комнаты. А его хозяйка взяла в руки оставленную Жанной на столе открытку, перевернула ее и взвизгнула:

— Лампуша! Это же приглашение на день рождения! Сегодня! Вечером!

— Верно, — подтвердила я. — Вообще-то я не собиралась туда идти, но теперь придется, потому что Жанна приходила и напомнила о празднике.

Эжи не услышала моей последней фразы, впав в эйфорию:

— Там указано и мое имя!

— Угу, — пробормотала я.

— Почему ты не предупредила меня заранее? — занервничала Буданова. — А от кого карточка?

— От Жанны Златовой, соседки снизу, — уточнила я. — Она узнала, что ты гостишь у нас, и вместе со мной позвала на вечеринку и тебя.

Эжи замерла, потом прижала ладони к щекам.

— Сбывается, «ж» и «з». Лампуша, Альдабаран предупредил, что в праздничный день женщина, чьи имя и фамилия содержит две буквы, обозначающие важнейшие части человеческого тела, станет проводником к счастью. Она меня куда-то позовет. И вот как раз «ж» и «з», Жанна Златова! День рождения!

Я захлопала в ладоши, привлекая внимание Евгении.

— Эжи, очнись! Твой гуру высказался весьма расплывчато, не назвал ни день недели, ни месяц. И почему ты решила, что буквы, с которых начинаются названия самых важных частей тела, это «ж» и «з»? Насчет «ж» не возражаю, без нее жить довольно неудобно. Но «з»? Лично у меня нет органа на букву «з». На мой взгляд, счастье тебе обеспечит дама с инициалами «Я» и «М».

Эжени заморгала, а я пояснила:

— Буква «я» — язык, «м» — мозг. Вот что самое главное у женщины.

— Нет! Нет! Нет! — замахала руками гостья. — Важнее желудок и зубы, я в этом уверена!

Я смутилась. Значит, Буданова имела в виду желудок... А я-то, услышав про «ж», заподозрила совсем другое.

Эжени сложила руки ладонями вместе и зачастила:

— Лампочка, пожалуйста, давай пойдем! Я одна побоюсь на такую тусовку отправиться. Мне всегда както неудобно бывает, если вокруг много народа. Но там точно будет *он*. Пожалуйста! Умоляю!

Мне стало неловко. Не люблю отказывать людям, почему-то всегда чувствую себя виноватой. Но сейчас альтернативы нет.

— Эжени, у меня работа! Я заскочила домой ненадолго, чтобы напоить Мусю лекарством.

— Там начало в восемь, значит, гости начнут съезжаться к девяти, — отбила подачу Буданова. Ее глаза налились слезами. — Я потеряю уникальный, неповторимый шанс выйти замуж за *него*, за лучшего!

— Честное слово, я не могу манкировать своими обязанностями сегодня, — ощущая себя полной мерзавкой, промямлила я.

Эжени всхлипнула, по ее правой щеке медленно потекла большая прозрачная слеза. У меня в горле заскребли кошки. Гостья нагнулась, подняла Боню и прижала его к груди, песик обнял лапками шею хозяйки. Теперь и по левой ее щеке поползла слеза, и Боня принялась облизывать лицо хозяйки.

— Хорошо, — сдалась я, — заглянем на тусовку.

Евгения подпрыгнула, взвизгнула и выбежала из столовой, а я проводила ее мрачным взглядом. Молодец, Лампа, ты выполнила свой коронный трюк — опять наступила голыми пятками на остро наточенные грабельки. И это уже второй раз за последнее время. Сначала разрешила Будановой временно поселиться в своей квартире и вот теперь согласилась идти с ней в гости. Почему я не умею решительно сказать «нет» и далее заниматься своими делами? Крайне недовольная собой, я налила в чашку чай и отхлебнула.

Наверное, настала пора объяснить, откуда в моей жизни появилась Евгения Ивановна Буданова.

У меня есть старинный друг Владимир Костин. Выйдя замуж за Макса, я встречалась с ним реже, чем когда жила вместе с Катюшей, Лизой и Кирюшей[1]. Но с недавних пор Володя стал работать в агентстве моего супруга, и мы опять видимся каждый день.

Долгое время Костину не везло в личной жизни, один раз он из-за девушки даже попал под следствие. А после того, как ложное обвинение сняли, он женился и — влип в большую беду. Наконец, справившись с трудностями, Костин заявил: «Более никаких баб!» И перестал завязывать долгосрочные отношения с представительницами слабого пола.

Я понимала, почему Вовка не хочет ни романтических поездок, ни свадьбы, и никогда не пыталась знакомить его с какой-нибудь симпатичной блондинкой.

---

[1] Как Лампа познакомилась с Костиным, рассказано в книге Дарьи Донцовой «Маникюр для покойника». О неприятностях полицейского повествуется в детективах «Канкан на поминках» и «Камасутра для Микки-Мауса», издательство «Эксмо».

Друг же пропадал на работе и делал вид, что у него все прекрасно.

И вот год назад жизнь Костина изменилась кардинальным образом. Он уволился из полиции и принял предложение Макса возглавить второе детективное агентство, которое открыл мой муж. Зарплата у Володи теперь в разы больше, чем на государственной службе, ему оплачивают бензин, медицинскую страховку, не заставляют писать кучу отчетов. Я не очень сильна в юридических вопросах, но знаю, что структура, которая принадлежит моему мужу, особенная. У супруга есть право расследовать убийства. Почему так произошло, кто разрешил Вульфу заниматься тем, что запрещено его коллегам, частным детективам, я не знаю. Один раз задала ему вопрос на данную тему, но Макс, как всегда, отшутился. Я поняла, что правды он мне не расскажет, и отстала.

Вульф давно хотел переманить к себе Костина, которого высоко ценит как профессионала и любит как человека, и в конце концов ему это удалось. Кстати, не так давно у Володи произошло еще одно изменение в жизни. Он познакомился с Ниной и расписался с ней. Можно было от души порадоваться за лучшего друга, но в каждой сочной вишенке непременно отыщется твердая косточка, о которую можно сломать зуб. Супруга Вовки — дочь богатого бизнесмена Ивана Сергеевича Буданова.

Нина жила в полном комфорте, ходила в частную школу, находилась под постоянным присмотром мамы Веры Петровны, которая сама, без нянек, воспитывала детей. Несмотря на трепетную заботу матери и папины деньги, Ниночка росла трудолюбивой девочкой, училась на одни пятерки. А вот характер у старшей дочки Буданова оказался боевой, она по всем вопросам имела собственное мнение, всегда его отстаивала, смело спорила с отцом и матерью и умела добиваться своего. Если Нина не желала чего-то делать, то уговорить ее поступить так, как хочет мама, было невозможно. Никаких дурных привычек у девушки не было, она не врала, не прогуливала школу, не курила, не дружила с плохими ребятами, была цельной, самодостаточной натурой, чуть ли не с пеленок зная, что ей нужно и как этого добиться. После того как Нина получила аттестат с золотой медалью, Иван Сергеевич велел ей поступать в престижный институт, где учатся дети обеспеченных чиновных людей. Отец, заранее спланировав жизнь дочки, заявил:

— Выйдешь замуж за парня из хорошей семьи, родишь троих детей, станешь хозяйкой большого дома, займешься благотворительностью.

— Нет, — твердо заявила дочь, — я хочу выучиться на юриста и...

— Без проблем, — перебив ее, обрадовался Иван Сергеевич, — в этом вузе как раз готовят адвокатов. Знание законов никогда не помешает, но для женщины на первом месте должна стоять семья.

Дочь упрямо закончила фразу:

— И вовсе не желаю варить борщ. А замуж раньше тридцати не выйду. Сначала сделаю карьеру.

Иван Сергеевич категорически не терпел возражений. И жена, и младшая дочь Евгения, и прислуга, и многочисленные сотрудники его фирмы прекрасно знали: спорить с Будановым — смертельный номер, мигом огребешь гору неприятностей. Ниночка была единственной, кто осмеливался сказать крупному бизнесмену «нет». И что самое интересное: Иван Сергеевич не наказывал бунтовщицу, просто делал ей внушение. Однако на сей раз дело зашло слишком далеко.

Нина не собиралась подчиняться отцу. В разгар жаркой беседы она топнула ногой и заявила:

— Я сказала «нет», значит, «нет»! Все, беседа окончена. Если ты будешь настаивать, уйду из дома. Навсегда.

То ли Иван Сергеевич в тот день устал, то ли ему надоела строптивость дочки, но он отреагировал остро: схватил дорожную сумку, влетел в гардеробную, пошвырял в саквояж первое, что попалось под руку, выкинул его с балкона второго этажа особняка и объявил:

— Или будет по-моему, или убирайся прочь. Пешком. Не желаешь меня слушаться, нечего на моей машине с шофером разъезжать.

Наверное, Иван Сергеевич ожидал, что бунтарка испугается, заплачет и — пойдет на попятную. Та же, закусив губу, выскочила во двор, схватила сумку и скрылась за воротами. Матери на тот момент дома не было. Вернувшись, Вера Петровна узнала, что случилось, и зарыдала. Иван Сергеевич прикрикнул на жену:

— Заткнись! Через два дня она на коленях приползет — денег-то у дуры нет. Уж поверь, я никогда не ошибаюсь.

Может, бизнесмен и впрямь был неплохим психологом, но в данном конкретном случае оказался неправ.

В тот вечер Нина добралась до метро, села на платформе на скамейку, открыла сумку и произвела ревизию того, что покидал в нее рассерженный отец. Выяснилось, что у нее с собой два длинных, в пол, вечерних платья, пляжные тапочки, бумажный веер, туфли на головокружительном каблуке и четыре шелковых платка, купленных мамой в дорогом бутике... Тем не менее девушка решила не сдаваться.

Куда отправляются дети-бунтовщики, поругавшись с родителями? Понятное дело, на вокзал — там в зале ожидания можно посидеть в тепле. Ниночка устроилась на стуле и стала размышлять, как ей жить дальше. Спустя три часа на соседнее сиденье опустилась приятная пожилая дама, опиравшаяся на палку. Через пару минут она завела с беглянкой разговор и, назвавшись Галиной Ивановной, сообщила, что едет от подруги, у которой гостила на даче. К сожалению, в электричке не нашлось свободных мест, ей пришлось долго стоять на больной ноге и теперь очень трудно идти, а помочь добраться до дома некому. Нина была человеком строптивым, но добрым, поэтому предложила случайной собеседнице сопроводить ее. Старушка обрадовалась. По дороге она стала расспрашивать девушку. А когда та сказала, что сбежала из дома, пригласила ее в свою трехкомнатную квартиру, где проживает одна-одинешенька.

Может, кто-то и не поверит в эту историю, но я, которую Катя Романова буквально подобрала на дороге, ни на секунду в ней не усомнилась[1].

На следующий день Галина Ивановна весьма дорого продала Нинины платья и туфли дочери какой-то знакомой, и у беглянки в кошельке зашуршали банкноты.

Золотая медалистка спокойно поступила в МГУ и устроилась уборщицей в адвокатскую контору. Сотрудники вскоре обратили внимание на умную студентку, сделали ее секретарем. Жизнь Нины стала налаживаться. Ни с отцом, ни с матерью, ни с сестрой она более не общалась. Галина Ивановна через пару лет умерла, завещав «трешку» Нине, заботливо помогавшей старушке. Строптивая дочь бизнесмена стала дипломированным юристом, пошагала вверх по карьерной лестнице и никогда не упоминала о том, что олигарх Буданов ее родной отец.

Костин, женившись на Нине, полагал, что она сирота, которую воспитывала тетя. Но некоторое время назад правда совершенно неожиданно вырвалась наружу.

Иван Сергеевич решил разорить, а потом прибрать к рукам организацию, в которой Нина заведовала юротделом. Бизнесмен понятия не имел, где сейчас его блуд-

---

[1] История знакомства Лампы и Кати описана в книге Дарьи Донцовой «Маникюр для покойника», издательство «Эксмо».

ная дочь, а сотрудники Буданова, выполнявшие его приказ о рейдерском захвате, решили, что одна из сотрудниц фирмы просто однофамилица их босса.

Нина Ивановна вступила в неравный бой, выиграла его, а потом еще наказала отца, лишив его немалого количества денег. Когда взбешенному олигарху сообщили имя женщины, разбившей в суде его опытных законников, Иван Сергеевич притих, а затем велел:

— Организуйте мне с ней встречу один на один.

Но примирения не получилось. Нина отвергла все попытки отца восстановить отношения, и тот в конце концов связался с Костиным. Володя подумал, что магнат решил нанять частного детектива, и принял приглашение. Представляете, как оторопел мой друг, услышав, чего хочет Буданов, оказавшийся его тестем?

— Поговори с женой, — попросил Иван Сергеевич, — хватит нам воевать. Мне нужен такой профи, как Нина, я сделаю ее своим главным юристом, а после моей смерти она весь бизнес получит. Больше некому бразды правления передать. Женька-то у нас... м-м-м... В общем, ничего путного из нее не получилось. А моя старшая в делах просто крокодил, я таких уважаю.

Нина категорически отказалась от предложения. Однако не без помощи Володи отношения между отцом и дочерью стали налаживаться, и сейчас их можно назвать потеплевшими. Нина более не избегает родителей, даже пару раз вместе с мужем ходила к ним в гости. Иван Сергеевич ведет себя умно — не давит на дочь, больше не требует перехода в свою фирму, только изредка спрашивает ее совета. В августе она очень помогла папе-олигарху, разрулив одно важное дело. Буданов не стал предлагать дочке денег, а в благодарность подарил ей... котенка редкой породы. В детстве Ниночка умоляла родителей купить кошку, но получила отказ, глава семьи категорически запретил заводить в доме животных.

И вот теперь Иван Сергеевич сам привез дочери контейнер с манчикеном[1].

Нина оценила жест отца и ведет себя с ним приветливо.

Две недели назад Вовка позвонил мне и, бесконечно экая, завел:

— Лампа... э... э... э... тут дело... э... э... одно такое... э... э...

— Говори, не стесняйся, — приободрила я приятеля. — Может, приедешь? Попьем чайку.

— Сижу в машине у твоего подъезда, — признался Костин.

— Давай, поднимайся, — засмеялась я. И внезапно испугалась: — Что-то случилось?

— Сейчас объясню, — пообещал Володя.

Глава 3

Наш разговор затянулся, потому что слишком много времени заняли причитания моего друга на тему «Мне очень неудобно напрягать тебя и Макса, но другого выхода нет». Проблема, которую он наконец озвучил, заключалась в Евгении, младшей дочери Ивана Сергеевича.

Женечка росла тихой, послушной девочкой. Мама особенно опекала свою младшенькую, всегда держала ее за руку, старшей Вера Петровна предоставляла чуть больше свободы. Когда в десять лет Нину даже отправили на несколько лет в Англию, чтобы она в совершенстве

---

[1] Манчикен — кошка редкой породы, отличительным признаком которой являются короткие лапки. Манчикенам за их дружелюбие и верность хозяевам, то есть за качества, обычно присущие собакам, дали оригинальное прозвище — котопес. *(Здесь и далее примечания автора.)*

выучила иностранный язык, заботливая мать пристегнула Женю к своей юбке и постоянно твердила:

— Ты еще маленькая, слабенькая, постоянно болеешь.

И та никогда не отстаивала свои права. К тому же ее очень напугал отец, выгнавший из дома старшую сестру. Когда Нина покинула отчий дом, Женечке едва исполнилось двенадцать, и с той поры мама начинала и заканчивала любую беседу с ней словами:

— Едва папа что прикажет, исполняй, не задумываясь.

Женя кивала и старалась лишний раз не попадаться на глаза отцу, что в двухкилометровом доме было несложно.

После окончания школы Иван Сергеевич велел дочке поступать в тот вуз, куда отказалась идти Ниночка. Евгения покорилась и пять лет грызла асфальт знаний. Но особенно в учебе не преуспела из-за... страха. Да, да, именно страх, что грозный родитель будет ругать ее за плохие оценки, мешал Женечке отвечать на экзаменах. Даже отлично зная предмет, она путалась, не находила нужных слов. А Буданов вовсе не следил за успехами дочки, он вообще мало с ней общался, пропадал на работе. Иногда, правда, в голове у Ивана Сергеевича что-то щелкало, он вызывал Женю в кабинет и грозно осведомлялся:

— Учишься?

— Да, папочка, — покрываясь холодным потом, отвечала та.

— Хорошо?

— Да, папочка, — лепетала девушка, молясь в душе, чтобы папенька не потребовал зачетку, где колосились одни тройки.

— Ступай, читай учебники, — приказывал Иван Сергеевич. На том аудиенция завершалась, Женечка выходила из кабинета и на подкашивающихся ногах доползала до своей комнаты почти в предсмертном состоянии.

Все беседы Буданова с дочерью протекали одинаково. По счастью, папенька редко их затевал. Но однажды привычный диалог потек не так, как всегда. Услышав вопрос «Учишься?», Евгения еле слышно сообщила:

— Нет, папочка.

Иван Сергеевич вздрогнул и окинул дочь цепким взглядом.

— Почему?

— Закончила институт, папочка.

Буданов испытал искреннее удивление.

— Когда?

— Год назад, папочка.

Олигарх начал потихоньку закипать.

— По какой причине ты не доложила мне о получении диплома? Или у тебя его нет?

— Есть, — поспешно заверила дочь. — Просто ты меня к себе не вызывал, вот я и не сказала.

— М-да, — крякнул бизнесмен. — И где работаешь?

— Нигде, папочка.

— Гуляешь? По клубам бегаешь? — взвился Иван Сергеевич. — Жизнь прожигаешь?

— Нет, папочка, — прошептала Женя, — дома сижу.

— Дома? — повторил глава семьи. — Чем занимаешься?

— Картину вышиваю, сцену охоты восемнадцатого века, — пролепетала дочь. — Готовлю тебе подарок на день рождения.

Олигарх на минуту онемел, а затем рявкнул:

— Ступай! И позови мать.

Сначала Буданов закатил супруге скандал, потом перевел дух:

— Кто Женька по профессии?

— Специалист по пиару, — ответила жена.

Иван Сергеевич взялся за телефон, и назавтра Женю взяли в его фирму. Так Буданова-младшая оказалась в отделе рекламы на самой низкой должности.

— Начнешь с малого, — объяснил отец, — наберешься опыта и стартанешь вверх.

Но ни малейшего желания делать карьеру, ни креативности, ни любви к выбранной профессии у Женечки не было. А папаша, благополучно пристроив дочь, опять забыл о ней, занявшись своими делами.

С Женечкой бизнесмен пересекался редко, в основном на каких-то праздниках, которые устраивала семья. Правда, иногда Иван Сергеевич вызывал Евгению к себе в кабинет и спрашивал:

— Как дела?

— Прекрасно, папочка, — привычно лепетала дочь.

— Работаешь?

— Да, папочка, — отвечала Женя.

На этом общение заканчивалось.

Прошло несколько лет, и однажды супруга сказала олигарху:

— Дорогой, в пятницу у Евгении день рождения. Ты сможешь приехать в ресторан?

— Хорошо, вели моему секретарю вписать мероприятие в расписание, — ответил муж.

Буданов сдержал обещание. В восемь вечера он прибыл в трактир, ожидая увидеть компанию веселой молодежи, услышать музыку, смех. Но в отдельном кабинете за столом сидели лишь жена и дочь, одетые в вечерние платья и щедро украшенные бриллиантами.

— А где гости? — не понял Иван Сергеевич.

Женя неожиданно заплакала, а Вера Петровна жалко пролепетала:

— Дорогой, мы никого не приглашали.

— Что за ерунда! — разозлился олигарх. — Отчего ты не устроила девке праздник, не созвала ее приятелей?

Супруга отвела взгляд, а Евгения принялась поспешно вытирать слезы, стараясь не смотреть отцу в лицо.

День рождения превратился в суровый допрос, в процессе которого Иван Сергеевич выяснил много для себя интересного. Оказалось, что друзей у Жени нет, кавалеров тоже. На службу девушку возит шофер, он же доставляет ее назад. Досуг дочь проводит с матерью. Женя предпочитает лишний раз не высовываться из дома, ни разу не посещала магазин одна, не гуляла без сопровождения и очень боится это делать.

— Безобразие! — взревел олигарх и схватился за телефон.

Назавтра Евгения оказалась на приеме у психолога, перед которым Буданов поставил задачу превратить нежное комнатное растение в нормальную женщину. Магнат велел душеведу:

— Евгении необходимо выйти замуж, объясните ей это. Как только скажете мне, что она готова на брак, я подберу девочке хорошего жениха. А все моя жена-клуша виновата! Тряслась над ребенком, от себя не отпускала. Я занят, у меня бизнес, некогда было за дочерью присматривать. Понятия не имел, что Вера Женьку силы воли и ума лишила. Короче, ваша задача сделать так, чтобы моя дочь перестала шарахаться от людей и прятаться за мать. Лучший выход для нее — брак с богатым человеком. О том, где найти зятя, я позабочусь.

Целый год специалист пытался справиться со страхами пациентки, а потом позвонил Буданову и сказал:

— Женя очень хочет создать семью, но, пожалуйста, не вмешивайтесь в жизнь дочери, не диктуйте ей за кого идти замуж.

— Да пошел ты! — заорал Иван Сергеевич и активно занялся поисками кавалера для дочки-недотепы.

Евгения не противилась воле отца. Самой большой ее мечтой было заполучить колечко на безымянный палец, и поэтому она мгновенно начинала испытывать расположение к тому, с кем знакомил ее папенька. Потенциальные женихи сперва тоже исполнялись энтузиазма, увидев девушку. Женечка вполне симпатична внешне, прекрасно воспитана, не пьет, не курит, настроена стать домашней хозяйкой, рожать детей, обожать супруга. Кроме того, за невестой обещают богатое приданое, перед зятем Буданова откроются все двери, а в перспективе после кончины тестя ему достанется успешный бизнес. А еще Женя наследница отцовского капитала и многочисленной недвижимости, разбросанной по разным странам. Но, несмотря на все золотые и платиновые горы, после третьего свидания все мужчины удирали прочь.

Бизнесмен решил выяснить, чем его дочка не нравится выбранным им кандидатам в зятья, и вызвал одного из парней на откровенность.

— Понимаете, Иван Сергеевич... — смутился эксжених. — Конечно, Евгения очаровательна, с ней приятно показаться на люди, но...

— Давай, выкладывай! — начал злиться отец.

Собеседник подумал немного и решился:

— Через час после того, как мы познакомились, Женя спросила: «Любимый, я хочу назвать нашего сына Мишей, ты не против?» Я подумал, что она пошутила, но оказалось, что нет. При следующей встрече Евгения принялась обсуждать церемонию свадьбы, заговорила о покупке колец. А когда я сказал, что пока не готов к браку, заплакала и стала причитать: «Ты меня совсем не любишь, а я пойду за тобой на край света». Простите, Евгения мне симпатична, но я не могу вот так сразу пойти в загс.

Иван Сергеевич почесал в затылке и переговорил с другим убежавшим от Жени женихом. Результат оказался тот же. Припертый к стенке женишок на вопрос олигарха: «Что у вас с Евгенией случилось, почему дочка рыдает?» — слово в слово повторил уже слышанное им от предыдущего парня. То есть его дочь на первом же свидании завела речь о детях и свадьбе. Скрипя зубами, Иван Сергеевич понял, что у его дочери, этого оранжерейного цветка, нет опыта общения с людьми. Но он любил своего ребенка и не привык сдаваться, поэтому стал действовать решительно.

На тот момент бизнесмен уже знал, какую карьеру сделала Нина, и рассудил просто: сам он остался круглым сиротой в семнадцать лет, не имел ни денег, ни хорошего жилья, ни нужных знакомств. Чтобы выжить, Буданову пришлось крутиться, вкалывать, хитрить, переть танком. И что? Теперь у него есть все. Строптивая Нина покинула отчий дом в том же возрасте. И что? Теперь она состоявшийся человек. А Женя сидит под крылом родителей, ей не надо бороться за выживание, поэтому она выросла нежной лилией, не научилась строить отношения ни с мужчинами, ни с подругами, не способна к самостоятельной жизни. Как превратить Женю в бойца? Да очень просто — ее нужно выставить вон. Тогда она очнется, и ее жизнь потечет иначе. Некоторые люди таким образом учат детей плавать — швыряют их с берега в реку и ждут, что малыш побарахтается и поплывет. Но, слава богу, Иван Семенович все-таки понял: Женю нельзя взять и выставить на улицу. Он купил младшей дочери отдельную квартиру, вручил ей кредитку с ограниченным лимитом и сказал:

— Ты уже большая, живи своим умом.

В первые месяцы Женечка плакала, постоянно звонила матери, но та отвечала заученной фразой:

— Дорогая, я тебе совета дать не могу, делай, что хочешь. Никто тебе запретить ничего не может, ты сама ответственна за свою жизнь.

Спустя год Евгения осознала, что на самом деле способна жить без оглядки на родителей. Она завела чихуахуа Боню, уволилась с постылой работы, устроилась в ветеринарную клинику администратором и так искренне переживала за больных животных, так хотела помочь хозяевам заболевших питомцев, так старалась создать комфортные условия работы для персонала, что вскоре стала всеобщей любимицей.

Видя редкостное рвение администратора, владелец лечебницы вскоре сделал ее управляющей клиникой и назначил хороший оклад. Вот когда Жене пригодились обрывки знаний, полученных в вузе. Но она сообразила, что их надо пополнять, записалась на курсы, а там встретила Киру Собакину, счастливую жену и мать. Молодые женщины быстро подружились.

Кира рассказала приятельнице, что еще три года назад была несчастной старой девой, уже похоронившей мечты о личном счастье, но потом увидела в газете объявление и пришла в центр психологической коррекции «Изменись навсегда», обещающий своим клиентам: «Вы стопроцентно заведете семью». Она отдалась в руки специалистов, которые объяснили, что успех возможен только в случае полного им подчинения. А вскоре Кира встретила Николая. Сыграли свадьбу, она родила сына и теперь истово рекламирует тех, кто помог ей найти супруга.

Женечка пришла в полный восторг. Вы же помните, что самым главным ее желанием было сыграть свадьбу? Буданова-младшая без промедления побежала по данному Собакиной адресу и стала пластилином в руках человека, который называет себя необычным именем Альдабаран. Для начала сей фрукт велел Евгении сменить имя. Приказ он аргументировал так:

— Евгения Ивановна Буданова неудачница в личных отношениях, у нее карма безбрачия. Станьте Эжени, тогда у вас появится любимый.

Женечка испугалась.

— Надо менять паспорт?

— Вовсе нет, — успокоил ее Альдабаран, — достаточно просто представляться иначе.

Ну, не стану вас утомлять рассказом о дальнейших наставлениях этого барана, скажу лишь, что Женя поверила ему и добуквенно стала исполнять все предписанные им глупости в надежде обрести жениха.

Нина жалеет младшую сестру, но не может сказать ей прямо: «Женя, твой гуру мошенник, он велит тебе несколько раз в неделю посещать свой центр, чтобы получать деньги за твои визиты». Отношения между дочерьми олигарха наладились не так давно, жена Володи боится их разрушить. Недавно Евгения сказала Нине, что хочет срочно уехать из своей квартиры. Оказывается, Альдабаран сделал расчет по звездным картам и понял, по какой причине мужчины до сих пор обходят Буданову по широкой дуге. Виноват дом, в котором обитает Эжени, вокруг него аура одиночества, расположен в энергетической дыре. Жене нужно поселиться либо на Пименовской, либо на Староорловской улицах в здании розового цвета и обязательно с большими окнами.

Нина встревожилась и решила посоветоваться с Володей. Узнав про Альдабарана, Костин сразу навел о нем справки. Выяснилось, что того зовут Степан Сергеевич Борискин, и он свах. Именно так: свах — мужской род от свахи. Основное занятие Степана соединять, сводить семейные пары, и у него это, как ни странно, хорошо получается. Он является владельцем центра «Изменись навсегда» и ничего дурного не делает. С женщинами занимаются дипломированные специалисты: диетологи, консультанты по одежде, макияжу и прическе, фитнестренеры, психологи. Клиенток учат правильно подавать себя, и многие подопечные Борискина в самом деле удачно устраиваются в жизни, вступив в брак. Посещения центра совсем недешевы, но насильно туда никого не затаскивают. Борискин считает себя знатоком восточных философских течений, храбро рассуждает про карму, он, между прочим, имеет высшее психологическое образование и человек совсем не глупый.

Володя доложил Нине, что никакого криминала за Борискиным нет. Однако она продолжала нервничать. Переезд из одной квартиры в другую предприятие хлопотное. И что делать, если, перебравшись на новое место, Эжени так и не найдет мужа? Опять переезжать? Костин подумал над ситуацией, и его осенило: надо временно снять Эжени апартаменты в нужном месте.

— Пусть твоя сестра поживет там, где рекомендовал этот овец, в смысле свах, — сказал он супруге. — Вдруг все-таки смена места поможет? А если нет, Женя поймет, что Борискин ошибся, и вернется назад.

Нина предложила этот вариант Женечке, та согласилась, и все принялись искать жилье. А теперь маленькая деталь. Мы с Максом обитаем в крохотном переулке, который одним концом упирается в Староорловскую, а другим в Пименовскую улицу. И здание, где расположены наши апартаменты, имеет розовый цвет, который обожают гламурные девушки. Для справки: такого вида дом в этом районе один-единственный. И оказалось, что никто в нем не сдает квартиры. Наверное, можно не продолжать, и так понятно, что произошло.

Костин явился ко мне, рассказал обо всем и взмолился:

— Лампудель! Нина об этом не просила, но я вижу, как она дергается. Жена всегда любила младшую сестру и страдала, что вынуждена не общаться с ней. Помоги, пожалуйста, пусти Эжени к себе.

— На всю жизнь? — испугалась я. — Может, олигарх походит по квартирам и предложит хозяевам большие деньги за продажу их жилья?

— Нет, — мрачно ответил Володя, — Иван Сергеевич полностью отстранился от дел младшей дочери, запретил жене решать любые проблемы Эжени, повторяет: «Пусть учится самостоятельности».

— Папашу кидает из кипятка в лед, — вздохнула я. — Сначала он требовал от дочки полнейшего подчинения, а теперь наоборот. Удивительно, что Женя сохранила хоть какое-то психическое здоровье.

— Извини за напоминание, но ты сама стала счастливой лишь после сильного стресса, — сказал Костин[1].

— Верно, — согласилась я. — Но мне не пришло в голову бежать ко всяким баранам.

Володя чуть повысил голос:

— Лампа, тебе повезло, ты сразу встретила Катю, которая помогла тебе. А Эжени пока не попался такой человек. Да, она обзавелась приятелями, но ни задушевной подруги, ни любимого рядом нет. Я не прошу навечно взять Эжи к себе, посели ее всего на месяц. Борискин клянется, что в течение тридцати дней карма безбрачия у нее исчезнет, а энергия семейного счастья расцветет аки пион жарким летом. Для нас хорош любой вариант развития событий. Появится жених? Ура! Не появится? Опять — ура! Женя сообразит, что ее гуру идиот, и потеряет веру в сваха. Сейчас она вбила себе в голову, что, поселившись в нужном доме, встретит принца на белом коне, а если не поселится, то совсем закиснет.

Я молча слушала Вовку. Он прав. Когда убежавшая из дома Фрося, как меня звали когда-то, в растерянности брела по улице, не зная, что же делать, из-за поворота выехала машина, за рулем которой сидела Катюша, и моя жизнь изменилась волшебным образом. Катя могла тогда просто умчаться прочь, но она пожалела незнакомку и, забыв спросить, как ее зовут, привезла к себе домой, накормила, напоила, уложила спать... Я верю

---

[1] Ситуация, о которой вспоминает друг Лампы, описана в книге Дарьи Донцовой «Маникюр для покойника», издательство «Эксмо».

в закон распространения добра, который звучит так: «Если кто-то когда-то протянул тебе руку помощи, ты обязан поддержать другого человека, которому плохо».

Откашлявшись, я сказала:

— Привози Эжени, у нас полно свободного места.

И вот Евгения Буданова поселилась в нашей с Максом квартире. Она заботится о мопсах и ждет своего суженого. Сегодня случайно выяснилось, что Альдабаран предсказал его появление на дне рождения у Жанны. И мне просто необходимо сопровождать сестру Нины на тусовку, потому что Эжи побаивается идти в ресторан одна. Понимаете теперь, почему я не могу отказать ей? Что ж, придется отправиться в трактир. Правда, тогда у меня возникнут другие проблемы, связанные все с тем же Костиным...

Глава 4

Некоторое время назад к Володе обратился Вениамин Подольский. Да-да, тот самый писатель, композитор, художник, певец и на дуде игрец, о котором с восторгом рассказывала сегодня Жанна.

Вениамин рассказал, что у него много поклонников, которые подходят к нему на улице, просят разрешения сфотографироваться вместе, дать автограф. Однако не надо думать, что Подольский, как золотая монета, нравится абсолютно всем, у него есть и недоброжелатели. Кое-кто, испытывая зависть к известному талантливому человеку, распространяет о нем всякие гадости в социальных сетях или, придя на встречу со знаменитостью, задает хамские вопросы.

Собственно, такие личности привязываются к любому селебретис, но они трусливы, поэтому, вывалив свой негатив в Интернет или осторожно полаяв, так сказать, на слона при скоплении народа, живо прячутся. Но, к сожалению, иногда известного человека начинает преследовать сумасшедший, которому велят делать голоса в его голове. Так вот, уже месяц Подольскому под дверь некто подсовывает конверты с записками, содержание коих отнюдь не радует творца-многостаночника. Текст их однообразен: «Скоро сдохнешь», «Жди — пристрелим», «Получишь пулю за книгу», «За свою «Нежность» ты умрешь».

— И что вы хотите? — спросил у него Костин. И услышал в ответ:

– Найдите психа.

В процессе дальнейшей беседы с клиентом Володя выяснил, что Подольский, создавая роман под названием «Нежность», похоже, вдохновлялся «Лолитой» Набокова, потому что тоже писал о любви взрослого человека к подростку. Только у классика главный герой, Гумберт Гумберт, мужчина в возрасте, испытывает страсть к юной девочке, а у Подольского – Анастасия, женщина пятидесяти пяти лет, соблазняет девятиклассника. Очевидно, какого-то читателя сюжет возмутил, и он, будучи человеком с нестабильной психикой, решил разобраться с писателем. Подольский предложил Володе:

– Посадите вместо нашего лифтера в подъезде свою сотрудницу. Пусть она следит за каждым, кто поднимается на последний этаж, и фотографирует этих людей. А потом вы по снимкам попробуете установить их личность.

— Может, лучше повесить на лестничной клетке видеокамеру? — выдвинул встречное предложение Костин.

— К сожалению, нельзя, — возразил Вениамин. — У меня сосед крупный шоумен, всегда ходит с охраной и панически боится папарацци. Каждый день его секьюрити обследует пространство между нашими квартирами при помощи особого прибора, который реагирует на присутствие камер и «жучков».

— И тем не менее вы имеете полное право повесить аппаратуру слежения, — заметил Костин.

— Я знаю. Но очень не хочется скандалить с соседом, — признался Подольский. — У него прямо мания преследования, он вечно трясется, везде ему журналюги чудятся.

— Ну, ладно, — согласился Вовка, — кого-нибудь подберем, не волнуйтесь.

— Нет, нет! — замахал руками клиент. — Вы можете совершить роковую ошибку.

— Какую же? — удивился Костин.

Подольский понизил голос и начал выкладывать свои соображения. Дежурных в доме, где он проживает, двое. Днем всегда работает пенсионер Игорь Сергеевич, майор в отставке, ему положен двухчасовой перерыв на обед, во время которого подъезд никто не охраняет. А на ночь приходит женщина по имени Татьяна. Та спокойно укладывается спать в каморке, а когда звонят во входную дверь, мигом вскакивает. Вместо Игоря Сергеевича можно временно посадить детектива. Но если тот окажется молодым парнем с военной выправкой, то всем входящим станет понятно, что это специально обученный охранник. Мерзавец, терроризирующий Подольского, уж не раз бывал в доме, видел, что у лифта дежурит пожилой человек, и насторожится при виде бравого секьюрити. А вот какая-нибудь простоватая тетка его не спугнет.

— Вы совершенно правы, — согласился Костин. — Я и не собирался заменять лифтера кем-то из бывших сотрудников силовых структур, подберу женщину.

— Хочу на нее посмотреть, — не сдался Подольский. — На карту поставлена моя жизнь, я не собираюсь погибать из-за чужой ошибки.

Володя скрипнул зубами. Но ведь клиент всегда прав! Поэтому мой друг вызвал в кабинет трех сотрудниц слабого пола и улыбнулся:

— Выбирайте, все красавицы.

— Спора нет, ваши сотрудницы прелестны, — галантно заметил Подольский. — Именно поэтому они и не подходят. Одна слишком молода, по виду студентка, другая явно спортсменка, у нее специфическая осанки, а бицепсы видны сквозь кофту, третья, извините, азиатской внешности, жильцы будут возражать против гастарбайтерши. Других дам нет?

— Можно позвать Евлампию, — в недобрый час предложила одна из отвергнутых. — Она, возможно, вам понравится. Если Романова оденется соответственно, будет то, что надо.

— Нет, — возразил Володя.

— Почему? — удивился Подольский. — Позовите женщину с необычным именем.

Костину пришлось вызвать меня. Едва я вошла в кабинет, как Подольский воскликнул:

— Да, да, да! Стопроцентное попадание в точку. Верный типаж. Я сразу правильно оцениваю человека, у меня дар мгновенно видеть суть личности, я никогда не ошибаюсь. Вам надо повесить в подъезде объявление: «Лифтер Игорь Сергеевич заболел, у нас временно работает его родственница». Консьерж, повторяю, бывший военный, с ним можно договориться, он не трепач, получит деньги за услугу и никому ничего не расскажет.

Сидеть за столом в холле жилого дома и потихоньку делать снимки шпионским аппаратом совсем не та работа, о которой я мечтала. Но Вовка так умолял, что мои нервы не выдержали. И я, скромно одевшись, обосновалась в подъезде, так и не поняв, почему согласилась на это приключение.

Уже на второй день мне стало ясно, что малооплачиваемая служба крайне хлопотная, да еще и пыльная в прямом смысле этого слова.

Здание, где живет Подольский, не многоэтажная башня, а старый московский дом постройки начала пятидесятых годов прошлого века. Квартир в нем всего десять, по две на лестничной клетке. Лифта изначально не было, потом снаружи пристроили шахту, в которой ездит кабина размером чуть больше губки для мытья посуды. Утром в подъезд вваливается почтальон и, не здороваясь, швыряет на стол газеты, журналы, письма, рекламу. Я не успеваю лечь грудью на корреспонденцию, она падает на пол, и потом жильцы дружно ругают меня за грязные конверты и мятую прессу. Никто из входящих не желает вытирать ноги о коврик. Иванов из четвертой квартиры два раза в день, уходя на работу и возвращаясь с нее, требует, чтобы я велела Константинову из третьей перестать курить на лестнице. А тот, услышав мое замечание, ржет и специально дымит сильнее. Из-за старых труб в квартирах вечно случаются протечки, а сантехник никогда не появляется вовремя. Разносчики пиццы, которых постоянно вызывает к обеду жилец с четвертого этажа, традиционно звонят в квартиру на третьем, а там как раз в это время укладывают спать грудного ребенка...

Ну, не стану вас утомлять дальнейшими подробностями, отмечу лишь, что свое недовольство обитатели дома почему-то выливают на консьержку. Как будто именно я виновата во всем, даже в том, что жилец Севостьянов паркует джип прямо у дверей подъезда, а девочка Кирилловых играет по вечерам на фортепьяно.

Через неделю после начала работы, на личном опыте узнав, сколь обременительна должность дежурной по подъезду, я стала очень приветливой с лифтершей в собственном доме, принялась угощать Клавдию Петровну печеньем, конфетами. И делала это до тех пор, пока случайно не услышала, как та говорит дворнику:

— Неспокойно мне, Леша. Романова улыбается, словно гадость какую-то задумала, сладкое мне приносит. А раньше этого не делала. Ох, не к добру ее доброта!

— А ты, тетя Клава, подымись на ее этаж да позырь, чего баба в мусоропровод кидает, — посоветовал дворник. — Стопудово она втихаря строительный мусор спускает. От жильцов всегда жди подлянки, мы с ними по разные стороны баррикад.

Еще через десять дней я загрустила и стала теребить Костина, задавая ему один и тот же вопрос:

— Сколько мне еще тухнуть в том подъезде? Никто подозрительный в него не ходит.

— Сиди спокойно! — приказал Володя. — Подольский оплатил два месяца работы. Если ничего за это время не произойдет, снимем наблюдение.

И куда мне было деваться? Потянулись тоскливые рабочие смены, похожие друг на друга, как яйца. В прошлый четверг мне, уставшей от пустого времяпрепровождения, стало предельно ясно: даже если вдруг случится, что я буду умирать с голоду, никогда не наймусь консьержкой. Пусть мне предложат миллионный оклад, ни за что не соглашусь наблюдать за порядком в подъезде. И я зря потеряла уйму времени — никто из посторонних к двери Подольского не спешил, никакие странные личности в доме не появлялись. Все были либо жильцами, либо сотрудниками ДЭЗа, либо служащими разных фирм, привозившими белье из прачечной и вещи из химчистки, доставляли продукты, бутыли для кулеров и тому подобное. Я старательно фотографировала каждого, хотя никто никаких писем Вениамину не подбрасывал, о чем он нам бодро сообщал.

Но вчера в одиннадцать утра я заметила невысокого мужчину в кепке, козырек которой прикрывал глаза, прятавшиеся за очками в тяжелой оправе, к тому же его лицо украшали борода и усы. Низко опустив голову, он живо порулил к лифту.

— Вы куда? — бдительно поинтересовалась я.

— В восьмую, привез заказ из интернет-магазина, — вежливо ответил незнакомец и продемонстрировал туго набитую сумку.

Посетитель не хамил, не проявлял агрессии, от него не пахло алкоголем, но внешний вид его сразу меня насторожил. Было понятно, что он пытается скрыть свою внешность. Поэтому я, исподтишка запечатлев его, отослала снимок Костину.

Курьер не сел в лифт, пошел по лестнице. Звук шагов быстро стих, и я не смогла определить, на какой этаж подозрительный гражданин поднялся, на четвертый или выше. Долго в подъезде разносчик заказов не задержался, спустился через пять минут. Я, старательно изображая любительницу подымить, стояла с зажженной сигаретой в руке на улице у входной двери — хотела увидеть, в какую машину сядет усатый-бородатый, и записать ее номер. А тот оседлал прислоненный к стене здания старый велосипед и, бойко вертя педалями, исчез. Спустя час Вениамин, собравшийся уйти по делам, обнаружил очередное послание с сообщением «Сейчас умрешь». Конверт был заткнут за ручку двери.

Сегодня я отсидела в подъезде до четырнадцати часов, а потом ушла.

Лифтеру положен двухчасовой перерыв на обед, и если бы я не соблюдала график, жильцы непременно удивились бы. В связи с этим еще перед тем, как заменить настоящего лифтера, я сказала Костину:

— Понимаю, нельзя, чтобы у людей возникали вопросы. А вдруг мерзавец явится именно во время отсутствия консьержки? Думаю, он хорошо изучил порядки в доме, где живет Подольский. Я бы на его месте постаралась притащить письмо с угрозой в тот момент, когда дежурного нет.

— То же соображение пришло и мне в голову, — ответил приятель. — Но Вениамин, услышав его, сообщил: «Нет, послания появляются исключительно утром, до полудня. Я возвращаюсь домой поздно, около полуночи, и никогда никаких конвертов не было. Отправляюсь по делам в районе двенадцати дня, открываю дверь и — вижу письмо. Так что по поводу обеденного перерыва не беспокойся.

Поэтому я днем спокойно прибегаю домой. Сегодня сварила для Муси отвар, поговорила с Жанной, пообещала Эжени пойти с ней на день рождения Златовой и занервничала. Мне необходимо вернуться в подъезд, служба заканчивается в двадцать три ноль-ноль, раньше меня ночная дежурная не сменит. Убежать нельзя — жильцы мигом поднимут скандал. Но Эжени прочитала приглашение и готовится к встрече с суженым, который, по ее мнению, точно явится на тусовку. А теперь настало время задать любимый вопрос россиян: что делать? Две просьбы Вовки — помочь его свояченице и выследить обидчика Подольского — вступили в конфликт.

Я немного подумала, а затем соединилась с Костиным, переложив проблему на его плечи. Володя перезвонил мне спустя пятнадцать минут.

— Нашел тебе временную замену, с восемнадцати часов будешь свободна.

— Отлично! — обрадовалась я. — Успею вернуться домой и переодеться. Ты молодец. Теперь всегда буду просить тебя о помощи в трудной ситуации.

Костин крякнул и молча отсоединился.

Я понеслась в прихожую, услышала звонок, распахнула дверь и увидела парня в темном костюме и светлой рубашке с галстуком.

— Госпожа Романова? — торжественно произнес он. — Спешу сообщить, что вы, заполнив анкету в нашем магазине, стали участником конкурса и выиграли первый приз.

— Да ну! Вот радость! — захлопала я в ладоши. И тут же посерьезнела: — Никак этого не ожидала, потому что никогда не оставляю ни свой адрес, ни паспортные данные в торговых точках. И, предвидя вашу реакцию, добавлю: онлайн-лавками вообще не пользуюсь.

— Честное слово, наша фирма не мошенничает! — воскликнул посетитель. — Поверьте, подарок ваш.

Я пришла в еще больший восторг.

— Восхитительно! Полагаю, я должна вручить вам тысяч пять, дабы оплатить таможенный сбор, а вы, получив деньги, торжественно передадите мне фен китайского производства ценой в стольник. Нет уж, молодой человек, вы ошиблись в выборе клиента, я не из тех, кто реагирует на эсэмэски типа: «Мне отрезало руки, ноги, голову трамваем, потерял мобильный, мама, положи пятьсот рублей на этот номер», или соглашается приобрести чудо-лекарство за астрономическую цену.

— Ну, ей-богу, вы выиграли, — заканючил коммивояжер.

— Что именно? — не выдержала я.

— Приз — биотуалет новейшей модели с полным комплектом всего необходимого, плюс упаковка туалетной бумаги и новая книга Милады Смоляковой! — выпалил парень. — Я начальник пиар-отдела фирмы, вот моя визитка.

Я настолько опешила, что машинально взяла карточку. И в полном изумлении прочитала напечатанный текст. «Георгий Фрумкин. Вас может бросить муж, от вас может уйти жена, вас могут предать друзья, но наш биотуалет «Розовое счастье» будет вам верен всегда».

Я закашлялась.

— Что-то не так? — забеспокоился Фрумкин. — Я впервые провожу конкурс, а вы единственная правильно ответили на все вопросы. Вот я и решил доставить вам подарок «Розовое счастье» плюс бесплатно продемонстрировать работу нашего мегасуперкрутого компактного переносного унитаза.

Я перестала маскировать хохот под приступ кашля. Бесплатная демонстрация? Георгий собрался показать, как работает «Розовое счастье»? Ну и каким образом он это проделает? Поместит биотуалет посреди гостиной, сядет на него и...

— Что-то не так? — повторил парень. — Смотрите, какой он красивый.

— Большое спасибо, но из всего вышеперечисленного меня заинтересовала лишь новая книга Милады Смоляковой. Остальное отдайте другому участнику, — попросила я.

— Нет, нет, «Розовое счастье» ваше, — уперся Георгий. — Не отказывайтесь, это удобная вещь, единственный складной унитаз на рынке. Можно поставить его где угодно. На даче, например.

— Я пока не обзавелась фазендой, — парировала я.

— Так «Розовое счастье» и в городской квартире уместно, — сообщил Фрумкин.

— Я живу в доме, где есть канализация, — я зачем-то поддержала нелепую беседу.

— Вдруг вам очень-очень надо, а сортир занят? — прищурился Георгий. — Что делать, бежать к соседям? Неудобно. А у вас в укромном месте стоит чудесный, очаровательный, интеллигентный толчок. Вытащили его, разложили за секунду, и все о'кей.

— Спасибо, у нас в квартире три санузла, — остановила я пиарщика. — Можете оставить детектив Милады, а «Розовое счастье», честное слово, лишнее.

— За город ездите? — неожиданно поинтересовался Георгий.

— Случается, — кивнула я.

Фрумкин расцвел.

— Представьте: тащитесь на машине по дороге, попали в пробку и тут, пардоньте, живот взбунтовался. И куда метнуться? В лес? А там звери — лисы, медведи, лоси, волки, ежи...

— В особенности, страшны последние, — хихикнула я.

— Знаете, каково ежику, если на него голым задом усядутся? — не успокаивался парень. — Травма на всю жизнь. Но коли у вас с собой имеется «Розовое счастье», проблемы не возникнет. Достаете биотуалет из багажника, раскладываете, устанавливаете на обочине...

Перед моими глазами развернулась чудная картина. Лето. Вечер пятницы. По шоссе из душной Москвы в прохладную область медленно ползет поток автомобилей. Но сегодня пробка намного плотнее, чем обычно, потому что водители тормозят и снимают на видео Лампу, которая, уютно устроившись у обочины на унитазе, самозабвенно читает очередной захватывающий роман Смоляковой. Да я вмиг стану звездой на Ютубе! Потом меня позовут на телевидение для участия в шоу, я напишу книгу «Складной унитаз и его роль в моей жизни»...

— Лампочка, кто-то пришел? — спросила Эжени, выходя в холл. — Разве ты не уходишь на работу?

— Здрассти! — радостно завопил Фрумкин и протянул Эжи фотоаппарат. — Можете сделать фото? Звезда получает приз от нашей фирмы... Вы так здорово все разыгрываете, что прямо поаплодировать хочется. Гениально! Видео я уже снял, теперь вот захотел фотку для себя.

На секунду я растерялась. Звезда? О чем толкует незваный гость? Какое видео?

— Конечно, — кивнула Буданова. Взяла в руки фотоаппарат и скомандовала: — Чии-из!

Георгий мгновенно подскочил ко мне, поставил перед нами коробку с унитазом, обнял меня за плечи и улыбнулся.

— Готово, — объявила Эжени. — Отлично получилось! Лампуша, я так построила кадр, что твой халат целиком не видно, а верх выглядит, как платье.

Я опомнилась.

— Простите, Георгий, я опаздываю на службу.

— Давайте... — начал было Фрумкин, но я бесцеремонно захлопнула перед его носом дверь и кинулась одеваться.

Глава 5

В шестнадцать тридцать я решила проветрить подъезд. Открыла входную дверь, подперла ее железной урной, стоявшей рядом, и осталась на улице.

Дом Подольского расположен в странно малолюдном для столицы переулке. Машин тут мало, потому что магистраль тупиковая. Тихое, райское место. Думаю, апартаменты здесь стоят немерено.

Наслаждаясь солнечным летним днем, я бездумно разглядывала прохожих. Вот женщина с коляской, подросток с пуделем, девушки с пакетами, а вот на противоположной стороне улицы затормозил автомобиль. Водитель черного ничем не приметного седана открыл дверцу, но выходить не стал, начал говорить по телефону. Я разглядела на торпеде машины большой навигатор и уставилась на шофера. Вероятно, молодой мужчина, сидевший за рулем в кепке и темных очках на носу, ощутил чужой взгляд. Во всяком случае, он повернул голову, заметил меня и быстро захлопнул дверцу. Я посмотрела на часы, вернула на место мусорницу, прикрыла створку подъезда, села за стол, зевнула и увидела Вениамина, который спустился по лестнице в холл, оглядываясь по сторонам. Подольский тихо спросил:

— Пока никого?

— Только постоянные жильцы туда-сюда снуют, — отрапортовала я. — Усатый-бородатый более не появлялся. Но вы зря отказались от охраны, предложенной Костиным.

— Терпеть не могу посторонних за спиной, — легкомысленно отмахнулся Вениамин. — Секьюрити плохо одеты, отвратительно пахнут, они меня раздражать будут.

— Лучше перестраховаться, — упрямо качнула я головой.

Подольский, ничего не говоря, пошел к двери и вдруг, взмахнув руками, рухнул на пол. Я вскочила и кинулась к нему.

— Что случилось?

— Не стоит волноваться, — сдавленным голосом произнес лежащий клиент, — я элементарно поскользнулся.

Я с шумом выдохнула. Вениамин сел, затем попытался встать, потерпел неудачу и потребовал:

— Дайте руку, подняться не могу.

— Сейчас вызову «Скорую», — забеспокоилась я. — Вдруг вы ногу сломали?

Подольский задрал брючину и осмотрел голень.

— Нет, просто ушибся.

— Необходимо показаться врачу, — не успокаивалась я.

— У меня медицинское образование, — улыбнулся многостаночник, — сам могу диагноз поставить.

Я удивилась. Ну надо же, оказывается, он еще и доктор в придачу. Интересно, не танцевал ли сей господин партию Маши в балете «Щелкунчик»?

— Просто надо на кого-то опереться, — проявил нетерпение клиент.

И я помогла Подольскому встать. Тот сделал несколько шагов, ойкнул и уже другим, приветливым голосом попросил:

— Евлампия, вам не трудно сопроводить меня до кафе? Оно рядом, только улицу перейти. У меня там встреча назначена, должен подъехать телепродюсер. Мне предлагают вести шоу на Первом канале, надо кое-что обсудить, а я не люблю пускать посторонних в квартиру, предпочитаю разговаривать на нейтральной территории.

— Конечно, — согласилась я. — Представляю, как бы мне сейчас позавидовали ваши фанаты. Прогуляться с самим Подольским под ручку их заветная мечта.

Вениамин ничего не сказал в ответ.

Мы вместе вышли из подъезда и побрели к кафе. Я увидела черный джип, который только припарковался у соседнего здания. Пассажирская дверца открылась, из машины выпорхнула стройная шатенка в красивом светло-бежевом платье. Ветер трепал длинные волосы незнакомки, бросал их ей в лицо, я не могла рассмотреть внешность молодой женщины еще и потому, что обратила внимание на ее элегантную, явно очень дорогую сумку из выкрашенной в голубой цвет кожи крокодила, большой замок на ней представлял причудливо изогнутую серебряную ящерицу, чей хвост, задравшись, переходил в ручку. Дама открыла ридикюль и начала в нем рыться.

Мы с Подольским очень медленно стали пересекать улицу. Примерно на середине проезжей части Вениамин замер, поморщился и вздохнул.

— Нога болит? — посочувствовала я.

— Да, — признался он, — ноет.

— Может, все-таки обратиться к доктору? — посоветовала я.

— Ерунда, пройдет, — махнул рукой мой спутник, не двигаясь дальше.

Внезапно до моего носа долетел аромат дорогих духов — с нами поравнялась та самая девушка в светлом платье. Причем встала впритык к Вениамину. Ее волосы опять упали на лицо, и я внезапно насторожилась. Почему она подошла вплотную к Подольскому? По какой причине тоже остановилась?

Быстро сделав шаг в сторону, я дернула Вениамина, тот машинально последовал за мной. Незнакомка неожиданно вскрикнула и упала. Вениамин, издав странный звук, начал заваливаться на спину. Я не настолько сильна, чтобы удержать крупного мужчину, и Подольский рухнул на асфальт. Я, не успев отпустить его руку, шлепнулась рядом.

Все это заняло пару секунд. Еще столько же я пролежала, не понимая, что произошло. Потом села и увидела лицо шатенки. Нижнюю его часть и нос прикрывала прядь волос, а прямо посередине лба чернела дырка. Я уставилась на Подольского, у которого чуть ниже правого глаза была точь-в-точь такая же, и поняла: неподалеку засел стрелок. Женщине и Вениамину уже не помочь, надо спешно выбираться из зоны обстрела — похоже, я у снайпера как на ладони. Я живо перевернулась на живот и закрыла голову руками.

— Эй! — раздался мужской голос. — Что случилось?

Я приподнялась, увидела, как от черного джипа к нам бежит мужчина, и закричала:

— Назад! Здесь работает снайпер!

Но он не обратил ни малейшего внимания на мое предостережение. Он очутился около убитой женщины, замер, наклонился, тронул ее голову рукой — на его пальце блеснул черный перстень. Затем незнакомец подхватил мертвую девушку на руки и понес к машине. Я вскочила и бросилась за ним.

— Подождите! Надо вызвать полицию!

Но мужчина быстро шел к джипу.

— Давайте вернем пострадавшую на место... — попыталась я придержать явно обезумевшего человека.

А тот вдруг сильно ударил меня ногой. Не ожидая нападения, я покачнулась, упала на спину и стукнулась затылком об асфальт. На мгновение перед глазами поплыли темные пятна. Когда ко мне вернулась способность видеть окружающий мир, джип уже стартовал с места. Я попыталась запомнить его номер, но не увидела ни цифры, ни буквы.

— Убили! — полетел над улицей истеричный женский визг. — Помогите! Кто-нибудь!

Я с трудом поднялась, вынула из кармана мобильный и пошла к телу Подольского.

* * *

— Ты как? — спросил Костин, протягивая мне картонный стаканчик.

— Нормально, — ответила я, отхлебывая горькую жидкость. — Только замерзла почему-то.

— Можешь рассказать, что случилось? — продолжил Владимир. — Тесно-то, как у консьержки в будке, не повернуться. И душно. Давай лучше у меня в машине посидим, потолкуем спокойно.

— Говорить не о чем, — вздохнула я. — Вениамин спустился в холл, мы перебросились парой фраз. Он собирался на встречу с продюсером, но у входной двери упал, подвернул ногу. Попросил меня помочь ему подняться и дойти до кафе на той стороне улицы.

— Что, так сильно нога болела? — уточнил Костин.

— Наступал на нее с трудом, — пояснила я, — опирался на мою руку. Я дала ему совет вызвать «Скорую» и поехать в больницу, но Подольский его проигнорировал. Мы стали переходить дорогу. Рядом появилась молодая женщина, причем чересчур близко от Вениамина, почти вплотную к нему. Мне это не понравилось, я взяла правее и потянула его за собой. И тут девушка упала. Следом рухнул Подольский. Все произошло очень быстро, за доли секунды. Только что оба были живы — и хлоп, они трупы. Звуков выстрелов я не слышала.

Костин свел брови в одну линию.

— Не понял. У нас одна жертва.

Пришлось объяснить, что случилось с трупом женщины.

— М-да... — закряхтел Костин, выслушав меня. — Номер машины запомнила?

— Нет, — ответила я.

— Опиши автомобиль.

— Большой черный внедорожник, окна вроде затемненные, — забубнила я.

— Марка?

— Он так быстро умчался...

— Ясно, — вздохнул Володя. — Лампа, ты же профессионал!

— Я испугалась, — призналась я. — Думала, сейчас снайпер снова выстрелит, и трупов станет не два, а три. Как-то не хотелось закончить день в морге на столе из нержавейки.

— Понятно, — хмыкнул Костин. — Сконцентрируйся, может, хоть что-нибудь придет на ум.

— Колеса у него были! — обрадовалась я. — Круглые!

— У мужика? — с абсолютно серьезным видом осведомился друг.

— Конечно, нет! — возмутилась я. — У джипа.

— Жаль, — опять вздохнул Вовка. — Будь у того парня вместо ног колеса, было бы здорово. Это же супероригинальная примета. А круглая резина у внедорожника не шибко облегчат нам поиск.

— Нашел время шутить! — рассердилась я. — Ты просил вспомнить хоть что-нибудь, вот я и стараюсь.

— Если на моей работе плакать, неделю не проживешь, — парировал Костин, открыв ноутбук. — Давай попробуем фоторобот составить, авось получится.

Через пятнадцать минут Володя закрыл компьютер и тяжело вздохнул.

— Прости, — забубнила я, — сама не знаю, почему не могу лицо парня вспомнить. Ведь хорошо его видела, но, как только ты начал демонстрировать носы-глаза-губы, у меня в мозгу сразу каша получилась. Понимаешь, мужчина был такой... э... стандартный... Вроде симпатичный, но ничего особенного. Такие парни в рекламе снимаются — красавчики, однако описать их трудно, ничего приметного.

— Ерунда, — отмахнулся Костин, — свидетели, способные составить правильный портрет, редкость. Ты сильно перенервничала, а через день-другой успокоишься, и его образ всплывет в памяти. У тебя мобильный разрывается.

Я вытащила из кармана трубку и обрадовалась.

— Макс прилетел.

— У Вульфа все в порядке? — осведомился Костин, когда я запихнула телефон назад.

— Он застрял в аэропорту. Потерялся его чемодан, авиакомпания обещает найти, — пояснила я. — Макс поедет оттуда прямо в офис. Думаю, не надо волноваться по поводу пропавшего трупа женщины. Наверняка ее спутник, находясь в состоянии шока, не понял, что она мертва, и повез ее в больницу. А в приемном покое все сразу встанет на свои места. Увидят медики огнестрельное ранение и мигом сообщат в полицию. Ты легко найдешь клинику, если посмотришь сводку.

Но Костин помрачнел еще больше.

— Добро бы так.

Я решила переключить разговор на другую тему:

— С Гришей ты уже побеседовал? Что он сказал?

Тут в каморку консьержки всунулась голова старшего криминалиста.

— Если кого-то интересует мое мнение, то могу его озвучить.

Глава 6

— Давай, — приказал Костин.

Григорий откашлялся.

— Время смерти, благодаря присутствию Лампы, мы знаем точно. А также известно, что...

— Хочется услышать о том, что неизвестно, — остановил эксперта Костин.

Гриша заморгал.

Я дернула Володю за руку:

— Ты сбил ему программу. Гришенька, начни заново.

Викулов опять прочистил горло.

— Время смерти, благодаря присутствию Лампы, мы знаем точно. А также известно, что у жертвы одно ранение в голову.

— Стоп! Давай так: я спрашиваю, ты отвечаешь, — зашипел Володя. — Откуда стреляли?

— Предположительно с чердака дома на левой стороне улицы, — обиженно пробубнил Гриша, — точнее пока не скажу. Предположительно, смерть насильственная, предположительно, ее причиной является поражение головного мозга. Более детально доложу после вскрытия.

— Тонкое наблюдение! — вскипел Костин. — Даже я, не имеющий отношения к экспертизе, глядя на дырку под глазом, скумекал, что мужик уехал на тот свет из-за ранения в башку.

— Преждевременное заключение делать не стоит, — менторски заявил Григорий. — А если выяснится, что у жертвы за секунду до выстрела случился инсульт? Или тромб оторвался? Тогда причина смерти иная.

Володя заскрипел зубами, но попытался сохранить дружеский тон.

— Как ты думаешь, работал профессионал? Только какого черта он еще и бабу завалил?

Викулов стащил с рук перчатки, но ответить не успел, раздался тихий щелчок. Костин и эксперт разом обернулись. Я поднялась с табуретки и увидела, что дверь каморки приоткрыта, а на пороге стоит парень в бейсболке с фотоаппаратом в руках.

— Вот гад! Вот... — заорал криминалист. — Ну, ща тебе мало не покажется!

Папарацци кинулся наутек.

— Прости, Лампа, — принялся извиняться Григорий. — Я не имею обыкновения материться при женщинах, но журналюги достали. Прямо как личинки — увидят труп и сразу лезут.

— Разве ты ругался? — удивилась я. — Ничего не слышала. Кстати, где-то я этого хмыря уже видела сегодня... Нет, не могу припомнить.

— Когда сообразишь, расскажешь, — распорядился Костин. И повторил свой вопрос, повернувшись к эксперту: — Если работал профи, зачем он двоих на тот свет отправил? Какого дьявола заодно женщину убил?

— Мое дело изучить улики и сообщить тебе результат. Думать о личности преступника твоя задача, — сердито ответил Викулов.

— Григорий Константинович! — закричали с улицы. — Можно тело забирать?

Криминалист испарился.

— Как с таким работать? — заворчал Костин. — Сообщил то, что очевидно, и гордо удалился. Ладно, бери свою сумку и...

— Сумка! — подпрыгнула я. — У погибшей женщины был очень оригинальный аксессуар. Я не видела ранее ничего подобного — ярко-синяя кожа, серебряный замок в виде большой ящерицы, металлический хвост которой загибается вверх и превращается в плетеную ручку.

— У тебя опять телефон голосит, — перебил меня Володя.

Я посмотрела на мобильный, удивилась странному номеру и сказала:

— Слушаю вас.

В трубке бормотали на иностранном языке. Разобрав только три слова — «Джон Кеннеди» и «плиз», я собрала в кучку все свои знания английского и произнесла:

— Бонжур. Ай донт спик инглиш. Ай спик дойч энд раша. Москва. Йес? Ай — Москва!

В трубке на секунду воцарилось молчание, потом раздался женский голос:

— Мэм, вы говорите по-русски?

— Да, да, — обрадовалась я.

— Беспокоит служба невостребованного багажа аэропорта имени Джона Кеннеди. Вы не забрали свой багаж, чемодан находится у нас.

— Это какая-то ошибка, — в недоумении возразила я. — Не летала в Нью-Йорк, нахожусь в Москве. И откуда у вас номер моего телефона?

— К ручке багажа предусмотрительно прикреплена бирка с координатами владелицы, — пояснила служащая. — Вы мисс Евлампи Романофф? Рейс из Парижа.

Тут только я сообразила, что произошло. Макс летал к одному из своих клиентов во Францию. На обратной дороге служащие аэропорта напутали, переслали чемодан пассажира не в Москву, а в США. Почему на нем моя визитка? Мы с Максом не так давно отдыхали в Арабских Эмиратах, позже, собирая супруга в очередную командировку, я уложила его вещи в тот чемодан, из которого вытащила свои шмотки, а бирку не сняла.

— Багаж мужа нашелся! — обрадовалась я. — И как его получить? Продиктовать вам наш адрес в Москве?

— О нет, мэм, — вежливо ответила американка, — мы не можем отправить вам собственность почтой прямо на дом, просто перешлем вещи в ваш город, вам сообщат, где их получить. Рейс на Москву через два часа, я успею выполнить все формальности.

— Огромное спасибо, вы очень любезны, — растрогалась я.

— Это моя работа, мэм.

— Вы прекрасно говорите по-русски, — похвалила я собеседницу.

— Благодарю вас, мэм. Ждите вызова. Хорошего дня, — скороговоркой оттарабанила американка и завершила разговор.

— Ты сможешь пойти с Эжени на вечеринку? Как твое самочувствие? — спросил Костин. — Она Нине уже обзвонилась с вопросами, что лучше нацепить, чтобы принц сразу понял: перед ним та самая, его единственная.

— Плохо будет, если няня Роза Леопольдовна станет консультировать Эжи по поводу одежды, — вздохнула я. — Надеюсь, твоя свояченица не попросит у нее совета? Конечно, у меня немного трясутся ноги, но в остальном порядок, не волнуйся, я не подведу.

* * *

Войдя в дом, я ощутила резкий удушающий запах духов. Потом услышала фыркающие звуки, увидела бегущих по коридору чихающих Фиру с Мусей и грозно спросила:

— Безобразницы, вы опять лазили в моей спальне по прикроватному столику в поисках конфет? Что разбили, разлили, испортили? Почему в квартире атмосфера, как на парфюмерной фабрике?

Мопсихи дружно закашляли, я наклонилась и стала гладить собачек.

— Так сильно пахнет? — спросила Эжени.

Я подняла голову и постаралась дышать через раз.

— Я попрыскалась совсем чуть-чуть, — продолжала Евгения. — Пошла в ванную, вернулась и удивилась: аромат в комнате здорово изменился, стал очень крепким.

— Какой смысл в духах, если они не ощущаются? — произнесла Роза Леопольдовна, появляясь в прихожей. — Эжени, милая, вы делаете один пшик, и все. Но этого мало. И ваш парфюм еле-еле ощущается. Вот у меня настоящая «Шанель», запах на целый день. Лампа, дорогая, у вас в санузле сломался унитаз, придется пользоваться гостевым. Мирон, к сожалению, прийти помочь не сможет — он на работе, его не отпустят. До субботы вам в сортир ходить нельзя. В семь вечера собрание жильцов, просили непременно быть, на повестке выборы домового.

Я остолбенела.

— Кого собрались выбирать?

— Домового, — повторила няня. — Ответственного жильца, который на общественных началах будет следить за порядком в доме, собирать деньги на похороны.

— Кто-то умер? — испугалась Эжи.

— Насколько мне известно, нет, — спокойно ответила Краузе. — Но надо же проявить предусмотрительность. Поздно назначать собиральщика, когда уже пора на кладбище ехать. В приличном доме всегда заранее сдают деньги на венки. А цветы на лестнице? Они в отвратительном состоянии. Еще мне не нравится отсутствие в подъезде ящика для запасных ключей. А неуютный холл, а консьержка, обутая в тапки... Надеюсь, жильцы выберут достойного, умного, талантливого домового.

Я опять перевела взгляд на Эжени и медленно втянула ноздрями воздух. Так, с духами понятно. Пока Буданова наводила марафет в ванной, Роза Леопольдовна, которая, конечно же, знает о том, что гостье сегодня предстоит встреча с принцем, решила помочь Эжи и от всей щедрой души опрыскала ее одежду своим парфюмом, который, несмотря на заверения няни, не имеет ни малейшего отношения к фирме «Шанель».

Краузе прекрасный человек и уникальная нянька, ей смело можно доверить ребенка. Роза Леопольдовна ухаживает за Кисой лучше, чем наседка за цыпленком. У меня к ней нет ни малейших претензий. Устроившись к нам с Максом на работу, дама сначала ничего не рассказывала о своей личной жизни, но потом правда вылезла наружу[1]. Краузе замужем за Мироном, который в два раза моложе ее. Из-за большой разницы в возрасте супруги были вынуждены уехать из родного города в столицу. В провинции люди более прямолинейны, чем в большом городе, они не шептали гадости за спиной молодоженов, а откровенно говорили в лицо:

— С ума баба сошла! Расписалась с парнем, который ей в сыновья годится!

После того как мать Мирона побила все стекла в доме, где жили новобрачные, они и укатили в Москву. Краузе устроилась няней, Мирон тоже нашел себе работу, но наученная горьким опытом Роза Леопольдовна никому не рассказывала о своем спутнике жизни. Я совершенно случайно узнала, как обстоит дело, и спокойно объяснила няне, что мне все равно, сколько лет Мирону, главное, что Роза Леопольдовна любит Кису и что она прекрасный человек.

Но, увы, и на солнце бывают пятна. Краузе искренне считает нас неразумными детьми, которые без ее мудрого руководства наделают глупостей. Например, я и ахнуть не успела, как все банки-склянки-пакеты-бутылочки на кухне выстроились так, как удобно няне. Некоторое время я упорно возвращала коробочку с заваркой к чайнику, но всякий раз потом обнаруживала ее в шкафчике в другом конце кухни. На мое замечание, что чаю лучше находиться неподалеку от кипятка, Краузе возразила:

---

[1] Подробно о Краузе и Мироне рассказано в книге Дарьи Донцовой «Белочка во сне и наяву», издательство «Эксмо».

— Да, большинство людей хранит заварку в непосредственной близости от электрочайника, а потом удивляется, почему в напитке отсутствуют вкус и аромат. Им не приходит в голову, что пар, вылетающий из носика, проникает в упаковку и портит содержимое.

У Краузе по любому вопросу есть свое четкое мнение. Полотенце в ванной нельзя вешать на крючок — оно тогда медленно высыхает, в ткани заводятся микробы, а посему его надо держать исключительно на сушителе. Неправильно зимой в комнатах включать на полную мощность батареи — они сжигают воздух, поэтому домочадцы кашляют, да и мебель рассыхается. Не стоит покупать растительное масло в пластиковых бутылках — эта упаковка выделяет вредные вещества, надо приобретать масло в стеклянной таре. В принципе, со всеми этими утверждениями я согласна и молча бреду с влажным лицом и мокрыми руками через весь санузел, чтобы утереться полотенцем. Но как отнестись к заявлению Розы Леопольдовны о том, что крышка унитаза всегда должна быть закрыта, так как фэн-шуй строго предупреждает: в противном случае из дома утечет финансовое благополучие? Редко встретишь мужчину, который перед выходом из туалета опустит стульчак, а уж о крышке никто из представителей сильного пола и вовсе не подумает. Конечно, мы с Максом не обращали внимания на мерный зудеж няни.

— Вот не верите фэн-шую, а зря.

Потом у мужа случились проблемы на работе, он занервничал, нам пришлось затянуть пояса. И вдруг, о чудо, спустя пару месяцев ситуация сама собой исправилась, наше денежное положение вновь стало стабильным. Мы расслабились и услышали от Розы Леопольдовны:

— Вот видите! Как только я стала методично опускать на всех унитазах крышки, так денежки перестали утекать из семьи.

Няня не сомневалась, что именно она спасла нас от банкротства, и ничто не могло поколебать ее убежденность.

Дай Розе Леопольдовне волю, она начнет диктовать всем, что надо носить, как питаться, где работать, где отдыхать. Мы с Максом пропускаем мимо ушей девяносто процентов советов няни, а вот Эжени сегодня, похоже, воспользовалась ими. Она одевалась и накладывала макияж под руководством Краузе, поэтому производила сейчас сногсшибательное впечатление. В прямом смысле слова — вы бы упали при виде Будановой.

Глава 7

— Ну как? — поинтересовалась Эжи, вертясь передо мной.

— Мы повторили лук из журнала «Зашибись», — гордо заявила Роза Леопольдовна. — Это издание лидер в мире моды.

— На мой взгляд, луку лучше спокойно лежать в корзинке с овощами, — вздохнула я. — Может, тебе слегка приглушить румянец?

— Плохо, да? — скуксилась Эжени.

Няня решила ввести не разбирающуюся в вопросах макияжа хозяйку в курс дела:

— Мы подчеркнули природную красоту, оттенив внутреннюю сущность косметикой «Ночь в городе Помпея».

Я навесила на лицо улыбку. Понятно теперь, почему лицо Эжени покрыто чем-то серым — Помпеи ведь погибли под вулканическим пеплом. Но по какой причине у нее руки в коричневых пятнах?

— Одежда плохо смотрится на фоне белой кожи, — продолжала Краузе, — поэтому мы использовали автозагар. Ой! Каша!

Всплеснув руками, Краузе убежала.

— И Боню нарядили в тон, — защебетала Женя, демонстрируя мне чихуахуа, запихнутого в розовое платьице со стразами.

— Знакомая одежонка, — задумчиво сказала я. — Только не могу вспомнить, где ее видела?

Буданова смутилась.

— Взяли у Кисы в детской, сняли с куклы. Не подумай, мы не оставили пупса голым, замотали его в шаль.

— Очень заботливо поступили, — одобрила я.

Затем стала решать, как быть. Не обратить внимания на дикий вид Эжени? Или, наступив ногой на все приличия, честно сказать ей: «Дорогая, предположим, твой Альдабаран прав, на день рождения Жанны явится принц, которому предначертано судьбой влюбиться в тебя. Но как он поступит, увидев свою мечту в узкой короткой юбчонке истошно зеленого цвета, оранжевой кофточке с черной шнуровкой и ажурных голубых чулках? Конечно, последние не слишком хорошо видны, потому что на тебе белые, закрывающие колени и большую часть бедер ботфорты — зато руки и шея, покрытые подозрительными коричневыми пятнами, так и бросаются в глаза. Я-то знаю, что ты переборщила с автозагаром, но принцу сей факт неизвестен, и он испугается: а ну как невеста больна? Окончательно смутит его Боня, у которого из-под розового платьишка в оборках выглядывает собачий первичный мужской половой признак. Окажись я на месте потенциального жениха, предпочла бы скорехонько вскочить на белого коня и ускакать подальше от дамочки странного вида».

— Так как? — тихо повторила Эжени. — Журнал «Зашибись» уверяет, что это самый модный образ.

— Зашибись и есть, — выдохнула я. — Боне, на мой взгляд, надо надеть штанишки. А еще лучше оставить чхуню дома. На вечеринках накурено, песик надышится сигаретного дыма и заболеет.

— Об этом я не подумала, — испугалась Эжи.

— Разреши дать тебе совет? — осторожно продолжила я.

— Приму с удовольствием, — ответила она.

— У Жанны день рождения, поэтому самой красивой должна быть на празднике именно она, — завела я. — А ты в таком модном образе затмишь хозяйку вечера. Лучше тебе выбрать... э... что попроще. Думаю, подойдет наряд с длинным рукавом и не очень броское украшение, скажем, нить жемчуга, цепочка с кулоном или неяркие бусы.

— А ты в чем пойдешь? — занервничала Эжи.

— В маленьком черном платье, — улыбнулась я.

— Поступлю так же, — мигом приняла решение Буданова. — Правда, Роза Леопольдовна считает, что необходимо выделиться из толпы, любимый может меня не заметить.

— Кстати, и макияж поменяй, — осмелела я. — Мрачный он, депрессивный.

— Ладно, — не стала спорить Евгения. — Я купила Жанне в подарок вазу с росписью. Вон коробка на столике, красиво упакована. А ты что ей преподнесешь?

— Ой, совсем забыла про презент! — расстроилась я. — Сейчас смотаюсь в торговый центр, что-нибудь схвачу.

— Вот еще! Деньги зря тратить не стоит, — подала голос Краузе, выглядывая из коридора. — Лампа, в чулане гора всякого-разного, подаренного Максу летом на юбилей.

— Там всякая ерунда, — отмахнулась я.

Краузе подошла ближе.

— Сколько соседка пригласила гостей?

— Вроде говорила про сто приглашений, — протянула я.

— У вас полно лишних денег? — задала следующий вопрос няня.

— Увы, нет, — засмеялась я.

— Зачем тогда ими расшвыриваться? — неодобрительно сказала Краузе. — Ладно бы к близкому человеку шли, а то к соседке. Сейчас найду в кладовке что-нибудь подходящее, заверну в красивую бумагу, положу в пакет, и все, готов подарок. Жанна при вас его вскрывать не станет, сунет в кучу подношений, забудет, кто ей чего притащил.

— Ладно, — сдалась я. — Только отыщите что-нибудь... ну... пристойное.

— Не волнуйтесь, — успокоила меня Роза Леопольдовна, — не ударите в грязь лицом. И вы, Эженечка, не переживайте. Если решите оставить Боню, я наилучшим образом присмотрю за ним. Лампа, вы поняли, что в вашей ванной не работает унитаз? Но ничего, Мирон его починит.

* * *

Когда мы с Будановой вошли в ресторан, там уже собралась масса народа. В толпе гостей шныряли официанты, разносившие крохотные бутерброды и напитки ядовито-оранжевого цвета.

— Сколько тут людей! — испугалась Эжени. — Вдруг *он* меня не увидит? Секундочку...

Она открыла сумочку, вытащила комок истошно зеленого цвета, встряхнула его, и я поняла, что у нее в руке шелковый шарф, расшитый пайетками.

— Откуда такая красота? — оторопела я. — Хочешь накинуть это на платье?

— Да, — решительно заявила моя спутница. — Так приказал Альдабаран.

— Ты звонила своему гуру? — хихикнула я.

Буданова закуталась в ужасающую тряпку.

— Зря смеешься над ним. Конечно, я ему тут же сообщила о приглашении. Он велел обязательно прикрыть платье. Расспросил, какие у меня есть шали, и бежевую сразу отверг. Тогда Краузе предложила свою, зеленую. Учитель одобрил — яркое пятно притягивает ауру брака.

Продолжая беседовать, мы прошли в центр зала. Я увидела Жанну. Соседка нарядилась в разноцветное, очень яркое платье, все расшитое красными, зелеными, синими искусственными перьями. Одеяние расширялось от груди колоколом, но у щиколоток оно было присборено. К сожалению, вещь изуродовала фигуру Жанны, именинница стала похожа на матрешку в перьях. Я заулыбалась и радостно воскликнула:

— С днем рождения! Как много людей пришло тебя поздравить!

Златова обернулась, на секунду в ее глазах мелькнуло изумление.

— Лампа? Ты? Ты пришла?

— Не ожидала меня увидеть? — удивилась в свою очередь я.

Хозяйка вечера моргнула и расплылась в улыбке.

— Ну что ты! Просто я решила, что ты забыла обо мне. Смотрю, народ прибывает, а тебя все нет и нет.

Я протянула Златовой подарок.

— С днем рождения. Знакомься, это Эжени.

— Спешу вас поздравить, — щебетала Буданова, вручая свой пакет. — Надеюсь, мой скромный сувенир вам понравится.

— Что же вы мне преподнесли? — заинтересовалась хозяйка вечера. — Сейчас открою!

Златова быстро достала из моего пакета сверток, начала потрошить его, но тут ее окликнул какой-то мужчина, только что вошедший в зал.

— Мишенька! — взвизгнула юбилярша и, сунув мне в руки полуразвернутый презент, бросилась к новому гостю.

Я решила снова аккуратно замотать подарочек, который нашла Роза Леопольдовна, но упаковочная бумага неожиданно спланировала на пол. Я увидела то, что принесла, и пришла в ужас. Надо как можно быстрее спрятать жуткую фарфоровую фигурку, изображающую жениха и невесту! Учитывая, что Жанна вовсе не замуж выходит, статуэтка выглядит нелепо.

— Симпатичненькая, — одобрила Эжи. — А что тут за буквы на постаменте. О! Здесь написано: «Вадиму и Анне в день создания семьи от верного Бобика». Где Краузе раздобыла эту вещь?

— Кто-то передарил Максу полученный на свою свадьбу подарок, — сообразила я.

— Лампочка, спешу к тебе! — закричала издалека Жанна.

Я быстро сунула Эжени подарок верного Бобика, глянцевый пакет и прошептала:

— Пожалуйста, утащи этот кошмар туда, где складируются все подношения. Не хочу, чтобы Златова увидела его.

Женя хихикнула и испарилась.

— Ну, — заявила соседка, отпивая из фужера, — пора вскрывать твой сюрприз. А где он?

Я старательно изобразила смущение:

— Извини, я думала, ты занята с другими гостями, поэтому отправила Эжени положить наши презенты в общую кучу.

Жанна не расстроилась и опять отхлебнула из бокала.

— Ничего, завтра полюбуюсь. Пошли, попробуешь коктейль, съешь пару канапе. Надеюсь, Подольский скоро появится, что-то он задерживается.

— Ты ждешь Вениамина Подольского, писателя, актера, певца? — уточнила я. — Вы близкие знакомые?

Златова поправила выбившуюся из прически прядь.

— Не особенно. Недавно я начала сотрудничать с Леной Крестовой... Видишь вон там маленькую блондинку в голубом? Это она. Елена работает в области рекламы, ее контора раскручивает Вениамина.

Я изобразила удивление.

— Погоди, ты мне сегодня говорила, что Подольский чрезвычайно популярен, имеет массу фанатов.

Жанна опустошила фужер до конца.

— Ага! Пойду за вином. Очень вкусное.

Я придержала ее за локоть.

— Зачем раскручивать уже известного человека?

Жанна схватила с подноса проходившего мимо официанта два стакана.

— Лампа, хочешь виски? Ты такой не пробова-ава-ва-ла-лава... Тьфу, слово трудное. На!

— Спасибо, не люблю крепкий алкоголь, — отказалась я.

Златова живо опустошила обе емкости и заплетающимся языком громко сказала:

— Я вообще-то не пью, но сегодня м-можно. С-сегодня праздник. Ссегодн-ня-т-такой п-праздник! И с-счастье! П-полное счастье! У нас с П-подольским контракт. В-вот.

— Какой контракт? — не поняла я.

— Н-не скажу. — Златова захохотала. — Секрет б-бизнес-с-са! Эй, дайте мне еще в-в-вина и коньяка!

— Жаннуся, мы хотим с тобой чокнуться и сфоткаться! — заорали сбоку.

Златова, покачиваясь, двинулась на зов. Я посмотрела вслед хозяйке вечера. Часто встречаю ее в подъезде или на парковке около нашего дома, Жанна забегает к нам с небольшими просьбами, Мирон, муж Розы Леопольдовны, делает у нее в квартире мелкий ремонт, а в последнее время мы с ней и вовсе подружились. Но я никогда не видела Златову в состоянии даже легкого опьянения, а сейчас она, похоже, хлебнула лишнего. Именинница глупо хихикает, нетвердо стоит на ногах, упомянула про какой-то рекламный контракт с Подольским, а такую информацию даже хорошо знакомым людям не выкладывают.

Я навесила на лицо радостную улыбку, направилась к блондинке в голубом платье, в одиночестве стоявшей у стола с закусками, и спросила:

— Вы Елена Крестова из рекламного агентства?

— Вы не ошиблись, — прищурилась она. — Мы знакомы?

— Нет. Я Евлампия Романова, соседка Жанны Златовой по дому, — представилась я.

На лице Крестовой расцвела улыбка.

— Понятно. Жаннуська гений общения, знает всех. С ней приятно дружить — она человек позитивный, жизнерадостный. Я очень рада, что теперь сотрудничаю с ней, жаль, что мы не познакомились со Златовой раньше.

— Жанна сказала, что вы ждете Вениамина Подольского, — продолжила я. — Вроде он главное блюдо сегодняшней вечеринки.

Крестова взглянула на большие, усыпанные блестящими камешками часики.

— Веня удивительно талантлив. Жанна обожает его песни и книги. Вот я и решила сделать ей подарок — упросила Подольского заглянуть на тусовку. А он, как все звезды, опаздывает.

— Вы здорово придумали! — восхитилась я. — И праздник получился на славу.

— Думаю, тут больше ста человек, — пробормотала Елена. — Что вы сказали? Ах, да! Жанна обрадуется, когда увидит Веню.

— Интересно работать в рекламном бизнесе? — сменила я тему.

— Это творческая работа, — коротко обронила Крестова.

— Понимаете, мне надоело домашнее хозяйство, — смущенно заговорила я, — хочется найти службу в таком месте, где жизнь кипит, поработать со звездами.

— Ах, дорогая, вообще-то селебретис при тесном общении оказываются гадкими людишками, — снисходительно заметила Елена. — Лучше овладейте профессией бухгалтера. Уверяю, в маленькой тихой фирме вам больше понравится.

Я изо всех сил продолжала изображать простодушную тетку.

— Жанночка сейчас призналась, что у вас контракт с Подольским. Очень хочу с ним поближе познакомиться. Вы меня ему не представите? Раз у вас деловые отношения, он не откажет.

Крестова стиснула губы в нитку, но уже через секунду растянула их в улыбке.

— Вы не так ее поняли. Я всего-навсего сказала Златовой о желании привлечь Вениамина к сотрудничеству, предложить ему договор на эксклюзивных условиях, чтобы он прорекламировал один товар. Простите, дорогуша, мне надо срочно отойти.

Елена поставила на стол тарелку с недоеденными закусками и ввинтилась в толпу. Я неотрывно следила за ней. Рекламщица подошла к Жанне и начала что-то ей говорить. А та расхохоталась, влила в себя содержимое очередного бокала, потом поманила официанта и схватила с подноса полный фужер. Крестова отняла его у подруги. Златова топнула ногой. Судя по напряженным лицам, женщины стали ссориться.

Тихий звонок мобильного оторвал меня от наблюдения за ними. Номер, высветившийся на экране, оказался незнакомым.

— Слушаю, — сказала я.

В ответ раздалась английская речь. Стало понятно, что на том конце провода опять сотрудник аэропорта Джона Кеннеди.

— Ай донт спик инглиш, — бойко ответила я, — ай спик дойч энд раша. Ай фром Москва.

— Москва, Москва, — затараторил мобильный. — О, йес! Москва!

— Ай донт спик инглиш, — повторила я, — ай жить в Москве. Ай рашен вумен. Сэр! Рашен вумен но спик инглиш.

В трубке что-то хрюкнуло, затем прорезался хриплый простуженный баритон:

— Добрый утра, товарисч Романофф.

— Здрассти, — обрадовалась я. — Что с моим багажом?

— Ваш э... э... сундук есть прибыть на место прибытия... э... э... аэропорт Москва, необходимость приехать получение сундук.

— Спасибо! — обрадовалась я. — Сделайте одолжение, подскажите, где сейчас чемоданчик?

— Москва.

— Да, поняла. Но у нас есть Шереметьево, Домодедово, Внуково, — перечислила я международные аэропорты. — Где я могу получить багаж?

— Москва. Нужен Крис Нейман. Офис босс отдела потерь всего. Сундук есть у него на склад. И клетка с птицей.

Я потрясла головой.

— У меня только одно место — коричневый прямоугольный челоман.

— О йес! Он цел, не плачьте, товарисч Романов. Птица здоров. Ноу проблем с контролем животных. То есть наш забот. Оплат за корм чиккен не надо. Когда вы увозить сундук домой?

— Если скажете, куда ехать, и сообщите часы работы, я примчусь как можно скорее, — пообещала я. — Но мне совершенно не нужна какая-то птица.

— О йес! Аэропорт Москва, офис шесть. С восьми утра до восемь ночь. Ждем, товарисч Романофф.

Я посмотрела на большие часы на стене.

— Но сейчас девять вечера. Давайте завтра.

— О! Ноу! Ваше время бежит вперед. Есть сейчас десять утра. Служить целый день, товарисч Романофф. Ноу лить слезки, йес ехать к Нейман. Крис бережет сундук энд чиккен.

Я рассмеялась.

— Макс, это ты меня разыгрываешь? На сей раз тебе это удалось, на пару секунд я поверила, что беседую с безумным служащим аэропорта Джона Кеннеди.

— Йес, йес, аэропорт Джон Кеннеди швырнуть нам рейсом из Нью-Йорк сундук энд чиккен, — обрадовался мужчина.

— Милый, еще год назад я могла купиться на твою очередную хохму, но теперь — нет, — отрезала я и отсоединилась. Затем увидела Эжени, которая, радостно улыбаясь, проталкивалась ко мне через толпу.

Глава 8

— Еле нашла тебя! — закричала Буданова, выныривая из людской массы. — Сунула подарок в середину кучи. Жанне столько всего надарили!

— Большое спасибо, — поблагодарила я ее.

Затем поискала глазами хозяйку вечера и увидела, как Елена, схватив Жанну под локоть, что-то горячо говорит ей. Я решила подобраться к парочке поближе, отвернулась от Эжени, сделала шаг, но была вынуждена остановиться, потому что два официанта именно в этот момент везли мимо меня тележку с огромным блюдом, на котором возвышалась гора риса.

— Ой! — вскрикнула за моей спиной Эжи.

И тут же раздался мужской голос:

— Простите, девушка, меня толкнули, я случайно вылил на вас воду. Вот, держите салфетку. Не волнуйтесь, это не вино, следа не останется.

— Ничего, — пробормотала Эжени.

Я обернулась, увидела, что она беседует со стройным мужчиной, стоявшим ко мне спиной, и помахала ей рукой.

— Ау! У тебя все в порядке?

— Да, да, — слишком весело заверила меня Эжи. — Ерунда приключилась, минералка на меня пролилась, сейчас промокну.

Собеседник Евгении поднял руку и провел по волосам. На секунду мелькнул черный перстень-печатка на его указательном пальце. В моей душе шевельнулось беспокойство. И тут раздался вопль:

— Полковник приехал! Радуемся и пляшем!

На расположенной в центре зала сцене возникла коренастая, коротконогая, длинноволосая фигура с микрофоном в руке. Я сразу узнала популярного комика, всегда изображавшего туповатых военных, и поняла: сейчас начнется концерт. Опять взглянула в сторону Златовой и Крестовой, увидела, что Елена тащит подругу к маленькой двери в углу зала, и решительно поспешила туда же.

Пробираться к ним мне мешала толпа, гости все прибывали и прибывали. Жанна сказала, что на вечеринку приглашено человек сто, но, похоже, уже сейчас народа здесь раза в два больше. Наступая кому-то на ноги, я наконец-то добралась до места, осторожно открыла дверь, вошла в темное помещение и уткнулась в тяжелую занавеску. Из-за нее послышался сердитый голос Елены:

— Златова, ты какого хрена так набухалась?

— М-м-м... — простонала Жанна. И заорала: — У м-меня п-праздник! Ваще! Мы это сделали! Все организовали! Вау! Такой счастливый день! Лучше его в жизни не было!

— Замолчи, — приказала Елена. — Вот ведь черт как нажралась. И что ты на себя опять нацепила? Где взяла очередное уродское платье? Дорогая, ты похожа на матрешку в перьях.

Я подавила смешок. Похоже, мы с Еленой одинаково оценили наряд хозяйки праздника.

— Наши девочки — ангелы, — запела какую-то неизвестную мне песню хозяйка вечера, — они сидят на облака-а-ах, вниз глядя-я-т... Им хорошо, весело, они сидят, глядя-я-ят...

— Сейчас же заткнись! — велела Крестова.

— Хр-р, — пролетел по комнате громкий храп.

Я отодвинула занавеску.

— Простите, Елена...

— Чего тебе надо? — заорала Крестова, оборачиваясь на звук. — Фу-у, напугала до смерти... Простите, это помещение не для гостей. Если ищете туалет, то он в противоположном конце зала.

— Нет, мне нужна Жанна, — сказала я, входя в небольшую комнату, где на диване полулежа уже спала Златова. — Но, похоже, с ней сейчас не потолковать по душам.

В кармане затрезвонил мобильный. Я, не вынимая телефон из кармана, отключила звук и села в кресло.

Елена раздраженно дернула плечом.

— Считаешь себя самой умной? Наврала мне и довольна? А я сразу сообразила, что здесь что-то не так. С какого перепуга Жанке на сейшен простую домохозяйку звать? Не в духе Златовой поступок! Я послушала тебя и пошла к подруженьке. А та, хоть и не трезвая, сказала, что ее соседка замужем за владельцем крупнейшего детективного агентства, в котором и сама работает.

— У вас не совсем верная информация, — миролюбиво сказала я. — Действительно, Макс занимается частным сыском, но я просто его жена и в штате не состою.

Крестова скорчила гримасу.

— Ага, рассказывай... Так чего тебе надо?

— Вениамин Подольский не придет, — сообщила я.

— Да-а-а-а? — протянула рекламщица. — Интересненько! Откуда ты знаешь о его планах?

— Елена, с Подольским случилась беда, — продолжила я.

Крестова схватила бутылку с водой и стала жадно пить минералку прямо из горлышка. Ее пальцы затряслись, зубы застучали по стеклу.

Я наконец решилась озвучить правду:

— Вениамина пару часов назад застрелили.

Лена поперхнулась.

— Врешь!

— Подольский мертв, его труп в морге, — уточнила я. — Пожалуйста, расскажите, что вам известно об этом человеке.

— Бли-и-ин... — растерялась Елена. — Ну надо же! В первый раз его увидев, я подумала: «Не стоит с ним связываться». А когда при второй встрече услышала, какие он бабки платит, дрогнула. Вот ведь...

— Вы с ним хорошо были знакомы? — продолжала я задавать вопросы. — О каком контракте Златова вела речь?

Елена покосилась на мирно сопящую хозяйку вечера и неожиданно перешла на «ты».

— Ты вообще что о Жанне знаешь? И зачем тебе информация о Подольском?

Я пожала плечами и тоже решила не выкать.

— Милая соседка, всегда улыбается, иногда мы пьем вместе чай, обмениваемся сувенирами на праздники. Короче, у нас замечательные, но поверхностные отношения. Вениамин обратился в агентство Макса Вульфа с просьбой оградить его от ненормального фаната, который отправляет ему письма с угрозами. Теперь твоя очередь говорить правду.

Крестова рассмеялась.

— Фанат? Известный человек? Евлампия, ты хоть там, у себя в агентстве, проверила, кто к вам в клиенты набивался?

На секунду я смутилась. Макс часто улетает по делам — к нему обращаются люди, живущие не только в России, но и в Америке, в Европе, Австралии. Три недели назад проклюнулся клиент из Парижа. С недавних пор, если владельца агентства в Москве нет, его замещает Костин. Когда случается нечто из ряда вон выходящее, Максу сразу сообщают, он каждый день созванивается с Вовкой, выясняет, как дела. Но вы же понимаете, что крупная фирма занимается не одним делом, и о ерунде хозяину не докладывают. А работа с Подольским была рутиной, нечто вроде слежки за неверным супругом. Костин принял решение работать с Вениамином и попросил меня о помощи. Я ничего о творце-многостаночнике не знаю, кроме самых общих сведений, которые услышала от Володи.

Елена, глядя на меня, нахмурилась.

— Понятно. Сейчас расскажу правду. Записывать будешь или запомнишь?

— Диктофон в кармане, — сообщила я.

— Кто бы сомневался, — поджала губы Крестова. — Первое правило работы с людьми: всегда незаметно зафиксируй весь бред, который несет клиент. Затем отфильтруй его, покопайся в остатках хрени и изо всех сил постарайся избежать выполнения желаний заказчика.

— Оригинальная позиция, — не выдержала я. — Если это твое кредо, то сомнительно, что у дверей вашей рекламной конторы толпятся жаждущие получить услуги.

Крестова положила ногу на ногу.

— Знаешь, кто такой жираф? Опиши его.

Я удивилась вопросу, но послушно зачастила:

— Длинношеее африканское животное, голова с рожками, хвост, четыре ноги, шкура песочного цвета в коричневых пятнах.

— Нет, дорогуша! — заржала Крестова. — Жираф — это белый заяц, которого создали в соответствии с пожеланиями заказчика, учли каждое требование того, кто платит бабки. Мы на рынке не первый год. Сначала-то по наивности лепили жирафиков, а потом сообразили: если на выходе нужен зайчик, то нехай контрагент со своими идеями идет лесом, мы ему покиваем, но поступим по-своему и получим правильный результат.

— И с Подольским так же вышло? — подтолкнула я собеседницу к нужной теме.

Елена покосилась на сопящую Жанну.

— Лады. Слушай.

...Вениамин Подольский изо всех сил мечтал прославиться. Сначала он, решив продемонстрировать народу свои таланты музыканта-поэта-исполнителя, записал несколько песен и выбросил их в Интернет. Что ж, история шоу-бизнеса знает единичные примеры удачной карьеры певцов, которые пришли на большую сцену из Сети. Вспомним хотя бы американца Джастина Бибера — парень проснулся знаменитым после того, как его мать выставила на всеобщее обозрение домашнее видео с распевающимся сыном. Но с Подольским чуда не случилось. Малочисленные зрители оставили ему комментарии вроде: «Убейся аб зтену» или «Мая сабака воит лутчше тибя».

Вениамин решил не сдаваться и отправил свои опусы разным радиостанциям, известным продюсерам. Ответа не дождался ни от кого. Близких друзей у Подольского не было, семьи тоже, поделиться переживаниями с кем-либо он не мог, поэтому завел свой блог в Интернете. Неожиданно его незатейливая писанина понравилась читателям, Вениамину начали приходить благожелательные отклики... от таких же, как он, непризнанных гениев.

Через год Подольский состряпал свою «Нежность» и отнес рукопись в крупное издательство. Но там отказались публиковать нетленку. Автор пошел к другим акулам книжного бизнеса, к третьим, затем обратился к щукам, а в конце концов нашел маленького пескарика, который согласился издать его книгу. То ли мелкий предприниматель, выпускавший всякие брошюрки, увидел в рукописи нечто интересное, то ли ангел-хранитель Вени решил вознаградить своего подопечного за редкостное упорство. «Нежность» вышла небольшим тиражом и отправилась в магазины.

Начинающий литератор замер в предвкушении славы. Он ждал звонков от журналистов, приглашений участвовать в телешоу, но телефон молчал. Подольский стал терроризировать издательство, возмущаясь: «Почему не посылаете ко мне корреспондентов? Отчего не организовали автографсессию?» Пиарщик фирмы смущенно мялся, отделывался словами о маленьком бюджете. Потом все же устроил в магазинчике встречу автора с читателями, на которую пришли три женщины пожилого возраста, постоянные посетительницы подобных мероприятий.

Создатель «Нежности» возмутился, беседовать с бабками не стал, устроил скандал директору лавки, обвинив его в неумении торговать качественной литературой, и, оседлав реактивную метлу, полетел в издательство. Там прорвался в кабинет к хозяину, нажаловался на его тупых сотрудников, на торговцев-идиотов и услышал из его уст малоприятные слова: «Ваша повесть успехом у читателей не пользуется, тираж завис на складе». Вениамин покинул офис в бешенстве, хлопнув дверью. Он не поверил издателю: ясное дело, жадный книжник не желает тратить деньги на раскрутку нового гениального автора. Тогда Подольский решил самостоятельно продвигать свое творение на рынке.

Глава 9

Никаких связей в мире СМИ у него не было, пришлось обращаться в рекламное агентство. Он явился туда с готовой идеей и заявил Крестовой:

— Работаете по моему сценарию, иначе я отправлюсь к другим специалистам. Ну, будем подписывать договор?

— Хотелось бы сначала услышать кое-какие подробности о желаемой вами акции, — предусмотрительно ответила Елена.

— Нашли дурака! — фыркнул Вениамин. — Я придумал уникальную штуку, которая до сих пор никому не приходила в голову. Вы услышите в деталях рассказ о ней и начнете ее тиражировать, украдете мою интеллектуальную собственность.

Елена нуждается в клиентах, но, услышав слова визитера, мигом поняла: перед ней крайне скандальный тип. Поэтому сухо сказала:

— Мы никого не обманываем. Но если у вас есть сомнения на сей счет, вам лучше обратиться в другое агентство.

Подольский вскочил.

— Отличная идея! Так я и поступлю!

Однако спустя некоторое время Вениамин вновь материализовался в кабинете Крестовой. Теперь тон его стал иным — тихим, вежливым, даже слегка заискивающим.

— Я устал от карьеры писателя. Исполнять на сцене песни тоже расхотелось. На данном этапе меня привлекает кинобизнес. Сейчас запускается в производство стосерийный сериал по романам Милады Смоляковой, я готов исполнить в нем главную мужскую роль.

Рекламщице стало смешно. Почему-то испытывая жалость к неудачнику, она дружелюбно объяснила:

— Мы не занимаемся трудоустройством артистов, для этого существуют специальные агентства. Могу дать вам их контакты.

— Нет, нет, — возразил Подольский, — дослушайте меня до конца. Я музыкант, певец, фотохудожник, писатель. Мои песни имеют оглушительный успех, а роман «Нежность» выпускается бешеными тиражами. Но, будучи человеком скромным, я не лез на телеэкран и не давал интервью журналистам. Однако времена меняются, сейчас век рекламы, надо играть по общим правилам, выползать из тени. Я придумал потрясающий план раскрутки. Сценарий вкратце таков: на меня совершит покушение фанат. Вроде как он уже стал писать письма с угрозами, обещая убить творческую личность. Я обращусь в полицию. Парни в форме всегда сливают информацию прессе, на следующий день после подачи заявления обо мне напишет «Желтуха», а у нее многомиллионный тираж. Еще через недельку в писателя-певца-композитора выстрелят из пистолета. Представляете эффект? Фамилия «Подольский» окажется в топе новостей, повиснет на стартовых страницах всех поисковых систем, и тогда режиссер сериала будет умолять меня поучаствовать в съемках. Почему вы молчите? Это уникально и гениально.

— Нет, — после краткой паузы ответила Елена. — Извините за откровенность, ваше предложение инфернальная чушь, мы за такие аферы не беремся.

— Вы просто не способны креативно мыслить, — обозлился Вениамин. — Привыкли работать по стандартным схемам.

— Невероятный идиотизм затевать подобный спектакль! — взвилась Крестова. — Полиция живо разберется, что никакого агрессивного фаната нет. И как организовать покушение? Кто в вас палить станет? Если вы рассчитываете, что целиться будет наш сотрудник, то зря, я под суд идти не собираюсь.

— Так мы понарошку, — по-детски возразил Вениамин. — Патрон холостой зарядим, я упаду, поднимется паника.

— Лучше, если вам в задницу попадут, — не выдержала Елена. — Получите неопасное ранение, зато во вранье вас не уличат.

— Это больно! — испугался Вениамин.

Рекламщица хмыкнула.

— В прошлом году одна певичка, чадящая звезда шоу-бизнеса, пик славы которой давно миновал, на чьи концерты билеты не продавались, решила реанимировать интерес к себе. Ей в голову взбрела та же идея: инсценировать на себя покушение. Уж не знаю, кто консультировал мадам, но действо устроили на оживленном шоссе, изобразили, будто бы в машину красотки послал пулю таинственный мотоциклист. Да, в первые два часа новость заинтересовала журналистов, но потом обозленная полиция сделала заявление: «Люди, это туфта». Эксперты по косточкам разобрали ситуацию, объяснили прессе, почему произошедшее — плохо поставленное шоу. Один из спецов, давясь смехом, резюмировал: «Бабенку жадность подвела. Ей следовало ко мне приехать и спокойно признаться, чего она хочет, я бы и подсказал, как поступить, за небольшую сумму. Так нет же, начиталась книг Смоляковой и решила руководствоваться детективами. И уж конечно, нельзя было впутывать полицию, у нее и так работы полно. Полицейские пришли в негодование, достанется от них дурехе. Да они уже все наши отчеты журналюгам слили. И, между прочим, статью, предусматривающую наказание за дачу ложных показаний, никто не отменял». Короче, народ поглумился в Интернете над идиоткой, понаделал фотожаб. Такая известность гаснущей звезде не помогла, более того, ее вообще перестали приглашать в телепрограммы. Вы такого пиара хотите?

Подольский надулся и убежал. Но потом вновь возник в офисе Крестовой, положил перед ней листок и сказал:

— Посмотрите на цифру. Могу заплатить эту сумму сразу. Всю. Наличкой.

Елена молчала, а Вениамин продолжил:

— Начинайте стандартную раскрутку. Насколько я знаю, вы организовываете посещение тусовок, которые приманивают журналистов, договариваетесь о размещении фото клиента в СМИ, потом пропихиваете его гостем в какую-нибудь телепрограмму.

— Верно, — подтвердила Крестова. — Но быстрого результата не ждите, год-два придется побегать повсюду, куда мы вас отправим.

— Я готов, — ответил Вениамин, — давайте работать.

За неделю рекламщица придумала имидж Подольскому: он очень скромный человек, которого за талант и покладистый характер любят знаменитости. Не секрет, что многие звезды нуждаются в деньгах, кое-кто из медийных лиц готов за не очень большую сумму на вопрос корреспондента о любимом досуге ответить: «Недавно прочитал книгу Подольского, на редкость талантливый писатель». Другие не откажутся сфотографироваться на вечеринке в обнимку с Веней.

Затем пожилая, известная всему народу актриса появится с Подольским на одном из кинофестивалей, которые устраивают в летнее время на морском побережье. А горничная отеля живо насплетничает: «Они любовники, спят в одной постели».

Не надо осуждать давно не юную знаменитость — ей не предлагают ролей, а пенсия маленькая. За хорошее вознаграждение женщина согласится изобразить любовь с парнем, годящимся ей во внуки. Новость о вспыхнувшей страсти разнесет желтая пресса, и будут убиты сразу три зайца: газета увеличит тираж, о лицедейке вспомнят режиссеры и пригласят ее в сериалы, а о Подольском станут говорить все, кому не лень. Вениамина позовут в телешоу, попросят порассуждать на тему любви и возраста. Если он правильно поведет себя, его лицо станет постоянно мелькать на экране. Ура, здравствуй, слава! Кое-кому из ныне весьма известных людей удалось выплыть из моря неизвестности именно благодаря подобным ухищрениям.

Первое появление Вени на публике должно было состояться сегодня на празднике Жанны. Почему именно тусовке Златовой предстояло послужить трамплином для Подольского? Именинница профессиональный коннектер, очень успешна в своем деле...

Крестова запустила руку в стоящую на столике тарелку с орешками, бросила в рот горстку соленого кешью и спросила:

— Ясно, да?

— Нет, — разочаровала я собеседницу. — Что за зверь такой коннектер?

— Ты не владеешь английским? — ухмыльнулась Елена.

Я тут же вспомнила свою беседу со служащей аэропорта имени Джона Кеннеди.

— Ай донт спик инглиш, зато хорошо изъясняюсь на немецком.

— Хочешь орешков? — неожиданно предложила рекламщица.

— Спасибо. — Я улыбнулась, потянулась к тарелочке, увидела чуть поодаль от нее телефон в розовом чехле в виде конфеты и умилилась:

— Какой симпатичный! Не видела таких в продаже. Вроде сенсорный, но подобные модели мне не встречались. Можно посмотреть?

— Нет! — вдруг испугалась Крестова. — Не трогай. Трубка принадлежит Жанне, а у нее фобия: если посторонний человек возьмет аппарат, она сразу его выбрасывает, покупает другой. Не прикасайся никогда к мобильному Златовой.

Я отдернула руку.

— Извини!

— Ерунда, — сказала Елена, — ты же не знала. У всех свои причуды. Одни боятся бабочек, другие клоунов, третьи перед тем, как из дома выйти, по пять раз газ проверяют. А у Жанны заморочки с сотовым. Глагол «connect» переводится как «соединять». Жанна знакомит людей друг с другом.

— Ага, сводница, — кивнула я.

Елена поморщилась.

— Ну, это слово имеет негативный оттенок, и оно вроде обозначает сваху. Жаннуся вспахивает другое поле. Допустим, вы производитель печенья, продаете его в провинции и мечтаете прорваться на столичный рынок, но не имеете нужных связей. Златова познакомит вас с правильным человеком. Обратите внимание на прилагательное «правильный». Многие оказывают посреднические услуги, но не гарантируют успех. У Жанны осечек не случается, если пожелаете, она организует вам аудиенцию с папой римским. А уж сумеете ли вы убедить его попробовать печенье, ваша проблема. Златова сконнектировала вас и устранилась.

— Естественно, услуга платная? — уточнила я.

— Да. Но не всегда речь идет о деньгах, — улыбнулась собеседница, — иногда Жанна просит об ответной услуге. Она умна, тактична, не болтлива, не распространяется о клиентах, поэтому все к ней хорошо относятся. Единственная проблема — одежда. Жаннуся обожает носить несуразные платья, не подходящие ей ни по фасону, ни по цвету. Я устала повторять: «Дорогая, ты в своих нарядах похожа на матрешку в перьях. Немедленно сними этот ужас». Она же только смеется. Но это единственное существующее у нас недопонимание. Жанна прекрасный специалист, она часто устраивает по разным поводам вечеринки, на них приходит масса народа.

— Зачем ей это? — не поняла я. — Прием гостей недешевое удовольствие.

Крестова опять потянулась к орешкам.

— Жанне надо постоянно демонстрировать, что она успешна, не считает денег, прекрасно зарабатывает и всех-всех знает. Златова дружит с журналистами, а те за вкусную еду и выпивку охотно печатают ее снимки: Жанна с Миладой Смоляковой, Жанна с великой певицей, Жанна с крупным политиком, Жанна с тем, Жанна с этим. И у нее после каждой вечеринки клиентов прибывает. Да, приходится много тратить, но и прибыль потом не маленькая. Поверь, ей по плечу свести человека с кем угодно. Нас не так давно познакомил один заказчик. Мы с Жанной организовали акцию и стали сотрудничать, я очень довольна этим альянсом. Златова прекрасный партнер, жаль, что мы раньше не встретились. Господи, у нас так много работы, просто голова кругом!

— Лето на дворе, надо съездить на море, — посоветовала я.

— Пока я не собираюсь в отпуск, хоть и устала, — вздохнула Крестова. — Может, в октябре получится. Хочешь чаю? Вон пирожные. У Жанны на дне рождения орда известных влиятельных людей — это самое правильное мероприятие для внедрения человека в мир столичных тусовок. Понимаешь?

— Съем эклер — стану более сообразительной, — улыбнулась я и потянулась к блюду с пирожными. — Значит, вы ждали Вениамина... Что ж, Жанна честно отрабатывала полученный гонорар, пару раз сегодня говорила мне о Подольском, употребляя эпитеты в превосходной степени. Но вот в ее умение держать язык за зубами мне не очень верится. Златова, хлебнув лишнего, разболтала о контракте.

— Это случилось впервые, — осуждающе взглянув на крепко спящую подружку, покачала головой рекламщица. — Не понимаю, почему она так надралась.

— Жанна говорила, — пробормотала я, — что у нее сегодня на редкость счастливый день. Наверное, расслабилась из-за дня рождения.

Крестова расплылась в сладкой улыбке.

— Пожалуйста, не трепись о том, как она сегодня поступила, это может помешать ее бизнесу.

— Не могу похвастаться длинным языком, — спокойно произнесла я. — Смотри, спящая красавица очнулась.

— Жаннуся! — обрадовалась Елена. — Ты как?

— Где я? — чуть слышно пробормотала именинница.

— В ресторане, на собственном дне рождения, пьянчужка, — пожурила ее владелица рекламного агентства.

— Ой, как голова болит! Мне плохо!

Произнеся последние слова, Златова накренилась, икнула, и ее стошнило прямо на диван.

— Блин! — заорала Елена, вскакивая. — Ты сколько винища-то выжрала? Ну, вообще!

У меня в кармане зазвонил телефон, я поспешно оставила Крестову разбираться с окосевшей Жанной. Посмотрела на экран трубки и быстро сказала:

— Макс, мне не смешно! Не знаю, как ты это проделываешь, я ведь вижу вызов из США, но я уже поняла: именно ты пытаешься меня разыграть.

Глава 10

Из мобильного раздался мужской голос:

— Товарищ Романофф? Иметь между нас непонятие. Я есть из Москва. Я держать ваш сундук и чиккен. Хотеть вам отдать. Бесплатно. Ждет вас до вечер сегодня и завтра, о'кей?

— Вы еще на работе? — ехидно осведомилась я. — Помнится, говорили, что офис закрывается в девять.

— О, йес! Девять ночь. Имеем сейчас час день.

— Нет, у нас одиннадцать вечера, — засмеялась я. — Сделайте одолжение, не звоните больше. Сколько вам заплатил мой муж за розыгрыш?

В ответ раздалось:

— Сундук и чиккен. Забрать.

Упорство нанятого Максом актера удивляло. Другой бы давно сообразил, что плохо сыграл свою роль, его раскусили, пора перестать кривляться. Ан нет, дуралей продолжает твердить про сундук и цыпленка. Ладно, сейчас он у меня получит...

— Спасибо. Багаж не нужен. Прощайте.

— Ноу, ноу, товарищ Романофф, не кидать телефон! Мой бизнес отдать сундук.

— И чиккен, — добавила я.

— О, йес, йес, и чиккен! — обрадовался идиот.

— Чемодан мне без надобности, похороните его у забора. И курицу в придачу.

— Вау! Убить сундук?

— И чиккен, — подтвердила я.

— Инпосибел, товарищ Романофф, не мочь выполнить ваш просьба.

— Сбросьте сундук с самолета, чиккена вместе с ним, — выпалила я и расхохоталась.

В трубке повисло молчание, затем прорезался женский голос, тараторящий на английском.

— Ай донт спик инглиш! — заорала я и собралась отсоединиться. Но вдруг услышала за спиной милое сопрано:

— У вас проблема? Помочь?

Я обернулась, увидела симпатичную девушку в голубом платье и спросила:

— Владеете английским?

— Училась в Техасе, — сказала та. — Перевести, что говорят?

— Меня донимают актеры, которых наняли для розыгрыша. Можете попытаться объяснить им, что пора прекратить идиотство? Их шутка надоела, они мешают мне работать. Отключить сотовый я не могу, а клоуны безостановочно трезвонят, — пожаловалась я, — прикидываются американцами.

— Дураков на свете много, — посочувствовала незнакомка, протягивая руку к моему мобильному, — я их быстро на чистую воду выведу, пойму по разговору, если звонят не граждане США.

Несколько мгновений девушка тараторила с пулеметной скоростью, затем притихла, помолчала и взглянула на меня.

— У вас не терялся багаж?

— Муж сообщил о том, что не получил саквояж, — устало кивнула я. — Но сейчас я понимаю, что это была подготовка к последующим шуткам.

— Нет. Вам звонят из Москвы, просят приехать забрать чемодан и клетку с цыпленком.

Я постаралась не злиться.

— Осталось уточнить, почему работники аэропорта в столице России плохо говорят на родном языке, постоянно пытаются перейти на английский и тупо твердят, что у них не одиннадцать вечера, а день.

— Потому что звонят из Москвы в штате Айдахо, — улыбаясь, объяснила девушка. — Им отправили ваши вещи из Нью-Йорка. Похоже, служба аэропорта имени Джона Кеннеди решила, что госпожа Романова проживает в штате кукурузы. Служащий, который пытался беседовать с вами, из семьи эмигрантов. Его бабушка родом из России, поэтому он немного изъясняется на нашем языке, но свободно им не владеет. Это не шутка, он стопроцентный американец.

Я потрясла головой.

— Москва в Айдахо?

— Ну да, — подтвердила моя помощница.

— Пожалуйста, попросите отправить чемодан в Россию! — взмолилась я и вновь услышала быструю английскую речь девушки.

— Они все поняли, непременно сделают. Цыпленка напоили, накормили, снабдили едой про запас, — отрапортовала блондинка.

— У меня только чемодан, — вздохнула я, — никаких птиц.

— В Москве, штат Айдахо, уверяют, что получили еще и клетку, номер бирки на ней совпадает с данными на чемодане. Из Нью-Йорка прилетело два места. Кстати, меня зовут Карина.

— Там что-то напутали! Причем дважды! — возмутилась я. — Рада знакомству, Евлампия.

— Никаких денег с вас не возьмут, — успокоила меня Карина. — Все услуги бесплатны. Птица имеет ветеринарный сертификат, это цыпленок, маленький.

Я попробовала сопротивляться.

— Пусть оставят его себе.

— Не имеют права. Если хотите, можно передать птенчика службе охраны животных, — разъяснила блондинка.

— Прекрасная идея! — возликовала я. — В тумане безбрежного маразма блеснул луч света.

— Но тогда вам придется слетать в Айдахо, — остудила мой пыл Карина. — Иначе никак. Придется подписать определенные бумаги, заплатить налог, внести пожертвование для приюта, который приголубит птенчика. Тысяч десять долларов на все уйдет.

— Ладно, пусть присылают курицу, — сдалась я.

Карина снова заговорила в трубку по-английски, я поняла лишь несколько слов: «йес», «ноу» и «Москва советская», которые девушка повторила раз двадцать.

— Очень занудливый служащий! — возмутилась она, завершив разговор. — Сначала сообщил мне, что в США имеется куча городов с названием Москва, например, в штатах Айова, Канзас, Огайо, Техас, Пенсильвания, Теннесси, Вермонт, и не надо ли направить ваш багаж куда-нибудь туда. Потом стал уточнять: «Москва, Россия? Это где? В США нет штата Россия». Просто совсем глупый парень! Я ему стала твердить. «Москва советская», и только тогда в его деревянной башке что-то щелкнуло, он обрадовался: «Москва советская! Аа-а-а... Вот она, вижу в компьютере! Это так далеко от Айдахо!» Надеюсь, вы в конце концов получите свой чемодан.

— Огромное вам спасибо, — сказала я.

— Не за что, — засмеялась Карина. — Рада, что смогла помочь. Пойдемте, выпьем. Жанна, как всегда, закатила пир — алкоголя хоть залейся, еды горы. Пробовали тарталетки с муссом авокадо?

— Не успела, — призналась я.

— Идите скорей к левому столу, — посоветовала моя спасительница. — Туда только что полное блюдо поставили, а я сгоняю за коктейлями. Мы с вами раньше не встречались?

— Вроде нет, — улыбнулась я.

— Ваше лицо кажется мне знакомым, — протянула девушка.

— Все блондинки похожи, — отшутилась я.

Карина, вздернув бровь, поправила:

— Все красивые блондинки похожи. Поспешите за закуской, а то вон как ее халявщики расхватывают, прямо смотреть противно. Ну, я побежала за выпивкой. Пока-пока!

Мой мобильный тихо пискнул, я достала трубку. Эсэмэска от Эжени! Мне стало неудобно. Ох, Лампа, ты очень некрасиво поступила — занялась своими делами и совсем забыла про свояченицу Володи. Сомневаюсь, что Эжени встретила своего принца, сейчас она, наверное, сильно расстроена.

Палец нажал на зеленый значок. На экране появился текст: «Дозвониться не смогла. Он меня нашел. Я счастлива. Альдабаран прав. Выхожу замуж. Не волнуйся. Все чудесно. Сегодня домой не вернусь. Эжи». Перечитав послание три раза, я набрала номер Будановой и услышала: «Абонент недоступен, попробуйте позвонить позднее». Затем повторила вызов — тот же результат. Выключила трубку, снова включила и сделала попытку соединиться с Эжи. «Абонент недоступен, попробуйте позвонить позднее».

Меня охватило недоумение. Что делать? Где Эжени? Похоже, пока я болтала с Еленой, моя подопечная познакомилась с каким-то мужчиной, решила, что он обещанный свахом суженый и... И что? Отправилась вместе с парнем к нему на квартиру? В душе заворочалось беспокойство. Представляю, чем может закончиться это приключение. Приличный человек не утащит женщину с вечеринки через пять минут после того, как узнал ее имя. Надо срочно известить Костина.

И тут в толпе мелькнул ядовито-зеленый шарф.

— Эжи! — закричала я. — Постой!

Но громкая музыка заглушила мой голос. А кислотно-зеленое пятно быстро перемещалось к выходу из ресторана. Лавируя между подвыпившими людьми, я поспешила в том же направлении, стараясь не упустить Эжени из вида. Но в конце концов разглядела: кусок шелка, расшитый блестящими пайетками, накинут вовсе не на Буданову, его несет в руке стройный шатен в сером пиджаке. Мне удалось настигнуть незнакомца у порога.

— Простите, где Эжени? Она с вами?

— Не знаю никакой Жени, — на ходу, не оглядываясь, бросил парень.

Я бесцеремонно схватила его за локоть.

— У вас шаль моей подруги!

Гость тусовки оглянулся, и я ахнула, узнав в нем того самого мужчину, который унес в свой внедорожник убитую на улице женщину.

— Это ваш шарф? — отрывисто спросил он и поправил прядь волос, свалившуюся на лоб. На одном из его пальцев сверкнул перстень-печатка с черной вставкой.

— Эта вещь принадлежит моей няне, — путано залепетала я, — она дала ее Эжени, потому что... Как вас зовут?

— Николай, — представился незнакомец. — Шарф пару секунд назад я нашел на полу и хотел отдать его в гардероб. Но если вы знаете владелицу, держите.

Я машинально взяла шарф, и тут ко мне вернулось самообладание.

— Спасибо, что не оставили его на полу. Вы, наверное, на машине? Подвезите меня, пожалуйста, до метро. Уже поздно, страшно одной идти.

Мужчина погасил светскую улыбку.

— Попросите обслугу вызвать такси.

Я взмолилась.

— Очень вас прошу! Доеду с вами только до подземки... ужасно боюсь темноты...

Николай криво ухмыльнулся.

— Девушка, вы действуете слишком откровенно. Я не любитель профессионалок, поищите другого клиента. И верните шарф. Понимаю теперь, что он вовсе не ваш.

Николай дернул шаль, но мои пальцы крепко держали ее.

— Я не проститутка, а подруга Эжени. Она с вами? Мне нужно срочно с ней поговорить.

— Отстань. Пить меньше надо! — схамил парень.

Я открыла рот, и тут за спиной раздался громкий звук выстрела. Я машинально пригнулась и замерла на мгновение. Послышались вопли:

— Ура! Ура! Поздравляем!

Обернувшись, я увидела, что в центре зала установили огромный торт, из середины которого бьет разноцветный фейерверк. Оркестр заиграл туш, присутствующие принялись аплодировать и скандировать «Жан-на, Жан-на, Жан-на». Я живо повернулась к Николаю — и обнаружила, что того нет.

Проклиная на все лады салют, я кинулась в вестибюль и спросила у швейцара:

— Видели, куда пошел мужчина в сером костюме?

— Который? — зевнул служащий. — Их тут тьма.

Я выскочила на улицу, посмотрела по сторонам, потом позвонила Костину.

— Так, спокойно, — приказал Володя, выслушав мой сбивчивый рассказ. — Ты уверена, что мужчина, назвавшийся Николаем, тот самый тип, который увез убитую?

— Да-да, — зачастила я. — Как увидела его, сразу вспомнила. И еще интересный факт! Один из гостей случайно пролил на Эжени минеральную воду. У меня это не вызвало подозрения, в зале тесно, все толкаются. Человек, который опрокинул бокал, стал извиняться, он стоял ко мне спиной, лица его я не видела, но когда незнакомец провел рукой по волосам, я заметила у него на пальце черный перстень-печатку. Кольцо почему-то показалось мне знакомым, но я не успела сообразить, где его видела, потому что поспешила за Жанной и Еленой, они куда-то уходили. Позднее расскажу, что я узнала, сейчас важно другое. У Николая на руке было точь-в-точь такое кольцо. Похоже, именно он и облил Эжи, причем специально, чтобы с ней познакомиться. Я попыталась с ним поговорить, но узнала только его имя, больше ничего не успела, мужик смылся.

— Ты должна была выяснить его данные, — процедил Костин.

— Как? — рассердилась я. — Приказать, чтобы он немедленно предъявил паспорт? Вовка, происходит нечто странное. Если у человека днем погибла любимая женщина, разве он пойдет вечером веселиться в ресторан?

— Маловероятно, — после небольшой паузы ответил Костин. — Но мои люди проверили больницы: женщина со смертельным ранением в голову никуда не поступала. Подобрав труп, парень не порулил, как ты решила, к врачам.

— А куда же тогда он направился? — поразилась я.

— Отличный вопрос, ответ на который покрыт мраком неизвестности. И почему ты решила, что погибшая его любимая? Вероятно, просто коллега или даже случайная попутчица. Потолкайся среди гостей, попробуй выяснить, не знает ли кто Николая.

— Если он Николай, — вздохнула я. — Назваться-то можно как угодно. Сейчас в зале орава сильно подвыпившего народа. Жанна тоже в лохмотья. Сомневаюсь, что смогу узнать нечто интересное. Завтра поболтаю со Златовой, опишу ей внешность гостя, вдруг она сообразит, кто он такой. Полагаю, Эжени приняла Николая за принца, обещанного Альдабараном. И ты прав, я не знаю, почему решила, что он и погибшая — любовники. Просто тогда мне так показалось.

— А теперь ты сделала далеко идущий вывод, увидев у парня в руках шарф? Что, если он на самом деле подобрал его и хотел отдать гардеробщику, а Евгения уехала с кем-то другим? Придется нам опрашивать всех присутствующих, возможно, найдем тех, кто видел Эжи и запомнил, с кем она уехала с вечеринки, — протянул Костин.

— С каждым из гостей потолковать не получится, — пригорюнилась я. — Златова позвала сто человек, а людей явилось в два раза больше, нам не удастся узнать, кто пришел в ресторан без приглашения.

— Возьми завтра у соседки список приглашенных официально, — не сдался Костин.

— Еще по залу шастают официанты, журналисты, музыканты, артисты, — перечислила я. — Потребуется год, чтобы побеседовать с каждым человеком. И здесь, повторяю, тьма халявщиков, их имен Жанна точно не назовет. Подожди, второй звонок на линии...

Глава 11

— Лампуша, ну наконец-то! — зазвенел веселый голос Эжени. — Никак до тебя не добраться! Не берешь трубку.

— Ты где? — закричала я.

— В машине, — хихикнула она.

— Куда направляешься? С кем? Как его зовут? — начала я сыпать вопросами. — Немедленно возвращайся! Мы с Володей очень за тебя беспокоимся.

— Почему? — удивилась Буданова. — Я же послала тебе эсэмэску. Или ты ее не прочитала? Вот вы подсмеивались над Альдабараном, Нина даже шарлатаном его называла, и что? Получилось так, как обещал Учитель. Я поселилась в нужном доме — и пришло приглашение на вечеринку.

— Эжи, как зовут твоего спутника? — продолжала я настойчиво.

— Потом расскажу, не сейчас.

— Попроси его притормозить у метро и немедленно спускайся в подземку. Хотя нет! Увидишь, что вы подъезжаете к вестибюлю с буквой «М», пожалуйся на жажду, отправь спутника купить бутылку воды, а когда он уйдет, без промедления выпрыгивай из машины и беги на станцию.

— Почему я должна так поступать? — изумилась Эжени.

— Нельзя отправляться не пойми с кем неизвестно куда, — попыталась я вразумить сестру Нины.

— Он хороший, — принялась уверять глупышка. — О нем Альдабаран говорил. И тут метро нет, мы стоим возле ворот. Любимый пошел их открывать, но, похоже, механизм заело.

Я потерла рукой лоб. Так, фрукт с перстнем уже ее любимый...

— Эжи, опиши своего спутника.

— Красавец! Умница! Самый лучший!

— Какой у него рост?

— Чудесный.

— Он высокий или низкий? Цвет его волос? Глаз? Во что он одет? Марка машины? Ее номер? — сыпала я вопросами. — Вы за городом? Где? Название местности?

— Лампуша, ты жутко любопытная, — засмеялась Эжени. — Вот позову тебя на нашу свадьбу, и все узнаешь. Сегодня ночевать не приеду, насчет завтра не знаю.

— Немедленно ответь, где ты! — потребовала я. — И назови имя спутника!

— Это секрет! Я звонила Альдабарану, рассказала ему о вечеринке. Гуру не удивился, похвалил меня: «Эжи, ты молодец. Уверен, на тусовке ты увидишь своего суженого. Запомни, как он будет выглядеть: высокий шатен в сером костюме, на пальце золотая печатка, вас столкнет мелкое происшествие. Какое, не могу сказать. Внешность твоего будущего мужа прекрасно третьим глазом вижу, а вот дальше клубы тумана. Хотя нет, что-то происходит. Ты вроде роняешь сумочку, он ее поднимает... или наступает тебе на ногу... В общем, произойдет досадная мелочь. Будь внимательна, и если вдруг кто-то тебя толкнет случайно, не злись, а радуйся: это он». И что? Меня минералкой облили! Учитель велел мне яркий шарф надеть, я все выполнила и встретила его. А еще гуру приказал ни с кем не откровенничать, а то спугну удачу. Поэтому имя любимого я тебе не скажу.

У меня неожиданно заболела голова.

— Ты в Москве или за городом? Что видишь вокруг?

— Приехала во дворец, он за оградой.

— Видишь дом? Опиши его в деталях!

— Замок прекрасного принца... — мечтательно протянула Эжи. — Ах! Ворота открылись, любимый возвращается. Пока, Лампуша.

— Не бросай трубку! — заорала я.

Из телефона полетели частые гудки. Я переключилась.

— Вовка, ты здесь?

— Да.

— Выслушай меня внимательно, а потом определи место, где находится телефон Эжи.

— Секундочку... — велел Костин, узнав подробности моего разговора с его свояченицей, и в мое ухо ворвалась бравурная музыка.

Держа трубку в руке, я от нечего делать стала наблюдать за гостями, поедавшими гигантский торт. Народу в зале осталось значительно меньше, трезвых лиц не видно совсем, ни Жанны, ни Елены среди них нет, но присутствующие, похоже, совершенно забыли про хозяйку вечера и про то, ради чего, собственно, собрались.

Музыка в трубке умолкла, и Володя сообщил:

— Геопозиция не установлена, так как мобильный отключен.

— Я же с ней только что разговаривала!

Костин повторил:

— Мобильный отключен. Но я сейчас быстро узнаю всю подноготную Ромео.

— Каким образом? — удивилась я.

Володя тихо засмеялся.

— Ты же сказала, Эжи звонила своему барану, а тот в деталях описал прынца: серый костюм, высокий шатен, золотой перстень. А как выглядел господин с шарфом в руке?

— Серый костюм, высокий шатен, перстень, — повторила я. — Стоп! Откуда гуру знал про внешний вид похитителя?

Мой друг хмыкнул.

— Баран примитивный мошенник. Свах услышал про поход на тусовку и живо обернул ситуацию в свою пользу. Стопудово среди его клиентов есть мужик, мечтающий о богатой женщине. Козел звякнул ему и приказал: «Рули на день рождения одной моей знакомой, надень серый костюм и натяни на палец печатку. Увидишь там девушку, фото которой сейчас тебе на телефон сброшу, пролей на нее минеральную воду и сразу объясняйся в любви. Красавица ответит тебе взаимностью. Кстати, она дочь олигарха Буданова». Элементарный развод, но все будут довольны: Эжени встретит королевича, мужик обретет обеспеченную жену, козел-баран получит денежки за прекрасную работу. Думаю, ловкач не первый раз такой финт проворачивает. В общем, это не похоже на похищение.

— Ты так думаешь? — слегка расслабилась я.

Костин начал меня успокаивать.

— Лампудель, у Эжи мобильный в руках, она весела, спокойна, пребывает в полном кайфе. Самое страшное, что может случиться, это секс по взаимному согласию. Небось королевич повез новую знакомую в какую-то гостиницу. Причем, судя по словам Евгении про замок, дорогую. А у девушки, которую крадут, мигом отнимут сотовый, и ее не посадят в салон машины, бросят в багажник, сделают укол снотворного. Похититель не станет церемониться с жертвой, ведь в большинстве случаев ее убивают, получив выкуп. Сейчас же поеду к козлобарану и на раз узнаю, кого тот подослал к моей свояченице. Конец истории.

— Подожди! — остановила я приятеля. — Этот человек зачем-то унес труп. Он явно неадекватен.

В трубке что-то зашуршало. Затем снова раздался голос:

— Ты хорошо рассмотрела парня?

— Не особенно, — честно ответила я. — Но когда увидела его у Жанны, меня как током ударило — он!

— Уже сажусь в машину, — сказал Костин. — Вытрясу из сваха правду. Все, пока.

Тут же прозвенел новый вызов — меня искала Роза Леопольдовна.

— Докладываю вам, что Макс приехал домой, — торжественно объявила няня.

— Вот здорово! — обрадовалась я. — Дайте ему трубку.

— Хозяин велел бросить в чемодан свежие рубашки и тут же умчался, — отрапортовала Роза.

— Куда? — расстроилась я.

— Не сказал. Но я слышала, как он говорил с кем-то по телефону насчет авиабилета. Кстати, немного странно, что господин Вульф вернулся из Парижа без багажа, — наябедничала Краузе.

Телефон пискнул. Я глянула на экран и увидела эсэмэску от мужа: «Форс-мажор. Несусь в аэропорт. Позвони, как сможешь. Купил тебе подарок, но он в потерянном чемодане. Целую».

Я молча пошла к машине. Интересно, что купил мне супруг? Подарки Макса всегда весьма креативны.

* * *

До дома я добралась поздно и хотела уже лечь спать, но тут затрезвонил телефон, на экране высветилась фамилия «Фомин». Я удивилась, но ответила:

— Слушаю.

— Привет, Лампа, это Паша. Костин у тебя? — спросил бывший подчиненный моего друга, ныне занявший его должность в полиции.

— Нет, — ответила я. — А зачем он тебе?

— Володя просил кой-чего о Вениамине Подольском узнать, — после небольшой паузы сказал Павел. — Сообщил, что ты в курсе, и если я его не найду, можно тебе подробности доложить.

Я посмотрела на часы.

— Лучше звякни с утра своему бывшему шефу.

— Не смогу! — неожиданно радостно объявил Фомин. — В четыре утра улетаю в Майами. У жены там брат живет, пригласил нас на отдых, билеты оплатил. Или сейчас рассказываю, или через месяц.

Я легла на кровать и вытянула ноги.

— Выкладывай, что накопал.

— Никакой он не великий человек, — фыркнул Павел, — сплошные надутые щеки. Так его жена сказала.

— У Подольского есть семья? — удивилась я.

— Он в разводе, — последовало уточнение. — Не перебивай, просто слушай.

...По образованию Вениамин медбрат. Работал в разных местах, нигде подолгу не задерживался, но всегда мечтал стать богатым и знаменитым. А его супруга Алевтина, провизор, в отличие от благоверного, пахала днями и ночами, зарабатывая на жизнь. Одно время она надеялась, что супруг возьмется за ум, устроится в частную клинику, начнет приносить деньги, и тогда они наконец обзаведутся наследником. Но Подольский вел холостяцкий образ жизни, мог по несколько дней не являться домой ночевать, тратил с трудом сэкономленные Алевтиной рубли на себя, покупая то синтезатор, то компьютер, то еще что-нибудь нужное ему. Беспредельное терпение жены лопнуло несколько лет назад, когда она, собравшись оплатить поездку в Турцию, открыла заветную коробочку, где хранила золотой запас, и обнаружила пустое дно. Она немедленно налетела на Вениамина:

— Ты взял мои отпускные!

— У супругов все общее, — заявил Подольский. — Я тебе никогда не запрещаю залезать в мой карман.

— Отличненько! — рассвирепела жена. — Но ведь в твоем кармане ничего, кроме дырки, нет. И это были мои отпускные, предназначенные на мой отдых.

— «Мои», «мой»... — обиделся Вениамин. — Похоже, любящая супруга совсем о муже не думает.

— Куда ты подевал немалую сумму? Немедленно отвечай! — потребовала Алевтина.

— Тебе достался идеальный спутник жизни, — без ложной скромности заявил Подольский. — Я не пью, не курю, по бабам не шастаю, занимаюсь творчеством. Вчера я купил самую лучшую авторучку, потому что понял: мое предназначение стать писателем. На этом поприще я непременно обрету известность и завидный доход.

— Авто-ру-чку? — по слогам повторила Аля. — За все мои накопленные? Значит, ты уже не желаешь петь на сцене, фотографировать, сочинять музыку? Напомнить, какие суммы ты спустил на синтезатор, камеры, объективы?

— Великий человек не всегда сразу видит свой путь в жизни, — нагло заявил Вениамин. — И вначале надо вложить средства в раскрутку, образно выражаясь, посадить зерно, а тучные всходы заколосятся позже. Никто не ожидает урожая весной, плоды собирают осенью. И орудия труда должны быть наилучшими. Писать шариковой ручкой невозможно, гениальная книга требует Монтеграппа[1].

---

[1] Montegrappa — фирма, производящая эксклюзивные авторучки с 1912 года.

— Тебе ничто не поможет создать великое произведение! Потому что ты — дурак! — крикнула Алевтина. — А к тому же вор, берешь деньги без спроса и тратишь на глупости. Сгинь с моих глаз!

Веня отвесил супруге затрещину и ушел из дома. Когда же вернулся, обнаружил, что все его вещи перенесены в маленькую комнату. В дверь большой врезан замок, а на кухне нет ни телевизора, ни холодильника, ни СВЧ-печки, ни тостера, ни чайника, только плита, мойка и старая надтреснутая посуда, которой жена давно не пользовалась, да все жалела выбросить.

— У нас ремонт? — изумился непризнанный гений. — Почему ты не спросила, согласен ли я на бардак?

— У нас развод, — отрезала жена. — Отныне каждый сам по себе. Я тебя содержать более не намерена.

Подольский попытался скандалить, но Алевтина стояла насмерть, и ему пришлось смириться.

Спустя полгода после разрыва отношений Вениамин явился в квартиру с большой сумкой, прошел на кухню, выгрузил на стол дорогую колбасу, деликатесную рыбу, коробку шоколадных конфет, другие недешевые продукты, а затем заговорил, как бы и не обращаясь к присутствующей Алевтине:

— Жил-был на свете молодой мужчина, бедный, лишних брюк не имел, торговал резиновыми игрушками, на ужин воду пил. Была у него жадная жена, которая требовала бабла мешками, а потом бросила неудачника. И что? Теперь тот нищеброд стал бизнесменом, олигархом, одним из самых богатых людей мира. Жил-был никому не нужный артист, стоял перед пиццерией в костюме цыпленка, раздавал рекламу, посетителей зазывал, жил в трущобе, где даже крысы с голоду передохли. И была у него жадная жена. Хотела бабла мешками. Говорил ей муж: «Подожди, стану знаменитостью, все получишь!» Но супруга бросила неудачника. И что? Теперь он самый высокооплачиваемый актер в Голливуде. Мораль: если мужик говорит жадной бабе, что надо подождать, ей не стоит коней гнать, иначе локти кусать придется. У олигарха с лицедеем ныне другие жены, и они в мехах да в брильянтах ходят. А где прежние, жадные? На помойке. Усекла, родная? Я теперь богат, кушаю семгу, а ты как пила кефир, так и продолжишь его пить.

Алевтина окинула взглядом продукты.

— Рада твоему успеху. Не забудь вернуть мне долг за коммунальные расходы.

— Без проблем, — хмыкнул Вениамин и бросил на стол пачку купюр. — Забирай все. У меня миллионы. А скоро обо мне вся пресса заговорит, и я еще больше разбогатею.

Через три дня после этого памятного разговора Подольский объявил жене, что купил квартиру в центре Москвы и переезжает туда. Алевтину разобрало любопытство, она попыталась выяснить, в какой реке Веня черпает финансы, но бывший муж откровенничать не стал.

— Не твоя забота! Надо было тихо ждать, а не мчаться в загс с заявлением. Я в ближайшее время стану очень знаменит. Следи за прессой, о моих успехах все СМИ напишут.

Он действительно собрал свои вещи и удалился, громко хлопнув дверью. Но — остался прописан в двушке, где ранее жил с женой. А еще Вениамин сменил номер мобильного. Алевтина не знает, где поселился бывший благоверный. Она уверена, что Веня, по своему обыкновению, наврал. Небось перебрался к какой-то глупышке, которой вскружили голову сладкие комплименты «звезды» с дипломом медбрата. Подольский большой мастер пудрить женщинам мозги, и это, пожалуй, единственный его яркий талант — «гений» очень нравится дамам всех возрастов.

— Венька способен охмурить кого угодно, — сказала фармацевт полицейскому. — По себе знаю. Чистый гипнотизер! Не хочешь, а влюбишься и поверишь ему. Если он квартиру купил, чего тогда из нашей халабуды не выписывается, а? Абсолютно убеждена: все его россказни про успех и миллионы — полная лажа...

Павел сделал в своем повествовании эффектную паузу и завершил разговор следующим пассажем:

— Я, конечно, Подольского нашел и выяснил о нем кое-что. Вениамин не купил апартаменты, а снимал их. Причем аренда жилплощади в том доме жутко дорогая. Одет он был по последнему слову моды, добавь сюда автомобиль бизнес-класса, приобретенный недавно. Одним словом, у него в самом деле водились деньги. И вот что интересно. Богатство к Подольскому прилетело пару лет назад, до этого он ездил на метро, служил в больнице, сидел на окладе, который вслух называть не стану, а то ты зарыдаешь от жалости. Вот такой расклад.

— Спасибо, Паша, обязательно все передам Володе, — пообещала я.

Глава 12

Утром меня разбудило чье-то осторожное прикосновение. Возвращаться из царствия Морфея очень не хотелось, и я, еле-еле ворочая языком, пробормотала:

— Киса, дорогая, я легла поздно, давай поиграем вечером. Привезу тебе модель замка, сядем его собирать.

Вообще-то Киса тихая, послушная, необычайно умная для своего возраста девочка, и обычно ее легко уговорить. Но сегодня она возразила:

— Не надо замка, дядя Макс уже подарил мне домик.

Я быстро села.

— Дядя Макс вернулся?

— Ага, вчера. И сразу уехал, — серьезно ответила малышка. — А мне дал куклу и ее квартиру. Надо сложить.

— Куклу или квартиру сложить? — улыбнулась я.

Киса растопырила пальцы на ладошке:

— Обе две. Помоги, пожалуйста.

Я потянулась за халатом.

— А где Роза Леопольдовна?

Малышка обняла лежащую на одеяле Мусю.

— В магазин пошла. Сказала: «Киса, не буди Лампу». Но я тебя не тормошила, ты сама проснулась.

— Правильно, — согласилась я. — Правда, после того, как чьи-то пальчики схватили меня за нос. Это кто сделал?

— Фира, — с самым честным видом заявила Киса.

— А-а-а... — протянула я. — Сейчас ее накажу, не дам собачьего печенья.

— Не надо наказывать! — испугалась Киса. — Фира хорошая, она случайно, больше никогда не будет.

— Ладно, — кивнула я, вставая. — Кстати, где Фира-то? На кровати одна Муся.

Девочка пожала плечами.

— Не знаю! Сложи куколку.

Я посмотрела на часы — восемь. Вовка, наверное, еще спит. Вчера он мне так и не позвонил, видимо, освободился поздно. Безжалостно будить уставшего человека, поэтому я пока могу немного поиграть с девочкой. Кисе хочется моего внимания, малышка постоянно ластится ко мне, ей явно не хватает любящей мамы, которая бы проводила с ней целые дни. А я почти всегда занята. Роза Леопольдовна прекрасная воспитательница, но умненькая Киса понимает: няня, пусть и очень хорошая, не родной человек. А вот я — другое дело. Мы с Максом никогда не требовали от ребенка обращаться к нам «мама» и «папа». К тому же Киса помнит свою родную мать. Но все равно я для нее — особенный человек.

Месяц назад Егор, обожаемый брат малышки, улетел в Америку, где теперь учится в школе, после окончания которой будет поступать в колледж. Раньше Егорка по вечерам читал сестре сказки, чесал ей спинку, пел песенки. Он и сейчас, несмотря на многочасовую разницу во времени, звонит малышке по скайпу, когда та укладывается спать. Киса кладет на колени планшетник и слушает в исполнении брата хроники Нарнии или повесть о хоббите. В понедельник я именно в такой момент заглянула в спальню девочки, увидела, как она целует экран, желая брату спокойной ночи, и ощутила прилив жалости. Киса очень тоскует по Егору.

По-хорошему, не следовало разлучать брата и сестру, но для гениального подростка мы с Максом не смогли подыскать в Москве достойную школу. В так называемых гимназиях для одаренных детей предлагали кучу предметов: история искусств, древнегреческая литература, четыре иностранных языка, информатика, рисование пером по стеклу... Нам же требовался сильный учитель по математике, английский-русский и спорт.

— Не хочу, чтобы из Егорки через пару лет сформировался сутулый сморчок в бифокальных очках, не способный поднять ничего тяжелее чашечки эспрессо, — злился Макс, просматривая программу обучения очередного заведения.

Увы, нынче в России обычные спортивные занятия не в моде, в школах в фаворе гимнастика цигун, керлинг, китайское расслабляющее дыхание и прочая экзотика. А Вульф хотел, чтобы Егор посещал тренажерный зал, плавал. Заведение, где в расписании были нужные занятия вкупе с прекрасно оборудованным спорткомплексом, муж нашел в США.

— Лампа, надо куклу сложить, — дернула меня за рукав Киса, напоминая о себе.

— Пошли, дорогая, сейчас разберемся, — пообещала я и отправилась в детскую.

На полу в комнате лежали две коробки.

— Это дом, — пояснила малышка, показывая на квадратную, — кукла в другой.

Киса не отличается многословием и никогда не капризничает.

— Сейчас я успею собрать что-то одно: или дом, или лялю, — предупредила я.

Киса насупилась и сообщила свое решение:

— Куклу. Пустой дом — это грустно. В доме должен кто-то жить. И это не Ляля, а Егор.

Я не стала спорить.

— Прекрасно, имя уже есть, займемся пупсиком.

Девочка постучала пальчиком по коробке.

— Инструкция.

Я потерла руки.

— Замечательно! Но, полагаю, я справлюсь без руководства. Куколка небольшая, у нее всего две ручки-ножки, одна голова...

Продолжая говорить, я подняла крышку и онемела — коробка оказалась заполнена кучей разных деталей бежевого, красного, серого и желтого цвета.

— Это что? — вырвался у меня недоуменный вопрос.

Киса молча подала мне книжечку размером с ладонь, но толщиной как энциклопедический словарь. Понимая, что зря пообещала быстро справиться с поставленной задачей, я молча раскрыла руководство и уставилась в текст.

«Дорогой покупатель! От всей души поздравляем вас с покупкой анатомической развлекательно-обучающей интерактивной куклы. Вы можете получить игрушку женского или мужского пола, а также легко менять пол, если ваш ребенок того захочет. Наши психологи, дизайнеры и врачи-консультанты создали удивительный продукт, равного которому нет в мире. Собирая Машу или Ваню, ваш малыш ознакомится с анатомией человека, никогда не будет бояться визита к доктору, овладеет навыками первой медицинской помощи, которые очень помогут ребенку, когда он попадет в авиа- или автокатастрофу».

Я нервно закашлялась, но продолжила чтение:

«А также вы сможете проверить собственные знания по строению тела человека и освежить их. Части куклы выполнены из инновационных материалов, разработанных российскими учеными. Они не токсичны, не горят, не ломаются, гнутся во все стороны, приятны на ощупь, не выделяют отравляющие вещества. Внимание: если какая-то часть не желает входить в отверстие, значит, вы впиховываете ее не туда, куда следует».

Наткнувшись на восхитительный глагол «впиховываете», я еще раз перечитала слово, убедилась, что написано именно так, и перевернула страницу.

«Кукла предназначена детям всех возрастов, их родителям, учителям, воспитателям садов, а также студентам медвузов, избравшим специальность патологоанатома».

Теперь я принялась икать, но читать не перестала.

«Складывайте Машу или Ваню строго по схеме. Желаем вам веселого досуга. Создатели куклы: производственное объединение «Мосгосроспластбытремкомплект», НИИ «Человек и его психика», завод «Нефтегазобиоизделий», психологическое общество «Фрейд и его мать», морг номер 185».

На последних словах я не только перестала икать, а заодно и дышать. Но упрямо продолжила чтение.

«Сначала разложите все детали по коробочкам. Внимание: тара не прилагается. Вам подойдут пластиковые контейнеры для хранения продуктов, которые несомненно найдутся у каждой хозяйки. В комплект входят десять пальцев рук, десять пальцев ног, тридцать два зуба, два глаза, один нос...»

Я судорожно вздохнула.

— Киса, видишь картинку?

Малышка кивнула.

— Вот эти кругленькие штучки называются позвонки, а длинные полукруглые палочки — ребра. Ребрышки нужно воткнуть вот сюда, в отверстия в позвонках. Это дело долгое, быстро собрать Егора не получится, тут работы на целый день... Сделаем так: я сейчас принесу лоточки, а ты пока отбери кругляши в одну кучку, а палочки в другую.

— Хорошо, — сказала девочка и начала копаться в груде деталей.

Минут десять я шарила по шкафчикам, подыскивая тару, а когда вернулась, увидела на полу нечто, похожее на скрипку. За время моего недолгого отсутствия Киса ухитрилась сложить позвоночник и приделать к нему пустой живот куклы. Рядом лежала тоже собранная верхняя часть грудной клетки.

— Ну, ты даешь! — восхитилась я. — Как сообразила, что надо делать?

— Там нарисовано, — пояснила малышка, — тык-тык, и готово.

— Хм, может, и не провозимся до завтра, сегодня все успеем, — обрадовалась я. — Что у нас следующее? Надо посмотреть в инструкции. Так... «Положите в правильном порядке печень, желчный пузырь, поджелудочную железу, селезенку, кишечник, мочевой пузырь, половые органы, легкие, сердце, трахею, пищевод. Не применяйте силу, не впиховывайте — вот опять это замечательное словечко! — органы, если они не впиховываются. Не справившись с задачей с первого раза, посмотрите на картинку».

— Пожалуй, мы сразу воспользуемся подсказкой, — вздохнула я и принялась за дело.

Через полчаса, вспотев от усилий, я позвонила эксперту Грише и, когда услышала его бодрое «алло», забыв поздороваться, спросила:

— Как уложить в живот человеку кишечник? Он, оказывается, жутко длинный, разный по толщине и никак не желает находиться там, где положено. Природа намудрила, следовало оставить побольше места.

— Интересненько... — пробормотал Гриша. — Вообще-то трудно объяснить по телефону, но если вкратце, то петли необходимо правильно распределить.

— У меня не получается! — воскликнула я. — Печень, почки, желудок и все остальное влезло, а эти длинные полоски нет. Можно я пришлю тебе снимок, а ты объяснишь, что мы не так делаем?

— Делаем? — повторил криминалист. — Ты не одна?

— Нет, вместе с Кисой, — пояснила я. — Малышка молодец, за пять минут сложила позвоночник и ребра. Даже когда я перепутала желудок с легкими, она сразу меня поправила. Я и не предполагала, что у человека внутри столько всякого-разного.

— М-м-м... — пробормотал Гриша. — Однако немного... э... удивительно, что ты и девочка... э... э... Вы где?

— Дома, — пропыхтела я, пытаясь впихнуть внутрь куклы нечто, похожее на веревку, и защелкнуть пластину живота. — Черт, не закрывается.

— Кто? — поинтересовался Григорий.

— Не «кто», а «что»! — в сердцах воскликнула я. — Да все тот же кишечник, который не умещается в животе, отчего крышка не закрывается. Макс привез Кисе в подарок куклу. Ее нужно собрать, а деталей тьма. Называется этот ужас натурально-анатомически-развлекательно-обучающей игрушкой.

— Фу-у... — выдохнул мой собеседник, — а я уж подумал... Ладно, не важно, что мне на ум пришло. Жду снимок.

Еще через четверть часа под мудрым руководством криминалиста Гриши мы с Кисой сумели-таки закрыть кукольный живот. Я выпила большую чашку кофе, подумала, что надо съесть пару бутербродов, открыла холодильник, увидела связку сосисок, ощутила тошноту, вернулась в детскую и застала Кису втыкающей в руки куклы пальцы.

— Да ты прямо метеор, — похвалила я девочку. — Осталось совсем немного.

Как же я была неправа! Вы знаете, что у человека тридцать два зуба, и все они разные? Вот лично я только после часа возни с челюстями игрушки выяснила, что во рту у нас находятся резцы, клыки, премоляры и моляры. И что правый резец не может встать на место левого. Я чуть не сошла с ума с этими зубами. Ей-богу, выучить китайский за одну ночь легче, чем понять, куда вставить клык. Больше никогда не буду сердиться на своего замечательного стоматолога Аркадия Залмановича Темкина за то, что тот держит меня в кресле по три часа. Теперь-то я понимаю, каково ему бедному копаться в моих молярах и иже с ними. Странно, что Темкин сохранил психическое здоровье, он всегда весел, шутит.

Когда рот куклы наконец-то заполнился зубами, я издала боевой клич. Господи, близок конец марлезонского балета! Осталось поставить на место два глаза, уши, нос и пальцы ног. Это же пустяки!

Прозрела игрушка сразу. Ушные раковины я сначала перепутала, но исправить оплошность оказалось ерундой. В конце концов на руках у меня остались всего две детали — нос и большой палец левой ноги. Я перевела дух и попросила девочку:

— Солнышко, очень пить хочется, принеси мне водички.

Малышка с готовностью унеслась на кухню.

Я живо схватила кусочки пластмассы и начала вставлять их в пазы. Но части тела никак не желали устанавливаться! Поменяв их местами, я опять не достигла успеха, снова переставила детальки, услышала, как девочка с топотом бежит назад, поднажала и, о радость, раздался тихий щелчок. Егор был готов.

— Вот, — протянула мне бутылку Киса и закричала: — Ура! Тетя Роза пришла! Мы с Лампой собрали Егорушку!

— Ай молодцы! — с чувством произнесла Краузе, появляясь в детской. — Отлично поработали. Теперь принимайтесь за дом, иначе Егору негде будет жить.

Я покосилась на огромную нераскрытую коробку и увидела на ней надпись: «10 000 разнообразных деталей. Сделай каждый кирпич самостоятельно, собери коттедж, мебель, сшей занавески, сотки ковры. Формы для отливания кухонной посуды и жидкий экологически чистый пластик в комплекте». Ох, ничего себе...

— Боже! Я опаздываю! Киса, тебе Роза Леопольдовна поможет! — малодушно воскликнула я и удрала в свою спальню.

Тридцать два зуба, двадцать пальцев, куча внутренних органов еще куда ни шло, а вот десять тысяч кирпичиков это уже слишком. Интересно, кто посоветовал Максу приобрести такую забаву? Может, остальным взрослым совсем не трудно собирать пупса и шить занавески? Наверное, я очень нетерпеливая.

Дверь комнаты приоткрылась.

— Вы заняты? Можно войти? — деликатно осведомилась Краузе.

— Пожалуйста, — разрешила я. И, увидев озабоченное лицо няни, напряглась: — Что-то случилось?

Роза Леопольдовна откашлялась, открыла было рот, но тут у меня зазвонил телефон. Краузе деликатно вышла.

Глава 13

— Можешь приехать? — забыв поздороваться, спросил Костин. — Я в офисе.

— Уже одеваюсь, — доложила я. — Что-то стряслось? С Эжи беда?

— Поторопись, — бросил приятель и отсоединился.

Я ринулась в гардеробную.

— Лампа, полагаю, вы должны знать... — забубнила няня, шагая за мной.

— Сейчас мне некогда обсуждать всякую ерунду, я очень спешу, — остановила я ее. — Если закончились деньги на хозяйство, возьмите нужную сумму в письменном столе Макса.

— Вопрос не в деньгах, — вздохнула Краузе. — Речь о...

— Если о моем неработающем туалете, то вызовите сантехника, — попросила я, сдергивая с вешалки джинсы. — Или пусть Мирон аккуратно исправит, но без своих креативных идей. Между прочим, у вас что-то подгорает, я чувствую запах гари.

— Оладушки! — всплеснула руками няня и удалилась на кухню.

Я живо оделась, схватила сумку и умчалась. Только бы не попасть во все пробки! Почему Костин ничего не сказал мне по телефону? Неужели и правда с Эжени несчастье?

Но добралась до офиса я довольно быстро.

Володи в кабинете не оказалось. Я села в кресло и оглядела стол. Пустая коробка из-под пиццы, большие стаканы из сетевой кофейни, несколько картонных тарелочек со смятыми салфетками... Послышался звук шагов, я повернулась к двери и спросила вошедшего приятеля:

— Она жива?

Костин положил в ящик стола футляр с электробритвой, который держал в руках.

— Эжени? Не знаю. Думаю, да.

Из меня посыпались вопросы:

— Ты ездил к Альдабарану? Он сообщил адрес мужчины, которого подослал к Евгении? Почему ты ночевал в офисе? Что случилось?

— Может, принесешь нам попить? — попросил Вовка. — А я пока рубашку переодену.

Получив двойную порцию своего любимого американо, Костин сделал глоток и скривился:

— Что-то напиток сегодня не удался.

— Если не спать, а плавать по ночам в кофе, то к утру даже самый расчудесный напиток покажется бурдой, — буркнула я, собирая со столешницы пустые упаковки. — Давай, не тяни, выкладывай.

Вовка потер ладонями виски.

— Все, вроде я проснулся... Степан Сергеевич Борискин, он же гуру, учитель, Альдабаран и свах, увидев мое удостоверение, не заявил: «Беседовать буду исключительно в присутствии моего адвоката».

Я отпила капучино из картонного стаканчика и стала внимательно слушать Костина...

Свах не стал отпираться и врать, а честно сказал Вовке:

— Вы же понимаете, что самодостаточные успешные люди не нуждаются в моих услугах. Как правило, ко мне приходят те, кто не способен сам решить свои проблемы.

Борискин работает с каждым клиентом вдумчиво — сначала пытается понять, что мешает человеку найти себе пару, потом изыскивает способ ему помочь. Многим женщинам, чтобы обрести уверенность в себе, надо точно знать, что они непременно наденут обручальное колечко на пальчик. Им уже не нужно нервничать, устремляя на всех мужчин ищущий взгляд, Альдабаран укажет, где и в какой час их встретит любовь. Хорошо изучив клиентку, Степан понимает, с кем ее следует знакомить, и подыскивает парня, о котором тоже все узнал. Борискин не станет сводить любителя день напролет сидеть над книгой с дамой, обожающей вечеринки, не подсунет скромного учителя девице, мечтающей жить в доме на Лазурном Берегу, не познакомит пятидесятилетнюю поборницу здорового образа жизни с холостяком такого же возраста, любящим коньячок-шашлычок и решившим завести детей. Наверное, поэтому с легкой руки сваха сыграно много свадеб.

Подобрав кандидатуры для будущей семьи, Альдабаран тщательно планирует, где и как их познакомить. Гуру не работает по стандартной схеме, зная, что одним людям нужна сказка, романтика, а других от зажженных свечей и розовых лепестков стошнит. Начав работать с Евгенией Будановой, Борискин быстренько скумекал: молодая женщина только-только освободилась от опеки чрезмерно богатых родителей, но живет в квартире, которую для нее выбрал и купил именно отец, и она, несмотря на то, что сменила работу, все еще психологически зависима от него, боится папеньку разочаровать, опасается потерять его любовь, мечтает стать успешной, как старшая сестра Нина. И психолог начал действовать. Степан решил, что Эжени, перебравшись на другое место жительства, перестанет оглядываться на папу с мамой.

— Я очень талантливый психотерапевт, перелопатил горы литературы по анализу человеческой души, умею дать совершенно правильный совет, подтолкнуть клиента в нужном направлении, — гордо заявил свах Костину.

У Володи с языка едва не сорвалось: «Грамотный профессионал не станет рулить чужой жизнью, потому что не имеет такого права. Его задача научить человека самому принимать решения». Но Костин промолчал. Борискин же продолжал хвастаться своими успехами.

— Оцените, как филигранно я работаю. Узнал от Евгении, что Иван Сергеевич купил дочери квартиру и отселил ее туда, надеясь, что та сразу обретет самостоятельность. Боже, как глупы некоторые богатые люди! Разве дочурка забудет, что апартаменты — подарок папы? Нет, конечно. Она, живя там, постоянно будет чувствовать зависимость от родителей. Но я нашел решение проблемы. Прежде всего посоветовал ей, чтобы разорвать ментальную связь с отцом, изменить имя, назваться Эжени, а еще переселиться в другое место. Вычислил зону обитания, комфортную для Будановой, ведь абы куда ей перебираться нельзя. Представляете, каково пришлось бы дочке олигарха в Южном Бутове? Естественно, ей подходит только тихий центр.

Оцените терпение Костина — он никак не комментировал слова сваха. И в конце концов услышал, что Борискин планировал отправить Эжени спустя пару недель после переезда на вечеринку. Туда же он собрался привести и Романа Фенина, тоже своего клиента. Он, талантливый компьютерщик и успешный бизнесмен, к своим тридцати восьми годам заработал огромное состояние. Несколько раз он заводил отношения с девушками, но романы длились не более трех-четырех месяцев. Фенин умен, поэтому быстро понимал: красавицы его не любят, хотят замуж за деньги и, поставив штамп в паспорте, не намерены рожать детей и заниматься семьей. Рома же видел рядом с собой тихую скромную женщину, которая не собирается делать карьеру, станет матерью по меньшей мере трем отпрыскам, будет печь пироги и сидеть по вечерам дома. Сам он не любит тусовки, да и вообще не особенно разговорчив.

— Наверное, таких девушек теперь нет, — грустно сказал Фенин сваху.

— Отчего же, — потер руки тот, — твое счастье близко.

Вначале действие разворачивалось по плану Борискина — Эжи перебралась к нам с Максом. «Психолог», правда, хотел, чтобы она жила одна, но решил не давить на клиентку. Затем Степан сообщил Будановой о приглашении, которое та получит, и то же самое сказал Роману. Оставалась сущая ерунда: отослать на электронную почту будущих жениха с невестой извещения о том, на какую тусовку оба должны отправиться. И тут Эжени сама позвонила сваху и закричала:

— Все произошло так, как вы предвидели! Сегодня вечером я *его* увижу!

Свах удивился. Но расспросил подопечную, услышал про день рождения Жанны и решил: раз уж Эжи твердо уверена, что сегодня встретит любовь своей жизни, пусть так и будет. Он попросил Буданову в подробностях рассказать ему, где состоится торжество, описать одежду, в которой она намерена отправиться на праздник. Затем соединился с Романом и сообщил:

— Звезды так сошлись, что вечером ты должен поехать в ресторан, адрес сейчас пришлю. Твоя суженая будет в черном платье, на плечах ярко-зеленый шарф с пайетками.

Борискин детально описал внешний вид Эжени, умолчав о том, что сам велел ей накинуть приметную шаль, чтобы Фенин без проблем узнал невесту. Затем он выяснил, что наденет Роман, перезвонил Евгении... Думаю, тебе понятно? Еще свах дал Фенину указание, как познакомиться с женщиной. Надо, мол...

— Пролить на нее воду, — перебила я. И вздохнула с облегчением: — Фу-у-у... Значит, твою свояченицу увез парень, в планы которого входит женитьба. Вовка, ты и представить не можешь, как я переволновалась. Надеюсь, баран не ошибся, Роману понравится Эжи, и они благополучно сыграют свадьбу. Ну просто гора с плеч!

Костин побарабанил пальцами по столу.

— Ты недослушала. Борискин велел Фенину «случайно» толкнуть девушку или наступить ей на ногу, про минералку ни словом не обмолвился.

Я предположила:

— Наверное, компьютерщик решил слегка улучшить его сценарий. Да?

— Нет! — резко возразил Володя. — Я тоже сначала обрадовался, услышав слова сваха, но потом тот обронил, что у Романа золотая печатка с гербом. А ты сказала, что у мужика, который увез Эжени, перстень с черной вставкой. В общем, смотри как получилось. Фенин угодил в пробку, причем, к сожалению, застрял на МКАДе, оттуда ему некуда было метнуться, там метро рядом нет. Когда он, дав охраннику деньги, чтобы тот впустил его, наконец-то вошел в ресторан, он увидел на банкетке в холле ядовито-зеленый шарф с пайетками и встал рядом, поджидая хозяйку. Но ее все не было...

Перебив приятеля, я закричала:

— Это же я бросила шаль на банкетку в тот момент, когда пыталась остановить того самого Николая! А потом выстрелил фейерверк. Костюм, кольцо, пролитая вода... Эжи перепутала кавалеров! Увидела не того и тут же влюбилась! Ну да, а как же иначе, ведь Альдабаран пообещал ей встречу с принцем. Эжени заранее полюбила королевича и по дороге из дома в ресторан, думаю, мысленно родила ему пятерых детей. Да этот баран идиот! Борискин не подумал, что клиенты не найдут друг друга? Или что еще кто-то закутается в зеленый шарф или явится с печаткой? Почему свах не отправил им фотографии, чтобы они знали, кого искать?

— Спокойствие, только спокойствие, — тоном Винни-Пуха остановил меня Костин. — Эжи не должна была знать, что ее встреча с суженым подстроена, поэтому Степан не дал ей его снимок. А вот у жениха имелось и фото невесты, и описание ее одежды, поскольку именно ему предстояло завязать знакомство. Кстати, Борискин не бросает клиентов на произвол судьбы, всегда их подстраховывает. Он тоже покатил в трактир — собирался наблюдать, как Эжени и Роман встретятся. Но по пути, как и Фенин, попал в пробку. Торопясь, он нарушил правила, повернул под запрещающий знак и попал в аварию.

— Понятно, жених опоздал из-за затора на шоссе, а свах был вынужден ждать полицейских, — вздохнула я. — Звезды встали в оппозицию к Жене, провидение захотело, чтобы Буданову увез незнакомец. И мы понятия не имеем, где и с кем находится дочь олигарха! Что же делать? Вова, ее увез человек, который унес труп блондинки! Я видела на пальце того мужика перстень с черной вставкой, и такой же носил похититель Эжени. Твоя свояченица в опасности!

— Не выключай телефон, возможно, Эжи позвонит, — приказал Костин. — Кстати, мне тут идея в голову пришла. Если тот мужик понял, что у него на руках труп, то он, вероятно, военный, полицейский, медик, сотрудник морга или похоронного бюро.

— Почему ты так решил? — удивилась я.

— Потому что люди, не имевшие дела с мертвецами, не сталкивающиеся по роду своей деятельности со смертью близко, отреагировали бы иначе, — вздохнул Костин. — Обычный человек испугается при виде трупа, будет шокирован, хотя бы взволнован. А по твоим словам, тот парень не испытывал подобных эмоций, следовательно, привык к покойникам.

— Я не подумала, что обыватель должен испытывать страх, увидев мертвеца, — смутилась я.

— У меня для тебя еще новость, — продолжал Володя.

— Неужели есть и хорошее известие? — с надеждой осведомилась я.

Володя провел ладонью по макушке.

— Скорее шокирующее.

У меня по спине стройными рядами замаршировали ежики в сапогах с металлическими набойками.

— Что случилось?

Глава 14

Костин повернул ко мне открытый ноутбук.

— Скажи, кто на снимке?

Я внимательно рассмотрела фото.

— Эжени. Только у нее здесь другая прическа. Никогда не видела ее с косой челкой, она зачесывает волосы назад. И цвет у них слегка темнее. Погоди, а откуда родинка на щеке? У Эжи ее нет. Постой, это же не она? Не может быть! Сходство невероятное! А-а-а, поняла, Евгения удалила родинку. Я с ней познакомилась недавно, а фото сделано пару лет назад. Так?

Володя развел руками.

— И да, и нет. Это Эжени и... не она.

— Хватит говорить загадками! — рассердилась я. — Так не бывает!

Костин развернул компьютер назад.

— Женщину, чей снимок ты сейчас пристально рассматривала, зовут Мариэтта Самохвалова, ей двадцать пять лет. Слышала о Петре Самохвалове?

Я покачала головой.

— Владелец фабрик, заводов, шахт и пароходов, — хмыкнул Вовка. — Одним словом, далеко не бедный человек. Петр ни в чем плохом не замечен, платит налоги, в политику не лезет, занимается благотворительностью. Женат на Диане Варкесовне Габрилян, нажив богатство, не сменил первую супругу на длинноногую модельку. Бизнесом Самохвалов занялся лет двадцать назад, когда бесследно пропала его пятилетняя дочь

Мариэтта. Девочка официально признана умершей, но ее судьба неизвестна.

— Ничего не понимаю! — воскликнула я. — Ты мне сейчас показывал на ноутбуке фото той самой Мариэтты?

— Верно, — согласился Костин.

Я повысила голос:

— Издеваешься, да? Ребенку в момент исчезновения было пять лет, а на портрете взрослая девушка.

Устало вздохнув, Костин продолжил:

— Это все новейшие компьютерные технологии. Есть программа, с помощью которой, имея на руках снимок ребенка, можно увидеть, как он будет выглядеть, став взрослым. Диана Варкесовна сделала фото «повзрослевшей» Мариэтты и выставила его на своих страницах в соцсетях. Отец пропавшей девочки, Петр Самохвалов, давно перестал ждать, что Мари (так звали дочь дома) вернется к нему, а мать все надеется. Ты помолчи немного, тогда я спокойно все расскажу.

— Сам спросил, кто на снимке... — обиженно надувшись, напомнила я. — А зачем нам дочь Самохваловых?

Володя снова вздохнул.

— Говорю же — просто послушай. Так вот, узнав об отъезде Эжи с незнакомцем, я примчался в офис, посидел, подумал и понял: я знаю о свояченице лишь то, что сообщила мне жена. Со слов Нины, Женя милый, наивный, неуверенный в себе человек с менталитетом девятилетней девочки. В ней нет ни злости, ни агрессии, ни жадности, она никогда не совершала опрометчивых поступков, находилась под неусыпной опекой гиперответственной матери. Нина из-за жестокости Ивана Сергеевича удрала из дома и рано повзрослела, а ее сестра благодаря заботливой мамуле превратилась в оранжерейный цветок. Но ведь моя жена много лет не общалась с родными! Когда Будановы выгнали вон старшую дочь, младшей едва исполнилось двенадцать, и Нина не знает, что случилось с Женей лет в четырнадцать-пятнадцать. Что, если патологическая заботливость Веры Петровны объясняется не тем, что она клуша, а имеет иные корни?

— Какие? — не вытерпела я.

Костин щелкнул пальцами.

— В подростковом возрасте у многих слетает крыша. Вдруг образцово-показательная, тихая мышка Женечка связалась с дурной компанией, с бандой, и сегодняшнее похищение связано с прошлым жертвы? Когда я найду нечто интересное, тогда и пойму, от какой печки танцевать. Может, Буданов расстелил в тот момент в нужных кабинетах денежные ковры и выкупил дочурку, чтобы та не попала под суд? Но в базах должны остаться следы. Если ничего плохого о Евгении не обнаружится, значит, мы отбрасываем версию скелетов в шкафу, занимаемся другими вариантами. Но проверить надо каждую щель.

— Ага, понятно, ты разбудил нашего повелителя клавиатуры Михаила и велел ему немедленно выходить на охоту, — предположила я.

Костин смутился.

— Мишка все равно в Интернете по ночам сидит. Вот тебя дергать я не стал, подумал...

— Что выяснил компьютерных дел мастер? — перебила я приятеля.

Вовка засопел, но ответил:

— Евгения Буданова на самом деле оказалась аленьким цветочком. Ни малейших проблем родителям не доставляла. Я перебросил Никитину все материалы по Эжени, в том числе ее недавнюю фотографию, и Миша около семи утра отчитался о проделанной работе. Кроме всего прочего, он сказал: «Знаешь, снимок женщины показался мне знакомым, где-то я его недавно видел. Поднапрягся немного и сообразил, где именно, — в Твиттере, на страничке одного приятеля, который ретвитнул чужое сообщение». Короче, айтишник снова нашел там то самое изображение и прочитал текст: «Перед вами реконструированный портрет моей пропавшей дочки Мариэтты Самохваловой. Если кто-то видел эту девушку, свяжитесь со мной». Далее шли координаты Дианы Варкесовны. «Или Мариэтта с Евгенией близнецы, или я идиот», — подвел итог Никитин.

Я одним глотком допила остывший капучино, а Костин продолжил рассказывать, как он попросил Михаила отыскать информацию о Самохваловых и довольно быстро получил нужные сведения...

Двадцать лет назад Петр Ильич, тогда скромный преподаватель физики, вместе с женой Дианой Варкесовной, сыном-подростком Ильей и дочкой Мариэттой отдыхали на берегу реки. Дети захотели мороженого, и отец пошел в магазин в селе, где семья тем летом снимала дачу. Он отсутствовал около получаса. Когда вернулся, жена, лежа на одеяле, читала книгу, а Илюша со стайкой деревенских мальчишек запускал собранную им модель самолета. Самохвалов отдал сыну эскимо и спросил у супруги:

— Где Мари?

— Видишь, вон там в кустах панамка торчит? — ответила Диана. — Девочка строит для куклы дом из веток. Я на нее поглядываю.

— Мариэтта! Мороженое прибыло! — крикнул отец.

Дочка не отреагировала, видимо, заигравшись и не слыша его зова.

Самохвалов пошел к кустам и увидел — дочери там нет, беленькая шапочка висит на ветке.

К вечеру малышку искала вся деревня, а утром следующего дня подключилась милиция. Но Мариэтта сгинула без следа.

— Ребенок мог свалиться с берега в реку и утонуть, — предположил сельский участковый. — Течение здесь сильное, тело унесло.

Специалисты тщательно опросили членов семьи и местных жителей. Всезнающие деревенские старухи дали дачникам прекрасную оценку: Самохваловы не пьют, не курят, постоянно вместе с детьми. Диана хорошая хозяйка, готовит, стирает, закатывает банки; отец семейства заботится о членах семьи; Мариэтта и Илья аккуратно одеты, хорошо воспитаны, всегда здороваются со старшими, Илюша опекает Мари, берет ее в свою компанию, даже сердится на тех ребят, которые гонят малышку, мол, она мешает им играть. Одним словом, заподозрить, что кто-то из родных решил избавиться от девочки, было невозможно. Да и у всех оказалось алиби.

Когда Петр пошел в магазин, Мари с куклой сидела на одеяле возле матери, читающей любовный роман. Самохвалова видели местные жители, а продавщица подтвердила, что он купил эскимо.

Через какое-то время после ухода отца Мари спросила у матери:

— Можно я построю домик из веток?

Та кивнула и предупредила:

— Далеко не отходи.

Девочка показала рукой на куклу и на кусты:

— Вот там у Маши будет квартира.

— Хорошо, — разрешила Диана. — Но в лес не бегай.

Минут через пять мать посмотрела в сторону зарослей, увидела белую панамку и продолжила чтение.

Все это рассказали мальчишки, игравшие на берегу реки.

Потом, по словам все тех же ребят, Диана окликнула сына:

— Илья, где бутылка с водой?

— Я все выпил, — ответил тот.

— Надо было и другим оставить, — сделала ему замечание мать. — Пойду на дачу, принесу минералку. Присмотри за Мариэттой.

— Ма, Андрей коленку разбил, — крикнул Илья, — кровь идет.

— Андрюша, пойдешь со мной, — распорядилась Диана. — Ранку надо обработать, иначе может столбняк случиться.

Парнишка нехотя пошел за ней. А потом сообщил милиции, что Самохвалова ни на секунду его не покидала. Диана смазала ногу мальчика йодом, взяла воду, и они вместе вернулись к реке. Там мать спросила у сына:

— Илья, где Мари?

— В кустах, дом для куклы строит, — ответил подросток.

Диана посмотрела на заросли и успокоилась, увидев панамку, затем опять погрузилась в чтение. За время отсутствия мужа она еще несколько раз смотрела на дочь. Самохваловой и в голову не могло прийти, что Мари давно нет в кустах, она любуется на ее шапочку.

После исчезновения Мариэтты Диана попала в клинику неврозов, где провела несколько месяцев. А Петр стал заниматься бизнесом и неожиданно быстро весьма преуспел.

Довольно часто смерть ребенка провоцирует развод родителей, но Самохваловы, наоборот, сплотились. Диана больше не рожала, Илья остался единственным сыном в семье. Сейчас молодой человек, окончивший один из колледжей Оксфорда, помогает отцу вести дела.

— Трагическая история! — не выдержала я. — Ужасно потерять дочь, но еще страшнее лишиться ее и не знать, что с ней случилось. Значит, хоть и не один год прошел, Диана все еще надеется отыскать свою девочку... Вовка, а почему ты решил, что Эжени это Мариэтта? Одного внешнего сходства для такого вывода недостаточно. И портрет сделан компьютером, машина могла совершить ошибку.

Костин встал.

— Самохваловы прошли все круги ада, уготованные тем, кто ищет близкого человека, им пришлось опознавать трупы. Через несколько лет после исчезновения дочери они узнали, что в России делают анализ ДНК, и Диана принесла экспертам молочные зубки Мари, которые хранила в коробочке. Результат исследования зафиксирован в документах. А Борискин, когда Эжени явилась к нему на прием, послал ее на анализ ДНК. Зачем? Ну, с одной стороны, лаборатория, куда милейший гуру отправляет своих клиентов, принадлежит его родной сестре, а исследование дорогое. Однако им руководило не только желание дать заработать родственнице. Это еще и психологический прием. Гуру берет в руки бумажку с заключением, внимательно изучает ее и оповещает подопечного: «Получено научное подтверждение моих слов о том, что вы непременно найдете пару. В ваших генах указан счастливый брак, сама природа нацелила вас на создание семьи. Да, встречаются люди с антисемейной генетикой, я иногда их вижу в своем кабинете, но это не ваш случай!» Клиенты Альдабарана, как правило, ничего не смыслят в науке, слова про «семейную генетику» действуют на них магически. Они мигом успокаиваются, обретают уверенность в себе, радуются, что попали не к темному малограмотному знахарю, а к человеку, который использует новейшие технологии. Короче, я не постеснялся поднять сваха с кровати, получил от него на почту копию анализа Эжени, сравнил его с показателями Мари и увидел... стопроцентное совпадение. Евгения Буданова и Мариэтта Самохвалова — одна и та же личность.

Я вскочила.

— Поехали!

— Куда? — поинтересовался Костин.

— Конечно же, к Самохваловым. Надо рассказать им, что Мари жива.

Володя сложил руки на груди.

— Ага, и тут же сообщить об ее исчезновении? Встань на место супругов и оцени ситуацию: Мари пропала в пятилетнем возрасте, нашлась спустя два десятилетия, а родители так и не смогли обнять ее. Каково им будет узнать, что дочь вновь похищена?

— Как же нам поступить? — растерялась я. — Мы не можем утаить эту информацию от Самохваловых.

— Верно, — согласился Костин. — Но гнать коней не следует. Предлагаю сначала побеседовать с Будановыми, выяснить, каким образом у них в семье появилась Женя.

— Погоди-ка! — подпрыгнула я. — У сестер разница в возрасте пять лет, значит, когда Мари очутилась у Будановых, Нине стукнуло десять.

Костин молча пошел к двери кабинета, я поспешила за ним. Не говоря ни слова, мы вышли в коридор. Володя тщательно запер офис и только тогда спросил:

— Полагаешь, Нина знала, что Эжени ей не родная сестра, и ни словечка мне на этот счет не сказала?

— Получается, так, — пробормотала я. — Если в семье есть двухлетняя малышка, можно привести в дом еще одного ребенка, и через год старшая навсегда забудет, что раньше была единственной у мамы с папой, а с десятилеткой такой фокус не проделать. Я понимаю, о чем ты сейчас думаешь. Но Нина тебя не обманывала — она просто не могла сообщить тщательно охраняемую семейную тайну.

Костин достал телефон, подержал его в руке и снова засунул в карман.

— Интересно, о чем еще умалчивает Нина? К сожалению, моя версия скелетов в шкафах оказалась верной. Исчезновение Евгении определенно как-то связано с ее прошлым.

Я решила отвлечь приятеля от мрачных мыслей и сообщила:

— Звонил Павел, сообщил много интересного про Подольского.

— Сядем в машину, там изложишь, — велел Костин. — Я звякну Нине, пусть тоже на нашей встрече с Иваном Сергеевичем и Верой Петровной присутствует.

Глава 15

После того как я пересказала свой разговор с Фоминым, Володя мрачно произнес:

— Квартира, которую снимал Подольский, удивляет роскошью. Никакой сдержанности в интерьере — мебель с позолотой, многоэтажные хрустальные люстры, фарфор, серебро, ковры. Обычно так обставляют апартаменты люди, в детстве столкнувшиеся с тотальной нищетой и не получившие хорошего воспитания. Именно они, внезапно разбогатев, хотят жить «красиво». Сейчас рынок съемного жилья предлагает массу вариантов, Вениамин выбрал этот. Со вкусом у господина Подольского было плохо. В шкафах у него парад шмоток, на письменном столе полный набор скидочных карточек от известных брендов, производителей мужской обуви, одежды, аксессуаров. В ванной — выставка лучших парфюмерно-банных линий, в холодильнике деликатесы, а его халат смахивает на мантию императора. На мой взгляд, Вениамин неплохой актер. Мы поверили в существование фаната, который ему угрожает. Думаю, продемонстрированные нам злобные письма составлены самим Подольским.

— А у меня сразу зародились сомнения, — сказала я. — Зачем кому-то лично приносить конверты и подсовывать их под дверь квартиры? Этак и попасться можно. Да, похоже, ты прав, угрозы в свой адрес писал

Вениамин. Сняв апартаменты, он составил послания и пришел в агентство Крестовой... А Елена его послала. Готова спорить на что угодно, Подольский в конце концов решил осуществить «гениальный креативный» план, о котором рассказывал рекламщице в свой первый визит. Нанял человека, который должен был выстрелить в него холостыми патронами. Веня упадет, изобразит раненого... Помнишь журналиста, который нагло влез с фотоаппаратом в комнатушку консьержки, где мы беседовали? Григорий еще на него наорал.

— И правильно сделал! — рявкнул Костин. — Совсем папарацци обнаглели!

Я с тоской посмотрела в окно на еле-еле двигающуюся вереницу машин.

— Что, если репортер появился не после того, как застрелили Вениамина, а раньше? Думаю, Подольский тщательно написал свой сценарий. Как считаешь, почему он обратился к нам?

— Еще вчера я мог предположить, что известный человек не желает идти в полицию, так как опасается, что продажные полицейские звякнут в «Желтуху», — ответил Костин, притормозив у светофора. — Но сейчас даже мыслей по данному поводу у меня нет.

Я поправила ремень безопасности.

— Зато у меня есть! Веня разработал многоходовую комбинацию. Первый шаг — посещение детективного агентства, где, по мнению Подольского, служат не очень далекие люди, которые легко проглотят наживку, поверив сказке про его известность и про угрожающие письма, и захотят помочь великому писателю-певцу-артисту. Мы взялись за работу, то есть оправдали его ожидания. Второй шаг — Вениамин предлагает посадить в подъезде своего дома вместо лифтерши сотрудницу агентства.

— И зачем ему это? — перебил Костин, отпуская педаль газа.

— Нужна свидетельница нападения, — пояснила я. — Причем именно свидетельница, женщина. Ну-ка вспомни, кто сидит днем на вахте? Шестидесятилетний Игорь Сергеевич, вполне крепкий майор в отставке. Тот не растеряется, услышав выстрел. Да еще может сообразить, что он издан не боевым оружием, а задействован холостой патрон. А вот женщина впадет в панику, будет потом рассказывать корреспондентам: «Ой, вот жуть-то! Как жахнет! Как бабахнет! Подольского чуть не убили!» Вспомни, что Вениамин отмел все кандидатуры на роль консьержки: одна слишком молода и красива, у другой на лице написано, что она профессионал. А когда я зашла в кабинет, обрадовался: «Супер! Эта отлично подойдет!» И не слез с нас, пока я не согласилась. Ему не хотелось, чтобы у лифта дежурила профессионалка, Джеймс Бонд в юбке. Ну согласись, это же странно: ему угрожают, обещают застрелить, а он под разными предлогами отказывается от услуг тех, кто обучен обращаться с оружием и защищать клиента, зато настаивает на кандидатуре дамы, которая явно не сможет прикрыть его в случае опасности. К сожалению, я, послушав пламенную речь «гения», мол, его преследователь убежит, если увидит, что в подъезде появился профессионал, не насторожилась. К тому же агентство Вульфа не полиция, где с людьми могут говорить жестко, в нашей конторе клиентов облизывают, стараются, по мере возможности, выполнить их капризы. А Подольский не хотел иметь дело с подготовленными кадрами, так как знал: опасности не будет, разыграется спектакль.

— Но ты отличный специалист, — возразил Костин.

— Вовсе нет, — улыбнулась я. — Сам же знаешь: стрелять я не умею, бегаю плохо, с боевыми приемами не знакома. Я дилетант с внешностью домашней хозяйки. Последнее и привлекло Подольского. Ему требовался глупый свидетель. Буду объективна: я оправдала его надежды. Марку автомобиля, в котором неизвестный мужчина увез труп блондинки, я не определила, номер не запомнила. Нет, я вовсе не агент национальной безопасности... Четвертый шаг, сделанный Вениамином, — он договаривается со стрелком. Небось отрыл его в Интернете. И еще он нанимает журналиста. Теперь напомню последовательность событий. Минут за пятнадцать до того, как Подольский якобы случайно упал в подъезде, я вышла на улицу подышать свежим воздухом...

— Скорей уж отравиться московским смогом, — скривился Вовка.

Я продолжала, не обратив внимания на его замечание.

— Встав у двери, увидела, как напротив, на другой стороне улицы, припарковалась неприметная черная машина. Водитель распахнул дверцу, секунд пятнадцать проветривал автомобиль, потом заметил меня и захлопнул створку. Я успела разглядеть лишь то, что шофер в темных очках и бейсболке, а на торпеде установлен странный, слишком большой навигатор. Еще, помнится, я подумала тогда: надо же, какая громоздкая модель. Но, вероятно, это был профессиональный фотоаппарат. Ну и последний шаг. Подольский спускается на первый этаж, перебрасывается со мной парой слов, идет к выходу и... упс! Падает. А с чего бы ему валиться? Пол сухой — не поскользнешься, ковра нет — зацепиться не за что, банановой кожуры в холле не было.

— Ногу подвернул, — подсказал Костин.

Я поморщилась.

— Точно, именно эти слова Вениамин и произнес, когда я кинулась к нему и предложила вызвать «Скорую». Но пострадавший категорически отказывается обращаться к медикам и просит меня проводить его до машины. Ну почему в тот момент я не заметила гору странностей? Ведь если нога болит так, что требуется на кого-то опереться, обязательно надо сделать рентген. Вдруг в кости трещина? Ладно, пошли дальше... Подольский, опираясь на меня, довольно прытко шагает по тротуару. И вот еще одна нестыковка, которую я, голова садовая, только сейчас заметила: Подольский сказал мне, что торопится в кафе напротив, где его ждет телепродюсер с Первого канала, мол, ему, Вениамину, предлагают вести шоу.

— Вот врун! — вскипел мой друг.

— Да уж. Но в тот момент я еще не знала всей правды о «звезде» и поверила его словам. Правда, странно, что телебосс, не дождавшись Подольского, не забеспокоился, и даже когда понеслись крики «Спасите! Убили!», не вышел на улицу? Никто Вениамина не ждал, на ту сторону улицы он направился лишь с одной целью — собирался изобразить жертву нападения. И, кстати, посреди проезжей части он вдруг остановился, начал жаловаться на сильную боль в ноге, именно поэтому нас догнала та несчастная женщина. Итак, Подольский топтался на мостовой, ожидая выстрела и намереваясь вовремя упасть. Надеялся, что, когда это произойдет, я перепугаюсь, начну кричать, а из стоящей неподалеку иномарки выскочит журналист, сделает снимки, соберется толпа. Ну а потом «жертва покушения» объявит: «Слава богу, киллер промахнулся». Веня рассчитывал, что вскоре весть о нападении на него разлетится по Интернету, вечером недобитая «знаменитость» прикатит на тусовку к Жанне, а там, как водится, толпа репортеров с фотоаппаратами, гостей с мобильниками. Вениамин надеялся стать на вечеринке ньюсмейкером номер один, полагал, что представители прессы кинутся к нему... Все, занавес, постановка под названием «Покушение на звезду» удалась. У парня была до небес завышена самооценка. В свое время Крестова категорически отказалась участвовать в придуманном им спектакле, Подольский разозлился, ушел от Елены, но, раздобыв денег, вернулся и вроде бы согласился на стандартную раскрутку...

Задохнувшись, я остановилась, Костин закончил вместо меня:

— А сам решил использовать рекламщицу в собственных целях, растрезвонить на тусовке о счастливом спасении. Вопрос: откуда у него взялись немалые средства?

— На мой взгляд, есть более животрепещущий вопрос: кто убил Вениамина? — воскликнула я. — А заодно еще несколько почему? Например, за что?

— А также какое отношение ко всему произошедшему имеет женщина, оказавшаяся с ним рядом, погибшая, по твоим словам, на мостовой? — подхватил Володя.

— Мне не нравится выражение «по твоим словам», — насторожилась я. — Звучит так, словно есть сомнения в наличии второй жертвы.

Костин свернул в узкий переулок.

— Ее ни один человек, кроме тебя, не видел.

— И что? Но я-то прекрасно разглядела незнакомку! — возмутилась я. — И, думаю, убита она была случайно. Блондинка стояла от Вениамина слишком близко, мне это не понравилось, поэтому я резко отступила в сторону и дернула Подольского за руку. Он подался вправо, и тут дама упала. Целились в нашего подопечного, но он неожиданно сменил позицию, пуля поразила не того человека. Киллер быстро сориентировался, выстрелил вновь.

Костин притормозил у тротуара.

— Теперь о Вениамине и правда напишут пару строк. Слишком жесткая раскрутка, не находишь?

— Некто узнал о планах Подольского и переиграл его, подменил лжеубийцу настоящим киллером, — подвела я итог. — Бедная женщина ни при чем, это случайная жертва.

Володя расстегнул ремень безопасности.

— Я мог бы поверить в то, что бедняжка оказалась не в то время и не в том месте, но мешает вопрос: почему ее спутник, вместо того чтобы впасть в ступор, быстро увез труп? Представляю себя на его месте: я в машине, моя спутница куда-то отлучилась, и тут — ба-бах! Ее труп на асфальте. Даже я, человек обученный, часто сталкивающийся с преступлениями, и то на короткое время растерялся бы. Одно дело направиться на место происшествия, зная, что там покойник, и совсем иное — поехать с девушкой в магазин и увидеть, как ее застрелили. А наш водитель действовал быстро, за пару минут свалил.

— Шок у людей проявляется по-разному, — возразила я.

— И куда красавчик подевал покойницу, когда пришел в себя? — прищурился мой друг. — Или он сошел с ума, сидит около нее в укромном месте и рыдает? Вот только ты абсолютно уверена, что парень был на тусовке у Жанны.

— Да, именно так, — кивнула я.

— Жаль, Лампудель, что ты как следует не рассмотрела жертву, отчего не получилось сделать фоторобот, — вздохнул Костин.

— Ну извини, оплошала! — фыркнула я. — Интересно, как бы ты повел себя, если бы рядом с тобой стали падать люди, сраженные выстрелами, а ты увидел у бедняг дырки во лбу и под глазом и понял, что в одном из домов засел снайпер? Я говорила, что не обучалась в школе ФСБ, не обладаю стальными нервами. Естественно, я перепугалась, упала на мостовую, закрыла голову руками. У меня не возникло ни малейшего желания разглядывать несчастную.

— А вот сумку ее из крокодиловой кожи с замком-ящерицей ты приметила, — хитро улыбнулся Вовка.

Я, сама не понимая почему, принялась оправдываться:

— Но это же было до выстрелов, когда она только выпорхнула из машины. На ней еще были туфли из новой коллекции «Прада» и платье от «Валентино». Совсем не бедная девушка. Когда мы с Вениамином стояли на тротуаре, я не нервничала, вот и разглядела детали. Но внешность ее описать не могу. Она была в темных очках, ветер трепал ее длинные волосы, они падали на лицо. Когда прогремел первый выстрел, я запаниковала. По-твоему, мне следовало, сохраняя олимпийское спокойствие, вынуть мобильный, сфотографировать трупы и мужчину, уволакивающего тело блондинки?

— Ну на это я, конечно, не надеялся, — хмыкнул Костин. — Но иметь сейчас снимки было бы здорово. Без них трудно поверить в твой рассказ. Слышала поговорку: нет тела — нет дела?

— Очень скоро я назову тебе фамилию погибшей! — вспыхнула я.

— Да ну? — изумился приятель. — Интересно узнать, каким образом ты выяснишь ее?

Я молча отвернулась к окну.

— Пошли, — скомандовал Вовка, — нас ждут Будановы.

— Подожди, — попросила я и начала рыться в сумочке. — Ну надо же! Хотела попудрить носик и не могу найти косметичку. Похоже, я ее потеряла. Вот жалость!

Глава 16

— Моя дочь пропала? — ахнула Вера Петровна, выслушав Костина. — Боже! Я говорила! Предупреждала! Нельзя Женечке одной жить, случится беда! Ваня, сделай что-нибудь!

Иван Сергеевич исподлобья посмотрел на Володю.

— Кто, кроме вас, знает о происшествии? Полиция в курсе? Пресса?

— Тебя только это взволновало? — зарыдала жена олигарха. — Боже, что с нами теперь сделает...

Вера Петровна закрыла лицо руками.

— Кого вы боитесь? — быстро спросил Костин.

— Супруга напугана, ей лучше лечь в постель, — отрезал Иван Сергеевич.

— Нет, ей придется остаться, — возразил Костин. — Нам понадобятся ответы на многие вопросы.

— Будет достаточно, если я поговорю с вами, а Вера должна уйти, — уперся Буданов.

Я встала с дивана, подошла к креслу, в котором рыдала хозяйка дома, села перед ней на корточки и тихо спросила:

— Вера Петровна, вы полагаете, что кто-то может причинить вам вред из-за исчезновения удочеренной девочки?

— Вон! — заорал олигарх. — Встали и ушли отсюда немедленно! Сергей, Александр, выведите этих придурков из дома!

Нина вскочила на ноги.

— Папа, значит, это правда? Женя вам не родной ребенок?

В гостиную вбежали охранники.

— Уходите! — крикнула им Нина.

Парни в строгих костюмах глянули на Ивана Сергеевича. На минуту в комнате повисла напряженная тишина, которую прерывали судорожные всхлипывания Веры Петровны.

— Мы, конечно, можем покинуть ваш дом, — вздохнула я. — Но... Не знаю, Иван Сергеевич, как вы относитесь к Евгении, и все-таки думаю, что добрых чувств в вашей душе больше. Что, если до нее дотянулись руки врагов из очень далекого прошлого, из тех лет, когда ее звали Мариэттой? Вчера, судя по всему, похититель не собирался причинять вреда Эжени, даже оставил ей мобильный. Однако как будут развиваться события сегодня?

— Сколько лет исполнилось Евгении на момент удочерения? — звенящим голосом спросила Нина.

— Пять, — коротко обронил Володя.

— Вот оно что... — Нина расхохоталась. — Ну, наконец-то все выяснилось. Я-то переживала, не могла ничего понять, себя винила! Похоже, папочка, вазу ты сам кокнул?

— О чем речь? — не понял Костин.

Его жена закинула ногу на ногу.

— Отец был помешан на Японии. Он собирал фарфор Страны восходящего солнца. Вот в этой комнате, где мы с вами сейчас сидим, раньше находился музей. Здесь стояли специальные витрины, поддерживался особый температурный режим. Коллекция была обширной и очень дорогой.

— Куда же она подевалась? — удивилась я.

— Отец внезапно охладел к японской посуде, — пожала плечами Нина. — Когда это произошло и куда он дел экспонаты, я понятия не имею, потому что не жила тогда с родителями. А вновь очутившись в отчем доме, увидела вместо музея гостиную и очень удивилась. Мама объяснила: «Папа устал от погони за раритетами, продал коллекцию».

— Мои привычки и хобби никому не интересны, — резко заявил олигарх. — Замолчи.

— Ну уж нет, — ухмыльнулась Нина, — меня тебе не заткнуть. С чего у папеньки началась япономания, я понятия не имею, но справедливости ради отмечу: на семью его шиза не распространялась, ни от жены, ни от детей он не требовал поклонения Японии, весь Токио существовал только на его личной половине. Мне с пеленок внушали: не ходи к папе в кабинет, там коллекция древнего фарфора. Я туда и не совалась. Зачем? Отношений у нас никаких, мной отец не занимался, сказок на ночь не читал, лошадку не изображал. По пальцам можно пересчитать случаи, когда он обо мне вспоминал: день рождения, Новый год, Восьмое марта. Вот тогда он дарил мне букет и коробочку с серьгами или кольцом. В остальное время гуляй, Нина, лесом.

— Не говори так, — слабым голосом попросила Вера Петровна.

— Разве это не правда? — прищурилась дочь.

— Отец зарабатывал деньги, поэтому не мог качать твою коляску или посещать утренники в детском саду, родительские собрания в школе, — бросилась на защиту мужа Вера. — Сиди он дома, не видать бы тебе ни собственной громадной детской, забитой игрушками, ни красивой одежды. И хорошего образования тебе бы никогда не получить. О колледже Аккермана даже мечтать бы не пришлось.

— Вот! — обрадовалась дочь. — Речь как раз идет об английской школе. Да, я плохо успевала в младших классах. Меня по неизвестной причине возненавидела училка. Как же она меня изводила... Вызовет к доске и начнет: «Буданова, читай стих. Хотя ты его, конечно, не выучила. Думаешь, богатый папочка пристроит глупую доченьку в университет? Или мужа ей купит? Давай, декламируй! Сейчас послушаем твои «э... э...» да «ме... ме...» Не молчи, промычи хоть слово. Дети, поможем двоечнице, хором проскандируем: «Нина-Нина — мычи стишок!»

Жена Костина повернулась ко мне:

— Я пыталась рассказать о поведении Раисы Ивановны, но мама мне не верила, отчитывала: «Педагог работает в школе всю жизнь, никто о ней, кроме тебя, плохого слова не сказал. Не смей врать, учи уроки!» Первый, второй, третий классы я едва закончила. Мама страшно злилась. И в конце концов решила наказать ленивую дочь. В июле она с пятилетней Женей уехала отдыхать на море, меня оставили с няней в Москве. Через две недели папа вернулся домой неожиданно рано. Помню тот день так, словно все было вчера. Сейчас расскажу, что случилось, слушайте...

Иван Сергеевич молча снял ботинки, сделав вид, что не заметил Ниночку, притаившуюся у вешалки, пошел в свой кабинет. Минут через десять оттуда раздался вопль:

— Нина! Сюда!

Перепуганная насмерть, на дрожащих ногах девочка вошла в комнату. Отец стоял посередине, указывая пальцем в угол:

— Кто это сделал?

Проследив за его рукой, Нина чуть не умерла, увидев осколки вазы.

Незадолго до отбытия матери с сестрой на море, папенька раздобыл на аукционе напольную вазу, принадлежавшую ранее кому-то из японских императоров. Иван Сергеевич так радовался своему приобретению, что даже снизошел до беседы со старшей дочерью, рассказал ей историю вазы, похвастался ее уникальностью:

— Лучшие музеи мира охотились за этим шедевром, но он достался мне! — радостно объявил он.

И вот та самая ваза оказалась разбитой.

Нет смысла в деталях живописать разыгравшийся скандал. Коллекционер обвинил дочь в гибели жемчужины своего собрания. Ниночка плакала, отрицала вину, клялась-божилась, что не приближалась даже к дверям кабинета. Девочка рыдала так громко, что прибежала няня и осмелилась защитить ее:

— Иван Сергеевич, я заперла вашу половину, а ключ убрала, Нинуша не могла проникнуть внутрь.

Тщетно! Разъяренный Буданов уволил няню, а дочь буквально на следующий день отправил в Англию, в закрытый колледж с очень строгими правилами — воспитанников не отпускали домой даже на Рождество. Но педагоги в учебном заведении оказались прекрасными, умными людьми, и Нина до сих пор не жалеет, что прошла эту школу. Потому что именно там она стала другим человеком. За три года учителя внушили девочке правила, которые потом помогли ей добиться успеха во взрослой жизни: никто не виноват в твоих неудачах, кроме тебя самой, иди прямо к цели, невзирая на препятствия, бытовые неудобства ерунда, демонстрировать богатство стыдно, ни на кого не надейся, сама строй свою судьбу...

На секунду замолчав, Нина встала и подошла к отцу.

— Я вернулась в Москву в тринадцать лет. Вы с мамой успели построить другой дом и переехать туда. Вся прислуга оказалась новой, ты уволил даже шофера Виктора, который ради тебя мог в огонь прыгнуть. Не узнать было и Евгению — она выросла, сильно изменилась. Но я не заподозрила ничего дурного. Когда уезжала в колледж, Женечке едва исполнилось пять лет, а теперь ей было восемь. И в общем-то, сестренка выглядела примерно так же, как раньше — голубые глаза, круглое личико, только волосы чуть потемнели, из совсем светлых, почти белых, превратились в русые. До моего отбытия в Англию мы с ней не дружили. Евгения всегда капризничала, хныкала, постоянно болела, ее часто укладывали в кровать, приезжал врач. Я считала сестру симулянткой, думала, что она прикидывается из желания привлечь к себе внимание. А когда я вернулась, Женя более не хворала. И она так обрадовалась мне! Старалась во всем угодить, даже на своем дне рождения закричала: «Не кладите мне серединку торта, отдайте ее Нинуше!» За последующие годы мы сблизились, а когда отец выпер меня из дома, я сильно тосковала по Женечке. Но я не это хотела сказать. Только теперь мне стало все понятно. Отец, а ведь ты сам разбил вазу. Тебе нужен был повод, чтобы надолго удалить меня из дома, все документы для колледжа ты заранее подготовил. Таким образом ты получил возможность подменить Женю другим ребенком. У Володи есть анализ ДНК Жени, он стопроцентно совпадает с показателями Мариэтты, пропавшей двадцать лет назад. Не нужно врать, что Эжи моя родная сестра!

— Как тебе это могло прийти в голову? — пискнула Вера Петровна. — Отец бы никогда не разбил раритет. Допускаю, что его кокнула нянька.

Нина, расхохотавшись, повернулась к матери:

— Гениальная фраза! Ты хоть поняла, что сказала? «Отец бы никогда не разбил раритет...» А подмену ребенка, значит, он спокойно мог произвести?

Вера Петровна уперлась ладонями в колени.

— Нина, сядь! Да, вазу грохнул муж.

— Заткнись! — заорал Иван Сергеевич, наконец выйдя из ступора. Слова старшей дочери его буквально в столбняк вогнали.

— Молчать! — вдруг повысила голос на мужа Вера Петровна. Затем заговорила чуть тише: — Ты сам во всем виноват, неправильно поступил. Следовало Нинушу спокойно, без горячки, отправить за рубеж, как мы и собирались. Орда двоек в дневнике достаточная причина для перевода в колледж, специализирующийся на исправлении успеваемости детей.

Буданов, похоже, снова онемел от происходящего, и она продолжила, обращаясь уже к нежданным гостям:

— Иван в тот день был вне себя, что-то у него не клеилось. Вошел в музей, а там духота, он решил открыть форточку, двинулся к окну, задел столик, а тот упал на вазу. Наверное, муж посмотрел на осколки и подумал: еще и это до кучи! А потом его «осенило»: вот прекрасный повод немедленно посадить дочь в самолет, у Нины и мысли не возникнет, какого черта отец спешно отсылает ее в иностранную школу в середине лета, а не к началу учебного года, как другие родители. Девочка решит, что ее наказали за разбитый коллекционный экземпляр, лишних вопросов не задаст. Полагаю, Иван рассуждал именно так. Хотя о каком рассудке можно говорить, когда человек в ярости...

— Я понятия не имела, в каком месяце родители отправляют своих отпрысков на учебу, в десять лет ребенок не думает о формальностях, — тихо сказала Нина. — А вот давящее чувство вины испытывала долго. Надо было просто отвезти меня в аэропорт со словами: «В Англии тебе будет легче, чем в Москве, ты овладеешь знаниями, да и язык выучишь».

— Твоего отца всегда отличала быстрота принятия решений, — тяжело вздохнула Вера Петровна. — И еще. Когда меня рядом нет, Иван способен такое вычудить! Нинуша, я чуть не умерла, услышав про дурацкую вазу и твой отъезд, но что-либо изменить было уже нельзя. Да если бы...

Вера Петровна замолчала.

— Если бы — что? — живо поинтересовалась я.

Буданова махнула рукой.

— Если бы я оказалась в тот момент дома! Но меня, к сожалению, не было. Муж гневлив, вспыхивает факелом. Потом понимает, что натворил, да поздно. Именно из-за всплеска его гнева мы лишились Нины через несколько лет, когда Иван ее из дома буквально выгнал. А тогда... Тогда случилось ужасное, мы Женечку потеряли...

Вера Петровна съежилась.

— Младшая девочка умерла? — догадалась я. — Несчастный случай? Что-то стряслось во время отдыха на море? Ребенок утонул? А откуда взялась Эжени?

Буданов ожил и метнул в супругу злой взгляд.

— Вера, заткнись! Ишь, разошлась! Не было никакого курорта, сейчас все объясню. Но супруге лучше лечь в кровать. Она очень нервничает, по этой причине несет чушь.

— Попросите принести успокаивающую микстуру, и пусть Вера Петровна устроится на диване, — выдвинул альтернативное предложение Костин.

Буданов криво усмехнулся, встал, открыл бар, достал оттуда бутылку виски, налил в стакан и, ничем не разбавив, подал жене со словами:

— Держи свои капли Саган.

— Капли Саган? — переспросила я.

Олигарх усмехнулся.

— Небось удивляетесь, по какой причине я с вами без адвоката беседую? Я как волк, за километр опасность чую, и только Владимир звякнул, сообразил, что дело плохо, с Женькой беда, выползла на свет правда. Как я миллиарды заработал? На чутье. Не подводит оно меня никогда. И сейчас сработало. Хотел законника сюда позвать, и вдруг, опаньки, щелчок: нет, непростая у нас семейная история, никому о ней знать не следует. Нинка тут шумела, что чувство вины испытывала... А я двадцать лет жду, когда про Женю узнают, во как! И Вера все время в напряжении. Хотя бабам легче, они умеют забывать то, что им мешает счастливо жить. Мужик в мозгу проблему так и эдак вертит, измучается весь, а женщина сначала поплачет, потом слезы утрет и решит: все, хватит, выбрасываю из головы воспоминания. Вера в какой-то книге прочитала, что писательница Саган в качестве антидепрессанта употребляла виски, ну и взяла с француженки пример. Сначала и правда по каплям его принимала, теперь ложками столовыми. Еще другой у нее рецепт имеется: в стакан с порцией спиртного набухать лимонада, тогда получаются не капли Саган, а коктейль «Плюшевый мишка», желтенький такой, типа ситро.

— Давайте вернемся к Жене, — попросил Костин.

Глава 17

Иван Сергеевич оставил бутылку с виски на столике около кресла. Вера Петровна устало вздохнула.

— Сколько раз мне снился кошмар: в дом входит полиция и объявляет, что все стало известно... И вот теперь ужас материализовался.

Олигарх сел рядом с женой и обнял ее.

— Ты же понимаешь, у них на руках анализ ДНК, придется выложить правду. Но говорить буду я.

Супруга кивнула, закутываясь в плед. Иван Сергеевич встал и начал кружить по гостиной. Похоже, ему легче было вести рассказ в движении.

...Нина родилась крепким здоровым ребенком, никаких хлопот родителям не доставляла, развивалась нормально. А Женя была слабенькой, хлипкой. Отболев свинкой, девочка подхватывала корь, затем коклюш и так далее. Она постоянно кашляла, чихала, заливалась соплями, страдала желудочно-кишечными расстройствами, капризничала. Вера Петровна таскала крошку по врачам, но те разводили руками, говорили: «Слабый иммунитет». Конечно, прописывали какие-то лекарства, витамины.

Незадолго до пятилетия у Жени начался неостановимый понос. Мать схватила ребенка и повезла в клинику, где наконец-то поняли, что происходит. Врачи сказали:

— У девочки талассемия.

— Это что такое? — перепугалась Вера, услышав незнакомое слово.

— Анемия Кули, — объяснил доктор, — наследственное заболевание крови.

— Малышка появилась на свет здоровой, — удивилась Буданова.

— Правильно, — согласился медик, — талассемия проявляется не сразу. Она бывает разной степени тяжести, маскируется под разные недуги, вот почему мы только сейчас поняли, с чем имеем дело.

— И как лечиться от напасти? — занервничала Вера Петровна. И услышала в ответ:

— Радикальный способ один — пересадка костного мозга. Или регулярные переливания крови в течение всей жизни.

Мать пришла в ужас и сообщила то, что узнала, мужу. Иван Сергеевич тоже испугался, но быстро нашел лучшего специалиста, профессора Глеба Алексеевича Верещагина. Тот подтвердил и диагноз, и возможные пути борьбы с болезнью.

— Никакой операции, — отрезал отец Жени, — лечите ее консервативно, а там посмотрим.

— Давайте положим девочку в мой научно-исследовательский центр, — предложил Верещагин. — Сделаем обследование, увидим полную картину состояния здоровья ребенка.

— Это надолго?

— Три недели, — уточнил профессор. — Не волнуйтесь, у нас прекрасные условия. Предоставим вам коттедж из четырех комнат, как на курорте, вы сможете пользоваться нашей СПА-зоной, бассейном, массажным кабинетом.

— Прекрасно, — обрадовался Иван Сергеевич, — берем.

По дороге домой он сказал жене:

— Никто не должен знать об этой чертовой болячке, в особенности Нина. Хрень наследственная, ею кто-то из твоих или моих предков страдал, и вот сейчас она ожила в крови у Жени. Нина испугается, что тоже заражена. Не нужны ребенку такие переживания. Скажем, что ты с Женей улетела на море отдыхать, а старшую сестру в наказание за двойки оставили дома.

Вере идея супруга показалась здравой. Действительно, зачем Ниночке думать о тяжелых генетических недугах, пусть она живет спокойно.

Вера Петровна с Женей поселились в медцентре, Иван Сергеевич работал, Нина сидела дома с няней. Мать с больной девочкой в первой половине дня ходила по кабинетам, и малышке это совершенно не нравилось. Зато после обеда можно было гулять, играть, копаться в песочнице. В клинике тщательно соблюдали врачебную тайну, бунгало, в которых жили пациенты, стояли далеко друг от друга, были окружены забором, имели прилегающий сад, к каждому ребенку прикреплялись личные медсестра и няня. Вера Петровна понятия не имела, кто, кроме Жени, лечится в центре, но и другие его обитатели не знали о Будановых.

Двадцать второго июля в семь утра Вера наклонилась над кроваткой, чтобы разбудить дочь, но она никак не хотела открывать глазки. Мать начала щекотать малышку, однако та не реагировала. И тут появилась медсестра, чтобы отвести Женю на очередное обследование. Она взглянула на ребенка, схватила его и кинулась в лечебный корпус. Вера Петровна полетела следом. Ей, сильно испуганной, никто ничего не объяснил, Буданову усадили в холле и сказали:

— Подождите, сейчас придет врач.

Доктор появился минут через сорок, взял Веру за руку и тихо произнес:

— С глубоким прискорбием сообщаю о кончине вашей дочери Евгении.

Вере Петровне на голову как будто свалилась ватное одеяло, дальнейшую речь врача она слышала отрывками.

— Тяжелое поражение печени... селезенки... была обречена...

Потом откуда-то появился Иван Сергеевич. Буданов усадил супругу в машину и увез из клиники. По дороге

Веру Петровну укачало, стало тошнить. Муж свернул на проселочную дорогу, остановил авто, отвел жену в лесок и отвернулся. Несчастную мать выворачивало наизнанку. После очередного приступа рвоты она подняла голову и вдруг закричала:

— Женя! Жива!!!

Иван Сергеевич обернулся и прирос ногами к земле. Около толстой сосны стояла... его младшая дочка, босая, растрепанная, заплаканная, перемазанная грязью. По ее личику была размазана засохшая кровь, платье превратилось в лохмотья.

Вера Петровна кинулась к ребенку, прижала малышку к себе и заплакала. Женя заскулила, закрыла глаза и затихла.

— Ваня, она опять умирает, — зарыдала Вера.

Иван Сергеевич выхватил из рук супруги крошку, помчался к машине, и через пять минут они ворвались в медцентр.

Верещагин, услышав о воскрешении Жени, перекрестился, осмотрел найденную в лесу девочку и сказал Ивану:

— Ребенок обезвожен, истощен, вероятно, подвергался насилию — я вижу перелом правой ручки, множественные синяки. Но это не Евгения.

— Нет! — завопила Вера, кидаясь на профессора. — Врешь! Это моя дочь!

Глеб Алексеевич взял ее под руку.

— Не хочу вести вас в морг, где лежит тело вашей дочери. Посмотрите на ребенка, у него другие черты лица, родинка на щечке.

— Волосы русые, глаза голубые... — бормотала Вера. — Нет! Это Женя.

— Возраст примерно тот же, — согласился Верещагин, — но поймите...

Тут малышка, лежавшая в кроватке, открыла глазки и сказала:

— Мама! Мама!

Вера кинулась к ней, стала гладить по головке.

— Слышали? Она меня узнала! Теперь перестанете повторять, что моя доченька скончалась? Мы увозим ее домой!

Глеб Алексеевич кивнул:

— Конечно, голубушка, извините нас, мы напутали. Умерла другая пациентка, Женя жива. Она случайно убежала от медсестры в лес, перепачкалась. Девочку нужно помыть, а вы пока отдохните.

Врач сделал Вере Петровне укол. Мигом заснувшую Буданову на каталке доставили в арендованный домик и уложили в кровать. Иван Сергеевич остался в кабинете Верещагина...

Олигарх замолчал. Потрясенные его рассказом Нина и Володя были не в состоянии произнести ни слова. Вера Петровна схватила бутылку виски и сделала пару глотков прямо из горлышка.

— Вы уговорили профессора молчать про смерть Жени, — выдохнула я. — Удалили найденышу родинку и спокойно привезли домой с документами покойной дочери. Вот почему вы отправили в Лондон Нину. Десятилетнюю девочку трудно обмануть, она живо поймет: перед ней не родная сестренка. Прежнюю прислугу вы выгнали, переехали на новое место жительства, а когда вернулась старшая дочь, она ничего не заподозрила, потому что за несколько лет отсутствия в Москве забыла, как выглядела Женечка, у Нины в памяти осталось лишь общее впечатление: светлые волосы, голубые глаза. И детки так быстро меняются, месяц пройдет — они уже иные.

— Никого я не уговаривал, — огрызнулся Иван Сергеевич. — Просто заплатил доктору.

— Вам не пришло в голову, что у найденного в лесу ребенка есть родители? — разозлилась я.

Лицо Буданова исказила гримаса.

— Я спасал жену. Вера могла умереть, это и Верещагин понял. Между прочим, ему очень нужны были деньги. Я потом выяснил, что он в карты играл, вечно сидел на мели. Но Глеб Алексеевич еще и Веру пожалел. Супруга реально поверила в воскрешение Жени. Потом, конечно, поняла, что ошиблась, но к тому моменту малышка уже звала ее мамой. Что же касается родителей найденыша... С первого взгляда было ясно: перед нами беспризорница, ее плохо кормили, не мыли, били — у ребенка по всему телу оказались синяки, да еще рука сломана.

— Девочка ведь долго ходила одна по лесу... — подал голос Костин. — Когда вы ее нашли?

— Двадцать второго июля, — уточнил Буданов, — после обеда.

Мой друг сдвинул брови.

— Мари потерялась десятого числа того же месяца. Двенадцать дней без еды кого угодно сделают истощенным. Пятилетка спала в лесу на земле, днем куда-то шла, спотыкалась, падала, отсюда кровоподтеки, перелом. Вы хоть пытались искать ее родственников? Обращались в милицию?

Иван Сергеевич нахмурился.

— У меня умерла дочь, я мог в придачу потерять жену. И что хорошего можно ждать от представителей закона? А девочка стопроцентно была из плохой семьи, вероятно, сирота. Предположим, я бы нанес еле живой от горя супруге еще одну травму, вырвал у Веры из рук девочку и сдал ее в милицию. Ну и что далее? Начнут парни в форме ретиво искать семью малышки? И я рассудил так: скорее всего — нет. Кроху живо отправят в приют, там ее будут мучить старшие дети, она вырастет полуграмотным созданием, сопьется и умрет лет в двадцать. Если же милиция неожиданно проявит рвение и обнаружит мать бедняжки, тогда девочка может и вовсе не дожить до подросткового возраста, погибнет в отчем доме от пожара, побоев, голода. А что будет с Верой? Она попадет в психиатрическую лечебницу, наш брак рухнет... Разве плохо живет сейчас Женя? Она счастлива, богата. Правда, мужа никак не найдет. Но я решу эту проблему. К черту психологов, нечего идти у них на поводу. Дочь вернется домой, под родительское крыло. Хватит с нас ее самостоятельности! И дурацкое имя «Эжени» слышать больше не желаю, она — Евгения. Названа в честь моей матери.

— А где... — начал было Володя.

Но Иван Сергеевич не дал ему закончить фразу, быстро велел жене:

— Вера, принеси мои таблетки от головной боли. Нина, завари мне чаю.

Обе женщины молча встали и вышли. Буданов взглянул на Костина.

— Знаю, что вы хотели спросить, поэтому удалил их из комнаты. Ни жене, ни дочери не стоит слышать дальнейший разговор. Жена старательно убеждает себя, что Женя жива, а Верещагин двадцать лет назад ошибся. Я стараюсь поддерживать это ее заблуждение, опасаюсь нервного срыва. Сегодня и так пришлось снова те события пережить, как бы ей хуже не стало. А на самом деле наша родная дочь умерла, похоронена в могиле моей матери, Евгении Ивановны Будановой. Бабушка и внучка полные тезки, на памятнике написано одно имя, но в земле два гроба. Очень прошу не рассказывать об этом членам моей семьи. И, надеюсь, вы не сольете сведения прессе.

— Придется известить биологических родителей, что их дочь жива, — заявил Володя.

— Кто они? — живо поинтересовался бизнесмен.

— Данная информация не раскрывается в интересах следствия, — отделался дежурной фразой Вовка.

Буданов приподнял бровь.

— Женя их единственная дочь?

— Нет, — после короткого колебания ответил Костин, — есть еще ребенок.

— Отлично! — обрадовался Иван Сергеевич. — Передайте этим людям, что я готов заплатить им большую сумму, если они не станут встречаться с дочерью и оставят ее нам. Можете думать обо мне что угодно, но я люблю своих детей. В случае, если вы согласитесь вообще ни о чем не оповещать их, деньги пойдут на ваши счета.

Костин не стал возмущаться.

— Спасибо за щедрое предложение, однако давайте лучше подумаем, кто и почему мог похитить Эжени. У вас есть враги?

Буданов рассмеялся.

— Невозможно поднять бизнес, никому не перейдя дорогу. Но я бы не стал называть этих людей врагами, просто недоброжелатели всех калибров. Парочку я заработал вчера, когда заключил контракт с американцами.

— Можете составить список ваших недоброжелателей? — продолжал Костин.

— Хорошо, составлю, — согласился Иван Сергеевич. — Только вам его не один год проверять придется.

Глава 18

Нина не осталась у родителей, вышла из подъезда вместе с нами.

— Вот черт, опаздываю на совещание! — воскликнула она, занырнула в свою машину и уехала.

— Жена на меня сердится, — мрачно констатировал Костин.

— Не очень приятно выяснить, что родители тебе двадцать лет лгали и родная сестра вовсе даже не родная, — сказала я. — Но ты тут ни при чем. Нинуша на тебя не злится, просто шокирована. Не тереби ее сейчас. Лучше пригласи вечером в тихий ресторанчик, там и поговорите по душам. А еще лучше устрой дома вкусный ужин, купи цветы.

— И почему я чувствую себя виноватым? — пожал плечами Костин.

— Не знаю, — вздохнула я. — Но очень хорошо тебя понимаю. Когда мы ехали к Будановым, я испытывала похожее чувство. Все думала: не стоило мне увлекаться разговором с Еленой, надо было внимательнее приглядывать за Эжи. Ладно, я поехала.

— Куда? — встрепенулся Костин.

— Есть идея, как установить личность погибшей вместе с Подольским женщины, — пояснила я. — Продавцы, торгующие элитными сумками, прекрасно знают своих клиентов. Многие модели отсутствуют в широкой продаже, их надо предварительно заказывать, какое-то время ждать доставки товара. Я порылась в Интернете и выяснила: ридикюль, который несла незнакомка, продукция итальянской фирмы «Джузеппе Риви». Она была основана в конце восемнадцатого века и сейчас считается одной из самых дорогих. В Москве есть представительство бренда. Надеюсь, мне удастся узнать имя дамы, что купила сумку с замком-ящерицей.

— Отлично, — одобрил Костин. — А я хочу задать несколько вопросов профессору Верещагину и порыться в документах. Позвони, когда завершишь разговор в магазине. Между прочим, у тебя телефон пищит.

Я открыла сумку, вытащила мобильный и услышала визгливый голос:

— Аллё! Аллё! Че не отвечаете?

— Здравствуйте, — произнесла я.

— Вы кто?

Отличный вопрос!

— А кому вы звоните?

— Ща, секундец, не швыряйте трубку. До вас ваще не достучаться, у дневной смены не получилося, — пожаловалась тетка. — Куды же бумажонка подевалася? Во, нашла. Тута написано «госпожа Романоф»! Странная фамилия... Ваша?

— Да, я Евлампия Романова. Кто меня беспокоит?

— Дозвонилася! — заликовала собеседница. — Че чемоданчик не получаем, а?

— Ой, потерянный багаж прилетел в Москву! — обрадовалась я. — До которого часа вы работаете?

— До утра без перерыва, — объявила тетка, — прикатывайте, когда хотите.

— В Шереметьево или Домодедово? Где искать ваш офис? С кем я беседую? — закидала я ее вопросами.

— Чегось?

— Как вас зовут?

— Рукытазыфазилацмыпа, — без запинки выпалила женщина.

Я опешила. Мне такое никогда не повторить! А еще считала, что мое имя «Евлампия» трудное для произношения.

— Рукы-мама! — закричали в трубке на заднем фоне. — Ваш Васька опять удрал!

— Не мешай, — велела тетка, — я с клиентом работаю. Ну, молодежь... Без понятия совсем. Приезжайте спокойненько. Если дверь закрыта будет, не пугайтеся, стукнете в окошечко посильнее, я открою.

— Простите, мои вещи в Москве? — уточнила я.

— Еще чего! Кто ж чемодан туда попрет? — искренне удивилась Рукы-мама. — У нас средствов на путешествия нет. Нужон багаж — сами забирайте.

Я вздохнула.

— Далеко вы от Москвы находитесь?

— Смотря как считать. Ежели по железной дороге, то двести двадцать километров. Доехать можно спокойно, в вагоне светло, тепло, в поезде буфет имеется. Да билет больно дорогой, мне не по карману. И в вашей Москве состав не притормозит, мимо просвищет. Вот в Еклбртымровскуме на минуту встанет. А от этого города до вашей Москвы на автобусе три часа. Сами, штоль, не знаете, а? И ваще, у вас что, на телефоне денег куча? Говорить попусту не жалко?

— Почему из Айдахо багаж отправили к вам? — впала я в изумление. — Сто раз повторили американцам: Москва, Москва советская!

— Рукы-мама, ваш Васька куды-то залез! — опять зачастил в трубке посторонний голос. — Напрочь заныкался!

— Мой кот дома на печке сидит, а эта зараза аэродромская надоела хуже начальника, — возразила служащая. — Не мешайте, я с человеком беседую. Алё, вы тута?

— На месте, — подтвердила я. — Скажите название городка, я приеду за чемоданом.

— Трстмздрфучан, — объявила Рукы-мама.

— Это где? — не сообразила я.

Собеседница щелкнула языком.

— Вы что, из своей Москвы ваще никуды не выезжаете, грибами сидите на одном месте? Неужели про районный центр не слыхивали?

— Сообщите почтовый адрес аэродрома, куда прибыл багаж, — потребовала я.

— Трстмчдрфуганская область, Кирбирдркнлмгловинский район, город Трстмгдрфуган, улица имени Фбстнчума, дом два, — на едином дыхании выпалила Рукы-мама. — И тут еще у вас клетка. С птицей.

— Знаю, — вздохнула я, — с цыпленком.

— Ну, на курицу он не похож, — пропела Рукы-мама, — скорей уж индюк или, типа, орел. Тело серое, голова красная, клюв крючком, когти жуткие. Страхолюдство, в общем. А жрет какую-то хрень, типа сушек. Коробка при нем есть, написано не по-нашенски, но Ленка сказала — она английский в школе учит, — там корм. Лена, кстати, из вашей Москвы. Знаете ее? Мамаша ейная магазин на автобусной остановке держит. Дочка у ней хорошая, в интернате учится.

— В Москве много остановок общественного транспорта, — улыбнулась я.

— Ой, да ладно! — засмеялась Рукы-мама. — На десять-то домов!

И тут меня осенило.

— Простите, Елена, хорошая девочка, из Москвы?

— Ага. Вспомнили ее?

— И где город находится?

— Москва не город, а деревня. — Служащая хмыкнула и пояснила: — На границе с Бшкфдмлиским районом. Эй, вы чего, забыли, где живете? Ваще ничего не понимаете?

— Понимаю, — пробормотала я. — То есть нет, не понимаю, каким образом людям из Айдахо пришло на ум отправить злополучный чемодан в какую-то деревню. Я не говорю по-английски, мне помогала женщина. Она сто раз повторила: «Москва советская. Россия, Москва советская».

— Верно, — согласилась собеседница, — село по-полному и есть Москва-Советская. Как было название, так и осталось, в перестройку менять не стали. А чего его переписывать, деньги зря тратить? В справочнике населенных пунктов России ваша деревня так и называется.

— Значит, американцы не напутали и отослали багаж по адресу, — пробормотала я.

— И чего? Все к нам прилетело, чемодан и клетка с ужасом, — перечислила Рукы-мама. — В вашей-то

Москве самолеты не садятся, туда и автобус-то еле-еле доплюхивает.

— Рукы-мама, куды Васька залез? — фоном заорал на сей раз густой бас. — Че ежели он опять чужие подушки распотрошит? Кому платить за порчу? Я не буду! Я предупредил!

— Отстаньте! — крикнула в сторону женщина. И решила посвятить меня в местные дела: — Кот у нас аэродромский, черный, прям хулиган. Так и охота его кому-нибудь в чемодан сунуть и на Луну отослать! Дык когда вы придете?

Я сделала глубокий вдох и начала объяснять тетке, что нахожусь в столице России и хочу увидеть свои вещи либо в Шереметьеве, либо в Домодедове.

Рукы-мама сначала охала, возмущалась, потом стала решать проблему.

— Ну да, вы-то не виноваты, что у мужиков из американской Байдахи вместо головы полено. Значитца, поступим так. В четверг мой сосед летит в вашу Москву в командировку, из вещей у него одна сумка. Попрошу его прихватить ваш багаж с клеткой. Вы его в аэропорту встретите и заберете, а в благодарность до дома подбросите, он у троюродного племянника остановится. Пойдет?

— Огромное спасибо! — обрадовалась я. — Пожалуйста, продиктуйте имя мужчины и номер рейса.

— Жгдрбстфклмчор Бурмганбагишар Талдзыновицор!

— Подождите, — взмолилась я, — давайте по буквам, медленно. Жанна, Галина... Дальше как?

— Один мужик будет, без баб, — остановила меня Рукы-мама. — Ладно, давайте эсэмэску вам отправлю.

— Вы умеете посылать электронные сообщения? — еще больше обрадовалась я.

— Думаете, мы тут в пещере живем, а? — обиделась служащая. — Связь повсюдову имеется.

— Извините, — смутилась я, — жду сообщения.

— Рукы-мама! — загудел бас. — Глянь, чего Васька наделал!

Из трубки полетели частые гудки, я хотела положить телефон в сумку, но он снова зазвенел. Думая, что сотрудница аэропорта забыла что-то сказать, я произнесла:

— Слушаю вас.

— Лампа, вопрос по поводу Егора, — донесся до меня голос няни.

— Что случилось? — напряглась я. — Мальчик звонил из Америки?

Краузе откашлялась.

— Я о кукле, которую вы собирали совместно с Кисой.

— Простите, я очень тороплюсь, — остановила я Розу Леопольдовну. — Кстати, сделайте одолжение, звякните мужчине, который принес в подарок биотуалет, и попросите его забрать. Произошла какая-то ошибка, я не участвовала в конкурсе, и туалет мне не нужен.

— Но у вас же не работает санузел! — заохала Краузе. — Мирон еще его не исправил.

— Куплю самую большую ночную вазу и сама буду относить ее на помойку, — процедила я. — Ничего, найду выход. Например, воспользуюсь гостевым туалетом.

— Ладно, — обиженно протянула няня и повесила трубку.

Я наконец-то села в машину, выпила залпом поллитра минералки и поехала в магазин, торгующий эксклюзивными сумками.

Глава 19

В бутике стройный юноша в ярко-красной рубашке, увидев меня, расплылся в радостной улыбке. Я сначала прикинулась покупательницей, пересмотрела весь представленный в магазинчике товар и недовольно поморщилась.

— Красиво, но скучно. Хочется чего-то оригинального, не массового производства.

Продавец заулыбался еще шире.

— Можете заказать изделие. Сейчас принесу каталог. Устраивайтесь поудобнее. Чай, кофе?

— Капучино, — милостиво пожелала я.

Парень нажал на звонок, из дебрей бутика выплыла толстушка в черном платье.

— Анна, капучино и все прочее, — бросил юноша и ушел.

Девушка мигом притащила кофе, вазочку с конфетами и спросила:

— Сумочку желаете?

— Угадали, — кивнула я.

— Какую?

— Пока не решила, но точно из крокодиловой кожи.

— Они тут жутко дорогие, — зашептала Аня, — лучше прямо в Италии брать, там на тридцать процентов дешевле. Хозяйка бутика цену задирает.

— Анна, вы подали напиток? — ледяным тоном поинтересовался парень, входя в торговый зал.

— Да, Сергей Юрьевич, — ответила служащая и испарилась.

Молодой человек, закатив глаза, тут же поинтересовался:

— Анна вам надоедала? Если да, уволю ее прямо сейчас. К сожалению, найти воспитанную работницу огромная проблема.

— Нет, нет, — спешно возразила я, — девушка услужлива, сварила прекрасный кофе. Я поинтересовалась, что еще добавлено в него, вкус оригинальный, но она не успела детально ответить, появились вы.

Продавец открыл одну из принесенных папок.

— Сначала определимся с кожей.

Мы обсуждали будущий ридикюль до тех пор, пока Сергей не воскликнул:

— Кажется, мы заказывали такой! Секундочку...

Юноша забегал пальцами по клавиатуре ноутбука.

— Крокодил, серебряная ящерица... Ну да! Вот она!

Я изо всех сил постаралась изобразить удивление:

— Надо же, я совпала с кем-то во вкусах.

— Удивительно, — пробормотал Сергей, — это впервые на моей памяти случается. Только боюсь, у нас проблема.

Я кокетливо прищурилась.

— Какая?

— Э... э... тут... ну... — замялся юноша, — политика фирмы... Понимаете, эксклюзивные изделия никогда не тиражируются. Вам придется придумать другой вариант.

— Почему? — фыркнула я.

— Э... э... сумки уникальны, мы обещаем заказчикам, что ни у кого не будет точь-в-точь такого изделия, — пояснил Сергей. — Вам понравится, если вы увидите свою модель в руках другой женщины? Мы ведь подписываем контракт с клиентом, и там указывается про эксклюзивность модели.

— Ерунда, — отмахнулась я, — Москва большая, наша встреча маловероятна.

— Извините, я не имею права запускать в производство крокодила с ящерицей, — вежливо, но твердо возразил продавец.

Минут пять я уламывала юношу, потом он предложил:

— Может, сделать замок в виде кенгуру?

— Терпеть их не могу, — топнула я. — Ладно, я нашла выход из положения. Дайте телефон вашей клиентки, попрошу у нее разрешения на пошив второй сумки.

— Имена заказчиков являются тайной, — торжественно отчеканил Сергей.

Я и так, и эдак пыталась узнать, кто приобрел интересующую меня модель, но наткнулась на стену железного нежелания выдавать информацию. Подумав, что смогу подсмотреть эти сведения в компьютере парня, я его попросила:

— Принесите воды.

Но продавец не кинулся внутрь бутика, а опять вызвал Анну. Я скрипнула зубами и придумала новый маневр. Протянула парню ключи от машины и сказала:

— Устала очень, голова заболела. Вас не затруднит притащить из машины косметичку? Она на переднем сиденье.

Сергей встал, взял свой ноутбук, положил в ящик стола, запер его и ушел! Когда он вернулся с совершенно ненужной мне вещью, я достала служебное удостоверение, помахала им перед носом юноши и сурово заявила:

— Владелица вашего эксклюзивного изделия вчера была убита. Нам необходимы ее данные. Скрывая информацию, вы мешаете следствию, за что предусмотрено наказание.

Обычно, услышав такие слова, люди мигом делаются приторно любезными. Но только не Сергей Юрьевич. Он внимательно изучил мой документ и встал.

— Прошу вас покинуть бутик. Вы не полицейский, а частный детектив. Я не обязан беседовать с вами. Если не подчинитесь, я вызову охрану.

Я поняла, что потерпела сокрушительную неудачу, вышла на улицу и разозлилась на себя. Не следовало пугать парня бордовой книжечкой. Но кто же знал, что он столь педантично-дотошный человек? До сих пор все, с кем я имела дело, не читали внимательно, что написано в удостоверении, им хватало одного взгляда на «корочки».

— Эй, — раздался откуда-то сбоку шепот. — Эй!

Я повернула голову и увидела Анну, которая стояла чуть поодаль от парадного входа в бутик.

— Идите в супермаркет, — прошептала она, — в кафетерий. Прибегу через пятнадцать минут.

Когда девушка появилась, я уже успела опустошить два бокала латте и съесть ватрушку.

— Дождались! — воскликнула Аня. — Извините, никак уйти не получалось. Вам нужен крокодил с замком-ящерицей?

— Да, — кивнула я.

Работница бутика положила передо мной свой телефон.

— Гляньте, такая сумка?

— Точно, — обрадовалась я.

— Десять тысяч за контакт мастера, который их делает.

— Спасибо, но фейковый вариант мне не нужен, — вздохнула я. — А вы не можете отыскать адрес или имя той дамы, что заказывала эту вещь в вашем бутике?

— Где живет, не знаю, — ответила Аня, — а саму бабу сто раз видела, она наша постоянная клиентка. Вечно в мехах ходит, зимой и летом одним цветом. Только не спасают ее соболя — такая страшная! Жирная старая корова, блондинка крашеная. Заявится и ну всех шпынять. Доведет нас до обморока и довольна.

— Жирная старая корова? — повторила я. — Мне нужна другая — стройная девушка-шатенка.

— А-а-а... — Аня засмеялась. — Тогда топайте к Ирке, она здорово работает, ее сумочки не отличить от настоящих. Причем она за нормальные деньги их отдает. Сергей, старший продавец, с которым вы общались, гадючий парень, работать рядом с ним просто невозможно, но клиентов он не дурит. Если кому сумку сделали, второй такой не произведут, с этим у нас очень строго.

Ваша девушка стопудово ее у Ирки купила. Я вообще-то ухожу из бутика, Серега достал меня своим высокомерием до печенок, изображает из себя перед техперсоналом царя, а с покупателями ковром стелется. Ничего мне не будет, если вы растреплете, от кого Иркин телефончик получили.

Я открыла кошелек и демонстративно отсчитала десять тысяч рублей.

Аня начала нажимать пальцем на экран своего мобильного.

Глава 20

Не успела я войти в кабинет, как Костин заговорил:

— Пока ты в магазине была, я все узнал. Ирина Леонидовна Богатырева, двадцать шесть лет, приехала в Москву поступать в институт, удачно справилась с задачей, получила высшее образование. Своей жилплощади не имеет, зарегистрирована на съемной, работает в доме моделей, делает аксессуары: сумки, пояса и изделия из кожи. Не привлекалась, не попадалась, ничего противозаконного вроде не совершала. Не замужем, детей нет.

— Обычная молодая женщина, — вздохнула я. — Зачем ты попросил меня приехать? Лучше бы я поехала к Богатыревой, взяла у нее список клиентов.

— Гриша реанимировал мобильник, подобранный на месте происшествия, — пояснил Вовка. — Мы думали, он принадлежит Подольскому, ан нет. И погляди, какие интересные снимки хранились в телефончике.

Я подошла ближе и оперлась рукой о стол. Мой друг нажал на экран.

— Битте.

— Не вижу пока ничего занимательного. Девушка как девушка, яркая блондинка, — пожала я плечами.

Костин снова дотронулся до телефона.

— А теперь?

— Похоже, ей изменили форму носа, — заметила я, — добавили объема щекам, затемнили волосы.

Володя почесал нос.

— Продемонстрирую конечный результат трансформации.

— Эжени! — ахнула я. — Хотя нет. У нее взгляд другой и прическа тоже. Ну-ка, открой первый снимок... Да, девушка и тут слегка смахивает на Буданову, я сразу этого не заметила из-за цвета волос.

Вовка отложил мобильный и хитро улыбнулся.

— А кто-то более внимательный заметил сходство. Но! Есть одна деталь, смотри сюда...

Приятель поводил мышкой, и на экране его компьютера появился портрет Мариэтты Самохваловой.

— Вот компьютерное изображение повзрослевшей Мари, айтишник при помощи специальной программы состарил пятилетнюю девочку. Так, по мнению электронного мозга, должна была бы выглядеть сегодня пропавшая двадцать лет назад малышка. И комп не ошибся, Эжени весьма похожа на придуманный портрет. Правда, у нее другой оттенок волос, и они более короткие, но это не самое важное. А теперь скажи, на кого больше смахивает трансформированная девица из мобильника? На Евгению?

Я несколько секунд рассматривала лица.

— Нет, на компьютерный портрет. У Эжени шире брови, нет родинки, и выражение глаз не такое уверенное. Еще у нее щеки более худые.

Вовка скрестил руки на груди.

— Некто взял за образец фото из Сети и подогнал под него другую девушку. Думаю, сей Пигмалион понятия не имел про Евгению.

— А потом выяснил, что она существует, и похитил Буданову! — всполошилась я. — Зачем ему наша Эжи?

Костин опять схватился за мышку.

— Вот, читай. Профиль Дианы Варкесовны Самохваловой одинаков во всех социальных сетях. Судя по датам открытия, она недавно освоила Интернет и решила с его помощью искать дочь. Везде опубликован один текст: «Моя девочка, имя Мариэтта, исчезла в районе села Воробьево двадцать лет назад в июле месяце. Полиция отказывается искать Мари, она давно признана умершей. Но мое сердце подсказывает: дочка жива. Специалист по компьютерным технологиям сделал на основе детских фото Мариэтты версию, как она должна выглядеть сейчас. Если вы встречали такую девушку, сообщите мне. Тому, кто укажет, где живет Мари, я заплачу миллион евро наличными. Понимаю, что девочка наверняка имеет другую семью, иные имя и фамилию. Я не хочу рушить счастье людей, которые воспитали Мариэтту. Я просто мечтаю узнать, как она живет, и обнять дочь. Очень прошу, помогите. Храни Господь вас и ваших детей».

Я отошла от стола и села в кресло.

— Миллион евро лакомый куш, а большие деньги привлекают разных мерзавцев. Нам необходимо поговорить с Дианой Самохваловой. По-моему, несчастная мать стала жертвой мошенника. Знаешь, как могли разыгрываться события? Некий человек, увидев сообщение с обещанием огромной суммы вознаграждения, решил провернуть аферу, обманув Диану. Преступник нашел девушку, отдаленно похожую на Мариэтту, отвел ее к пластическому хирургу, врач подправил нос, округлил щеки. Осталось добавить правильную прическу, покрасить волосы в нужный цвет — и вот вам Мариэтта. Да только девушке, чье имя мы пока так и не узнали, фатально не повезло, она оказалась в ненужном месте в недобрый час и получила пулю, адресованную Подольскому. Аферист перепугался, сообразив, что прикатит полиция, фото убитой попадет в прессу, его может увидеть Диана... Поэтому он спешно увез тело. И перед ним встала задача — где взять новую Мариэтту? Пройдоха не хочет лишиться лакомого куска и, думаю, уже связался с Самохваловой, пообещав показать несчастной матери ее живую дочь, поэтому замену необходимо было найти очень быстро. А времени на операцию нет, после пластики нужен период реабилитации. Обманщик идет на вечеринку к Жанне и там случайно сталкивается с Эжени. Вот это удача, радуется он, перед ним ожившая картинка из социальных сетей. Подонок заводит с Эжи беседу, а та ведь поджидает принца, вот и соглашается ехать с ним.

— И при чем тут Вениамин? — поинтересовался Костин.

Я пошла к стоящему на подоконнике чайнику.

— Полагаю, Подольский никак не связан с этой аферой. Наш подопечный случайно оказался рядом с девушкой, мы просто вместе переходили дорогу. Стрелок, нанятый жаждущей славы «звездой», элементарно промахнулся.

— Ага, и человек, изображающий киллера, использовал боевые патроны. — Володя прищурился. — Насколько я понял, у «знаменитости» была идея о холостом выстреле. И в самом деле, согласись, было бы очень глупо просить пулять в себя из боевого оружия. Лично я побоялся бы. Вдруг у мужика дрогнет рука? А так, по твоей версии, и случилось.

Я принялась отстаивать свою теорию.

— Вениамин сообразил, что нужна максимальная правдивость, поэтому затеял покушение по-настоящему, а не понарошку, как говорит Киса. Испугался, что приедут полицейские эксперты и поймут, что имела место инсценировка.

Костин подошел к окну и распахнул его со словами:

— Вечером в Москве появляется подобие свежего воздуха, подышать охота, надоело сидеть под кондиционером. Ладно, Лампудель, на минутку приму твою точку зрения. Но тогда возникает новая неувязочка. Подольский сначала хотел привлечь к своему театрализованному представлению полицию. Но рекламщица рассказала ему о некоей погасшей звезде, которая как раз и инсценировала нападение на себя, и о том, как над дурочкой потом посмеялась вся пресса. Вениамин учел чужой опыт, решил использовать сотрудников частной структуры, пришел к нам, потому что считал нас идиотами, не профессионалами. Вопрос: ну и зачем тогда боевые патроны? Хватит просто шума. Прикормленный журналист ждал на улице, был готов написать о покушении. Ты заметила волнение Вени, когда вы вышли из подъезда?

— Нет, — неохотно признала я, — клиент вел себя совершенно спокойно.

— Вот-вот, — кивнул Вовка. — А ведь он шел через дорогу, зная, что охотник сейчас смотрит в прицел.

Я уставилась на Костина.

— Думаешь, кто-то узнал об идее Вениамина и нанял настоящего убийцу?

— Нет, не так. Полагаю, мы ошиблись, считая Подольского объектом покушения, — ответил приятель. — Ему угодили в голову как раз случайно. Целью же являлась девушка, стреляли в нее.

— Ладно, — согласилась я, — допустим. Но тут другая неувязка. Вспомним, как развивались события. Я дергаю Вениамина вправо, в ту же секунду незнакомка падает на асфальт, и в следующее мгновение гремит второй выстрел, Подольский тоже мертв. Зачем лишать жизни и его, если цель уже поражена? У лже-Мариэтты дырка во лбу, киллер мог смыться.

— Он убирал свидетеля, — не очень уверенно предположил Костин.

Я с сомнением покачала головой.

— Мы же знаем, что профессионалы крайне редко уничтожают тех, за кого им не заплатили. Дело пятилетней давности: снайпер, уходя с крыши, столкнулся на лестнице с пенсионеркой. Он нес спортивную сумку, бабка топала навстречу, но наемный убийца оставил ее в живых. Почему? Профессионалу не нужен лишний шум. У него в мозгу компьютер, живо просчитывающий варианты событий. «Стреляю в бабку — кто-то из соседей смотрит в глазок, вызывает полицию, машина приезжает неожиданно быстро, можно попасться. Не стреляю в старуху — она старая, плохо видит, я обычный парень с сумкой, даже если следователь узнает, что божий одуванчик нос к носу столкнулся с исполнителем, бабка не сумеет меня описать. Все, ухожу без грохота. Живи, бабушка». Все это киллер просчитал за доли секунды и оказался прав, бабка не смогла составить фоторобот. А в нашем случае стрелявший находился на чердаке дома. Есть смысл устранять девушку на дороге? Она ни за какие богатства мира не сможет описать внешность убийцы, поскольку его не видела. Пожалуйста, не стоит говорить, что под крышей дома сидел некто, наподобие Ли Бойда Малво и Джона Аллена Мухаммеда[1]. Я согласна с тобой, подставляться под настоящие пули глупо. И поэтому хочу задать уже озвученный ранее вопрос: откуда у Вениамина появились немалые деньги? Что, если он украл крупную сумму, и тот, кто лишился денег, решил ему отомстить, нанял киллера? Но это был не специалист экстра-класса, а середнячок, например, охотник-любитель, который сначала промахнулся, затем быстро исправил ошибку и испарился. Надо тщательно порыться в жизни Вениамина. Давай поступим так.

---

[1] Ли Бойд Малво и Джон Аллен Мухаммед — известные убийцы, так называемые «вашингтонские снайперы». С 3 по 23 октября 2002 года они держали в страхе американцев, стреляя в прохожих на улицах.

Я побеседую с Ириной Богатыревой — она шьет фейковые сумки и, надеюсь, назовет мне имя своей клиентки, убитой девушки. А ты ищи тех, кто хорошо знал Подольского. Кстати, надо еще раз поговорить с его бывшей женой — может, у него был близкий друг. Скажи, а кому принадлежит телефон, который обнаружили рядом с погибшей? Вы проверили исходящие-входящие звонки?

— Тут возникли сложности, — вздохнул Володя. — Вообще-то у каждой симки имеется номер. Но если человек приобрел ее без составления контракта, то, увы, никаких сведений о нем в телефонной компании нет. Это, к сожалению, как раз наш случай. Мы ничего не узнали о владелице. А звонила она только одному человеку. И лишь он связывался с ней. Беседы были короткими, больше минуты не длились. Вероятно, они договаривались о встречах.

— О втором абоненте тоже нет данных? — уточнила я.

— Угадала. Короче — тупик, — подтвердил Костин. Затем взял со стола свой зазвонивший мобильник. — Слушаю... Кто? Игорь Сергеевич? Аа-а-а... Добрый вечер. Понятно, я ей передам, завтра заскочит. Уволили? Понятно. Значит, Евлампия прямо сейчас прикатит. Спасибо вам. Лампа, ты теряла косметичку?

— Да, — удивилась я. — До сих пор не понимаю, куда она подевалась. Ни дома ее нет, ни в машине. Пришлось новую купить.

— Ты оставила свой «набор юного художника» в столе консьержки, — улыбнулся Костин. — Мне звонил Игорь Сергеевич, вместо которого ты дежурила в подъезде.

— Откуда у него твой номер? — изумилась я.

Вовка опешил.

— Вот уж не ожидал от тебя этого вопроса. Я же с ним договаривался о замене! Сказал: «Вы военный человек, должны нам помочь: в интересах следствия надо временно посадить в подъезде нашу сотрудницу. Если вдруг кто-то вас спросит, почему вы не работаете, кто дежурит в подъезде, ответьте: «Приболел, меня заменяет племянница, хорошая, честная женщина». А потом сразу сообщите мне о разговоре, вот вам мой номер». Игорь Сергеевич предложил: «Давайте я сам выполню, что вам надо». Но я от его услуг отказался. Старик надулся, ему хотелось в агента поиграть. Но когда услышал, сколько за отсутствие на работе заплатят, увидел деньги, то сразу согласился. И вот мой телефон пригодился. Дед сообщил, мол, вообще-то ящиком в столе он не пользовался, а только что заглянул в него и нашел косметичку. Знаешь, он сказал мне сейчас: «Когда я служить начинал, у нас баб не было, даже полы в конторе парни мыли. Теперь же на каждом шагу женщины, гвоздь им в печень. Никакого толка от свиристелок, на уме одни мужики да гулянки. Ваша сотрудница такая же, забила стол барахлом, валяются повсюду пудреница, губная помада, расческа. Выкинуть ерунду или она приедет?»

Я схватила сумку.

— Консьерж — настоящий женоненавистник. Татьяна, ночная дежурная, рассказывала мне, что всякий раз, сменяя ее вечером, дед демонстративно проводил ладонью по столешнице и заявлял: «Пирожные ела? Липкое все кругом». Или: «Почему стул расшатан? Небось на задних ножках качалась». Или еще: «Цветы в подъезде не политы, ручка входной двери заляпана». А завершал свои пассажи одной фразой: «Эх, бабье, сплошная неаккуратность». Странно, что дотошный Игорь Сергеевич только сейчас обнаружил косметичку. Подозреваю, он специально денек подождал, чтобы меня наказать, поэтому не позвонил сразу. Вот жук противный!

— Езжай к деду, забери свои раскраски, — хмыкнул Вовка. — Если сегодня там не появишься, он их точно выбросит.

— Там дорогая пудра, новая губная помада и тени! — возмутилась я. — Плюс кисточки, лак для ногтей, корректор. Уже поздно, пенсионер давно дома. Неужели он утащил мою косметичку с собой? Почему не оставил Татьяне? Просто слов нет!

— Татьяну внезапно уволили, — пояснил Костин, — дедок пока спит в подъезде. Хочешь вернуть свою собственность?

— Конечно! — воскликнула я. — Знаешь, сколько хорошая пудра стоит? Да еще никогда нужного оттенка нет!

Володя встал из-за стола.

— Трудно женщинам живется. Хорошо, мне штукатурка не требуется. Ты права, пенсионер редкостный хмырь и женоненавистник.

— Странно, что он вообще тебе звякнул, — сердито проговорила я.

— Небось испугался, что ты сообразишь, где посеяла свою вещь, и устроишь скандал, — предположил Костин. — Ты не простая бабенка, а сотрудница детективного агентства. Обидишь такую, а потом, не дай бог, ее коллеги-мужики приедут и наподдадут.

Глава 21

Увидев меня в холле, Игорь Сергеевич заскрипел:

— Еле-еле ящик отчистил, из вашей сумки темно-серый порошок высыпался.

— Это невозможно, — отрезала я, — тени хранятся в герметичной коробочке. Вы из любопытства открыли ее, вот они и рассыпались. Некрасиво лезть в чужую косметичку.

Консьерж вздернул подбородок.

— Типично бабское поведение! Вместо того, чтобы извиниться за безобразие, признать свою ошибку, вы сразу пытаетесь обвиноватить нормального человека.

На свете слишком много дур развелось, поэтому мир в тартарары летит!

Дверь подъезда открылась, показалась худенькая девушка в скромном сером платье до середины лодыжек.

— Эй, куда идете? — мигом переключился на нее лифтер.

— К Вениамину Подольскому, — ответила посетительница.

— Он умер, — не задумываясь, брякнул лифтер.

Вошедшая приложила к груди стиснутые кулачки.

— Как умер?

— Просто. Был и нету, — объявил консьерж. — Застрелили его!

Девушка всплеснула руками и... начала хохотать. Я быстро подскочила к ней.

— Пойдемте на воздух.

Незнакомка уцепилась за мое плечо. Мы выбрались из подъезда и сели на лавочку, стоящую в паре шагов от входа.

— Как вас зовут? — спросила я.

— Алиса, — давясь истеричным смехом, ответила девушка. — Ну надо же! Он умер! Регина Натановна... я... мы думали, он еще...

Собеседница закрыла лицо руками и затряслась.

Я погладила Алису по спине.

— Вы на машине?

— Пешком, — прошептала она.

— Давайте я отвезу вас, куда вам надо, — предложила я.

Девушка вытерла тыльной стороной ладони лицо.

— Спасибо, я живу тут рядом, в начале улицы. Регина Натановна специально сняла квартиру Подольскому в этом доме, чтобы ему далеко не ездить. И что теперь ей сказать? Войти в дом и с порога объявить: «Вениамина застрелили»? Регина этого ждала... то есть не того, что его убьют, а что он умрет. Но не так скоро. Он говорил, лет через десять. И что теперь будет с общиной «Сто жизней»? Нам разъезжаться? Все это так неожиданно!

Алиса замолчала.

Я встала.

— Давайте провожу вас до дома.

— Прямо сил нет идти... — поежилась Алиса. — Регина Натановна будет расстроена. Не представляю, как ей сказать.

— Вам не придется ничего говорить, — успокоила я Алису, — сама сообщу вашей знакомой о случившемся.

— Правда? — робко спросила собеседница. — Вы не шутите? Тогда пошли, здесь совсем близко.

Дом, где обитала таинственная Регина Натановна, стоял в самом начале улицы. Ни домофона, ни лифтера в подъезде не оказалось. Мы поднялись по грязной лестнице, Алиса отперла ключом ободранную дверь и крикнула:

— Валя!

Из темного коридора выплыла женщина в зеленых брюках и сразу налетела на девушку.

— Ну что? Где он? Я раздобыла уникальный материал, просидела весь день. У вдовы Амелина есть письма от графа Василькова, там упомянут Сен-Жермен. Понимаешь? Веня придет в восторг. Регина Натановна так меня хвалила!

— Вот эта женщина все сейчас объяснит, — скороговоркой произнесла Алиса и метнулась за узкую дверь, на которой висела картинка, изображающая писающего мальчика.

— Что вы должны мне объяснить? — заморгала Валентина.

Я вынула из кармана удостоверение.

— Здравствуйте, меня зовут Евлампия Романова. Я хотела бы поговорить с Региной Натановной.

— Зачем? — бестактно спросила Валя.

— Хозяйка дома? — продолжала я.

— Где ж ей быть? — удивилась Валя. — Поздно уже по улицам шляться, спать пора. В гостиной она, пасьянс раскладывает. Вы тут постойте.

Я послушно замерла на половичке у входной двери.

— Регина Натановна! — закричала Валентина, шагая по коридору. — К вам из полиции пришли!

Я начала переминаться с ноги на ногу. Только минут через пять в прихожей вновь появилась Валя, на этот раз в сопровождении полной дамы лет семидесяти, облаченной в темно-коричневое платье.

— Речь пойдет о Вениамине? — спросила она, приблизившись ко мне вплотную. — С ним что-то случилось?

— Малоприятно быть гонцом, приносящим плохую весть, но — да, — осторожно ответила я. — Вы только не волнуйтесь.

Пожилая женщина приложила ладонь ко лбу.

— Валя, сделай нам марокканский чай. А вы... Пройдемте в гостиную. Мадам Лагранж никогда не ошибается. Веня умер.

Я двинулась за Региной Натановной по бесконечно длинному коридору. Справа и слева темнели двери. Некоторые из них были приоткрыты, и в двух я увидела выглядывающих мужчин.

— Портрет мадам Лагранж висит на стене, — объяснила Регина Натановна, вводя меня в просторный зал, набитый разнокалиберной старинной мебелью. — Видите картину в простенке между окнами? Полотно купил мой прапрадед, большой любитель амурных приключений. Ох, и наплакалась от шалостей мужа его жена... Он был самозабвенный развратник! Обнаглел до такой степени, что заказал изображение своей самой обожаемой любовницы, француженки Лагранж. И представьте, он, едва повесив эту картину, умер. Но! За пару дней до его смерти рама на портрете треснула. И с той поры всегда, если в доме вот-вот появится покойник, багет разваливается. В последний раз это случилось три дня назад. Я ждала чьей-то кончины, но надеялась, что уйдет не Вениамин, а кто-нибудь другой. Веня был еще не готов.

— Алиса в истерике, она боялась вам рассказать о его гибели, — заговорила я. — Но вы не кажетесь мне слишком расстроенной.

— Где вы столкнулись с Осипенко? — поинтересовалась хозяйка, опускаясь на диван и пригласив меня сесть.

— В подъезде дома, где жил Подольский. Я опрашивала консьержа, — мы сейчас ищем убийцу, — и тут появилась Алиса. Она хотела подняться в квартиру Вениамина, услышала о его смерти и начала хохотать. У девушки случился нервный срыв!

— Я же ее строго предупредила: не ходи к графу! — возмущенно воскликнула Регина Натановна.

— К кому? — не поняла я. — К какому графу?

Дама поправила выпавшую из прически прядь.

— Ах, милочка, не обращайте внимания на слова старухи-маразматички. Граф... это... э... кличка моей собачки.

— У вас живет песик? — умилилась я. — Что за порода?

Глаза хозяйки забегали из стороны в сторону.

— Ну... очевидно, вы не слышали о такой, она древняя, китайская. Мопс! Вон там на столике стоят фигурки моей... э... собачки, я их собираю.

— Можно взглянуть на вашу коллекцию? — попросила я. — Обожаю статуэтки.

— Пожалуйста, — с явным облегчением разрешила пожилая дама. — Но осторожно, не разбейте.

Я встала, подошла к прямоугольной консоли и забормотала:

— Здесь балерины, кошка, ангелочек. А где собака?

— Слева, дружочек, черненькая.

— Со стоячими ушками? — уточнила я.

— Верно, — кивнула Регина Натановна.

Я вернулась к дивану, вынула из кармана мобильный и протянула его даме, повернув экраном к ней.

— В качестве заставки у меня снимок Муси и Фиры. Они мопсихи, справа черная, слева бежевая. Обратите внимание, — у обеих висячие ушки. У вас же керамическая фигурка французского бульдога. Эти собачки милейшие создания, но, увы, вовсе не мопсы. Странно, что хозяйка не помнит, как выглядит ее песик. Не находите? И, как правило, собака сразу прибегает, если в дом вошел посторонний человек. Кто такой граф? Какое отношение он имеет к Вениамину?

Регина Натановна стиснула губы, вздернула подбородок и уставилась в окно.

Я села в кресло.

— Подольский убит, человек, лишивший его жизни, на свободе, чтобы поймать преступника, нам надо знать все о жертве.

— Полнейшая глупость, — процедила дама. — Вы не понимаете. Ничего ужасного не произошло.

— Регина Натановна, — продолжила я, — вы давно знакомы с Подольским?

Старуха пощупала рукой медальон, висящий у нее на груди.

— Трудно ответить. Не спрашивайте, вам этого не осознать.

— Чем занимается общество «Сто жизней»? — продолжила я.

— Откуда вы узнали о нас? — аж подскочила на месте моя собеседница. Но быстро захлопнула рот.

— От Алисы, — мигом сдала я Осипенко. — Она между приступами хохота произнесла: «Что теперь будет с обществом «Сто жизней»?»

Регина Натановна воздела руки к потолку.

— Господи, дай мне терпения! Понятия не имею, о чем вы говорите. Алиса иногда несет чушь. Она не очень умна, необразованна.

— Спасибо, — сказала я, — пойду потолкую с Осипенко.

— Нет, — испугалась дама, — не надо.

Я прикинулась удивленной.

— Почему?

— Алиса... э... больна... Да, больна гриппом! У нее высокая температура и бред! — выпалила Регина Натановна.

— Бедняжка, — пожалела я Осипенко. — Однако я не боюсь вируса, он ко мне не прилипает. Можете позвать девушку? Или лучше мне самой зайти к ней в комнату? Потом побеседую с ваши соседями по квартире.

— Жилплощадь не коммунальная, — нехотя уточнила собеседница, — это моя личная собственность.

— У вас большая семья, хорошо иметь много близких, — сказала я, вытаскивая из сумки планшетник. — Понимаю, я утомила вас, не стану больше мучить вопросами. Даже не спрошу имена тех, кто здесь прописан, сама сейчас их найду через базу паспортного стола.

— Зарегистрирована тут я одна, — пробормотала старуха. — Остальные... э... мои друзья.

— А-а-а, вы сдаете комнаты, — «догадалась» я. — Конечно же, оформили с людьми договоры, платите налоги?

Регина Натановна взяла с журнального столика бумажный веер и начала им обмахиваться.

— Нет, все живут бесплатно.

Я ехидно улыбнулась.

— Расскажете все это налоговой полиции. Ой, там серьезный народ работает! Вы в курсе, какие санкции применяются к тем, кто пускает жильцов без оформления договора?

Хозяйка поморщилась.

— Хорошо, я расскажу о графе. Но подозреваю, что вы не поймете. Один раз, только узнав правду, я по наивности сообщила ее двум своим знакомым. Так они подняли меня на смех, пришлось разорвать отношения. Однако, что ни случается — все к лучшему. Теперь вокруг меня единомышленники, мы вместе готовимся к переходу. Граф уже уехал, но возвратится, доделает снадобье и снова нас соберет.

И она расплылась в улыбке.

— В молодости я славилась красотой, у моих ног стояли на коленях такие мужчины! Артисты, музыканты, писатели... Но я выбрала Николя и не прогадала. Муж, покидая этот свет, прекрасно меня обеспечил, я ни в чем не нуждаюсь. А теперь благодаря общине «Сто жизней» обрела друзей, мы вместе. Но главное — я нашла своего сына. Он вернется! Видите на стене портрет? Это Роман, он умер в тринадцать лет.

Я закашлялась, полезла в сумочку за платком и незаметно включила диктофон. А хозяйка продолжала говорить...

Глава 22

Еще пару лет назад Регина Натановна Ошкина считала себя абсолютно несчастной. Ее единственный сын Роман погиб, будучи подростком, — пошел летом с друзьями купаться на речку и утонул. Сначала мать горевала, но с течением времени душевная рана зарубцевалась. Рожать еще одного ребенка Ошкина не захотела, супруги так и жили вдвоем друг для друга. Поэтому, когда муж умер, вдова осталась совсем одна.

Материальных проблем у Регины не было, она жила в восьмикомнатной квартире, набитой антикварной мебелью, картинами, старинным фарфором. Николай Фомич, ее покойный супруг, был известным стоматологом, до последнего дня лечил пациентов, прекрасно зарабатывал, баловал жену. Любые желания никогда не работавшей Регины исполнялись сразу, каждый вечер Николя приносил ей в кровать чашечку травяного отвара и сладости — в отличие от большинства женщин, Ошкина могла спокойно лакомиться шоколадом, пирожными и не толстеть.

В первую ночь после похорон супруга вдова прорыдала до утра, думая о том, что эпоха чая из ромашки завершена. Нет, напиток ей стала подавать домработница, но, согласитесь, это совсем не то. И у Регины нежданно-негаданно образовалась куча свободного времени.

Прежде день строился так. После завтрака дама шла гулять, делала кое-какие покупки. Вернувшись домой, проверяла, как домработница сварила обед, убрала квартиру, и опять убегала на сей раз в салон красоты на разные процедуры. В шесть вечера возвращался Николай Фомич, и они отправлялись в гости, на концерт, в театр. А теперь Регина не знала, чем ей заняться по вечерам. Две ближайшие подруги, Вера и Зина, попытались развеселить Ошкину, сводили ее на пару выставок, но постоянно опекать вдову не могли. У них были многочисленные внуки, которых надо провожать-встречать из школы, отвозить на дополнительные занятия. А потом надо было сделать с ними уроки, приготовить обед.

— Как я тебе завидую! — бестактно высказалась однажды Вера. — Живешь одна, делаешь, что хочешь, спишь до полудня. И ты еще ноешь... Побойся бога, Регина! Я вскакиваю в шесть утра и до полуночи присесть не могу.

— У меня очень тяжелая жизнь, — пожаловалась Ошкина.

— С какого бока? — скривилась подруга. — Квартира у тебя роскошная, домработница, денег полно, можешь себе позволить любую прихоть, летом укатываешь на свою дачу, потом к морю. Посмотри на меня: живу с дочерью, зятем и тремя внуками в небольшой двушке с пятиметровой кухней. В мае выезжаю со всем ребячьим выводком в Подмосковье, где у нас простая изба, без удобств, надо таскать воду ведрами из колодца, топить печь дровами. Да у тебя, дорогая, царская жизнь по сравнению с остальными.

— Я в депрессии, — возразила Регина. — Мне плохо, я нуждаюсь в поддержке и моральной помощи.

— Знаешь, как твое состояние называется? «С жиру бесишься», — хмыкнула Вера. — Прекрати ныть. Ну, купи билет, сходи в театр.

— С кем? — печально осведомилась Ошкина.

— Одна, — отрезала подруга. — Сама развлекайся.

Регина Натановна обиделась на Веру, но решила последовать ее совету. Отправилась в билетную кассу, изучила репертуар и выбрала пьесу под названием «Сто жизней». В назначенный день празднично нарядившаяся, украшенная бриллиантами Ошкина явилась в театр и увидела, что в зале не занято и половины мест. Спектакль был слабым, хотя пьеса показалась ей интересной — автор повествовал о бессмертном мужчине, душа которого постоянно переселяется в разные тела. Но актеры играли плохо. Регина Натановна заскучала, решила в антракте покинуть театр и поехать домой. И тут сосед справа принялся шуршать конфетной бумажкой, что, на ее взгляд, являлось жуткой невоспитанностью. Когда тот особенно громко захрустел фольгой, она многозначительно посмотрела на него. Сосед улыбнулся, протянул ей открытую коробочку конфет и шепнул:

— Угощайтесь. Ужас, который демонстрируют на сцене, можно пережить, лишь заедая его сладким.

Ошкина обожала горький шоколад, и ей давно никто его не предлагал. Конечно, можно самой купить любые сладости, но это же совсем не то. А мужчина оказался молод, хорошо одет, у него была речь интеллигентного человека. Регина Натановна тоже улыбнулась и взяла «медальку».

В антракте она пошла в гардероб, получила свою шубку и услышала за спиной приятный баритон:

— Разрешите вам помочь?

Дама обернулась и узнала молодого соседа.

— Красивая женщина не должна сама надевать роскошное манто, — продолжал тот. — Бога ради, не сочтите меня за нахала, мне просто хочется увидеть вашу улыбку.

Регина Натановна давно растеряла внешнюю привлекательность. Да, собственно, ее никогда и нельзя было назвать красавицей, просто милая девушка, потом симпатичная женщина. Ничего рокового или сексуально-притягательного в ее облике никогда не было. И шуба у дамы отнюдь не эксклюзив, обычная норка, массовый пошив. Но незнакомец таким тоном произнес слова про красоту Регины и роскошь манто, что она вдруг поверила ему и кокетливо обронила:

— Ах, были когда-то и мы рысаками, но увы, увы, миновали те времена.

— Душа не стареет, — возразил мужчина. — Об этом, кстати, говорилось в пьесе, с которой мы с вами беззастенчиво сбежали. Как вам постановка?

— Актерская и режиссерская работа не произвела на меня большого впечатления, — осторожно ответила Регина Натановна, которая очень не любит критиковать людей.

— Вы слишком деликатны, — сказал незнакомец. — Спектакль отвратительный.

Ошкина решила найти в бочке дегтя ложку меда.

— Сама пьеса интересная, но ее скучно интерпретировали. Представляю, как расстроится автор, если увидит спектакль.

— Нет, он давно привык, что его детища коверкают. Разрешите представиться: Вениамин Подольский, писатель, автор этой самой бездарно загубленной пьесы, — чуть склонил голову в поклоне мужчина. — На программке, правда, указаны другие имя и фамилия, я пишу под псевдонимом, поскольку вращаюсь в таком мире, где занятие творчеством не приветствуется, даже в свободные часы. Давайте поужинаем вместе? Надо же прогнать прочь воспоминание о том, как героиня, заламывая руки, завывала над гробом умершего бессмертного графа.

— Бессмертный не может скончаться, — вдруг здраво заметила Регина Натановна.

— Тело умирает, а душа нет, — очень серьезно сказал Подольский. — Поверьте, я хорошо знаю, о чем говорю. Вы, наверное, любите рыбу?

— Угадали, — засмеялась Регина Натановна.

— Тогда идем в одно известное мне крошечное кафе, — предложил Вениамин. — Интерьер там невзрачный, цены копеечные, но готовят великолепно! Там лучший буйабес в Москве, даже в Марселе его варят хуже.

Ошкина хотела было сослаться на поздний час и усталость, но неожиданно для себя рассмеялась и согласилась.

— Прекрасная идея! Давно не ела буйабес!

Через месяц вдова начисто забыла про возраст, болезни и дурное настроение. У нее перестали болеть суставы, ныть поясница, в глазах появился живой блеск. Она похудела и ждала звонков Подольского, словно манны небесной. Вениамин не разочаровывал — каждый день ровно в семнадцать ноль-ноль звонил и спрашивал:

— Ну, куда сегодня бежим?

— Хочу сюрприз! — кричала Регина Натановна.

— Отлично, сейчас приеду, — смеялся Подольский.

Куда только они ни отправлялись... Николай Фомич был человеком серьезным, поэтому водил супругу в театры, в консерваторию, а вот в цирк — ни разу. Когда Вениамин притащил новую знакомую на представление в здание на Цветном бульваре, Ошкина смутилась — ярмарочные развлечения не для нее, ни малейшей радости акробаты и глупые реплики клоуна ей не доставят. Но к концу первого отделения она отбила все ладони, аплодируя актеру, который ездил на велосипеде по проволоке, и умиляясь дрессированным собачкам. Затем в перерыве в фойе съела две порции мороженого. Николай Фомич небось переворачивался в гробу, глядя, как его жена слизывает с пальцев сладкие капли. А после представления Веня, хитро улыбаясь, отвел свою спутницу за кулисы, где той разрешили... посидеть на слоне. Регина Натановна чуть не умерла от ужаса и восторга, когда громадное животное по команде служителя подняло ее хоботом на уровень своих глаз.

Еще они с Подольским кормили дельфинов, плавали с ними в бассейне. Однажды залезли в Подмосковье в какую-то пещеру, случайно отбились от проводника, заблудились, бродили в темноте, еле-еле нашли выход. Плюс к тому новый приятель научил ее управлять машиной и едва не скончался от смеха, когда неумелая водительница протаранила мусорный бачок. А полет на воздушном шаре, который Веня подарил Регине Натановне на день рождения? А огромный арбуз и корзина тюльпанов на Новый год?

Только не подумайте, что у них был секс. Нет, Вениамин и Ошкина стали лучшими друзьями. И вели себя оба как отвязные подростки, удравшие от строгих родителей, куролесили без устали.

Через месяц Регине Натановне захотелось рассказать Вере и Зине о том, какой замечательный человек появился в ее ранее тусклой жизни. Но стародавние подружки не выразили восторга, стали задавать вопросы. Сколько лет мужчине? Где живет? Кем работает? Имеет жену, детей? Кто оплачивает их постоянное веселье?

Ошкина разозлилась. При чем тут возраст и адрес? На личные темы она с Веней не беседует, но понятно, что Подольский один, иначе бы они не могли каждый вечер встречаться. А насчет денег друзья не заморачиваются, платят по очереди. Вчера ужинали за счет Регины, сегодня Подольский купит билеты в зоопарк.

— Понятненько... — ухмыльнулась Зина. — Наверняка у тебя есть только номер мобильного этого мачо. Так? Когда у ошалевшей бабушки закончатся деньги, альфонс бросит ее, исчезнет с горизонта и заведет новую престарелую дуру. Парень просто выбросит симку, ты не найдешь его никогда, и — прости-прощай любовь!

— Немедленно порви отношения с мерзавцем, пока он тебя полностью не обобрал, — потребовала Вера.

Регина вскипела, выставила подружек вон, а вечером рассказала о неприятном разговоре Вене. Тот рассмеялся.

— Думаю, пора тебе кое-что объяснить. Но сначала я должен рассказать одну историю. Слышала когда-нибудь о графе Сен-Жермене?

Регина Натановна кивнула.

— Да. Он называл себя бессмертным, жил вроде в восемнадцатом веке.

Вениамин улыбнулся.

— Сен-Жермен великий ученый, алхимик, создатель эликсира бессмертия. Его душа переселяется из одного тела в другое, соответственно меняются имена: принц Ракаши, граф Цароги, маркиз де Монферан, граф де Вельдон, граф де Беллами, генерал Салтыков. В конце девятнадцатого века Сен-Жермен решил остаться в России. Он владеет даром пророчества, поэтому знает, что в стране будут происходить великие события, и хочет в них участвовать. Сен-Жермен вновь рождается на свет в тысяча восемьсот семьдесят пятом году в семье графа Подольского...

Регина Натановна слушала Вениамина, открыв рот. А тот говорил и говорил. О том, как в пять лет уже точно знал, что он вовсе не маленький мальчик, а взрослый мужчина в теле ребенка, помнящий о том, как оказывал услуги королям, помогал государственным деятелям, влиял на судьбы народов земного шара. Сейчас граф Сен-Жермен живет в теле Вениамина. Рассказать открыто всем, кем он является, Веня не может, ему не поверят. И он долго искал свою жену, графиню Адель Сен-Жермен, которая тоже переселяется из тела в тело. Ранее ему удавалось ее находить.

— Поверь, Реги, — вещал Веня, — совсем не просто появляться на свет с разумом мудрого старца, а потом взрослеть телом, старательно прикидываясь обычным ребенком. Согласна ли ты, дорогая, стать моей верной спутницей? Мы с тобой пойдем рука об руку через века.

— Веня, я намного старше тебя, — оторопела Ошкина.

Подольский округлил глаза.

— Ты не поняла? Я наконец-то тебя нашел! Ты — Адель Сен-Жермен!

Регина Натановна временно лишилась дара речи, а Вениамин продолжал:

— Мы умерли вместе и, по моим расчетам, должны были возродиться в один год. Но разминулись во времени, твоя душа поторопилась. Ответь, почему ты пошла на спектакль «Сто жизней»?

— Не знаю, — растерялась Ошкина. — Просто подошла к кассе у афиши и... приобрела билет.

— Ты могла пойти в популярный театр, где выступают знаменитые актеры, — продолжал Подольский, — а направилась в мало кому известный на окраине Москвы. По какой причине? Зачем ехать далеко, если в центре много прекрасных коллективов?

Пожилая дама пожала плечами.

— Ну... так... само как-то... получилось!

Веня засмеялся.

— Нет, не само! Я специально написал пьесу «Сто жизней» и отдал в крошечный театр. Знал: душа Адели непременно толкнет ее нынешнее тело побывать на спектакле. Вот почему я не отнес свое произведение во МХАТ — побоялся не найти тебя в массе публики. А в наполовину пустом зале каждый человек на виду. Я каждое представление наблюдал за зрителями и в тот день тебя узнал. Дорогая, тело ведь просто временное обиталище, а я увидел душу Адели. Ответь, ты всегда берешь у незнакомцев конфеты, а потом идешь с ними есть буйабес?

— Конечно, нет! — воскликнула Регина Натановна. — Ты единственный, с кем я так себя повела!

— И с чего вдруг? — тут же поинтересовался Подольский.

— Не знаю, — призналась вдова, — не понимаю.

— А я знаю и понимаю, — заявил Веня. — Адель меня тоже узнала. Дорогая, мы с тобой на протяжении столетий муж и жена.

У Ошкиной закружилась голова.

— Но я ничего не помню!

Вениамин тяжело вздохнул.

— Да в том-то вся проблема. Чтобы возродиться, надо принять эликсир. Он существует в двух видах, женский и мужской. В свое время я дал тебе флакон, но ты его уронила, содержимое сразу впиталось в ковер. Я испугался, напоил свою Адель мужским эликсиром.

Это случилось в начале двадцатого века. В России тогда царила разруха, заново приступить к созданию женского эликсира я не мог. Однако знал: ты непременно воскреснешь. Правда, память о прошлом не вернется, мне надо будет искать тебя, а потом все объяснить. И вот ты рядом! Знаешь, почему я никогда не общаюсь с тобой до пяти вечера? Я создаю капли бессмертия для женщин в домашней лаборатории. Хочешь на нее посмотреть?

— Да! — тут же выпалила Ошкина.

— Поехали, — улыбнулся Вениамин.

В маленькой, неуютной однокомнатной квартирке гостиничного типа, куда Подольский привез Регину, не было ни прихожей, ни кухни, ни ванной. Дверь с лестницы открывалась прямо в девятиметровую комнату, крошечный унитаз был спрятан в шкафу, на подоконнике стоял электрочайник, а всю кубатуру занимал стол, на котором громоздились штативы с пробирками и горелками, реторты, подставки с реактивами...

Регина Натановна была шокирована, она и не предполагала, что в Москве существуют подобные норы.

— Боже! Где ты спишь? Моешься? — ахнула Ошкина.

Вениамин показал в угол, где лежал свернутый матрас.

— Кровать мне не нужна, я отдыхаю на полу. Душ принимаю в фитнес-центре, который тут в двух шагах. В восемнадцатом веке я был вынужден скрываться от виконта Мальфуа и провел почти год, изображая крестьянина. Приходилось спать в конюшне, ходить босиком по навозу. Бытовые неудобства меня не волнуют. Главное сейчас эликсир. Я хочу сделать тебя бессмертной, но работа идет очень медленно. Наша семья не много зарабатывает, а приходится тратить средства на жилье, еду, одежду. Дух стоек и вечен, а вот тело бренно и слабо.

— Семья? — растерялась Регина. — Ты не один?

— Было очень трудно найти сестер, — вздохнул Вениамин. — Их семеро. С братьями тоже сложно. В общем, пока мне удалось отыскать Элизу, Жаннет, Люси, Пьера и Жака. Конечно, у них сейчас другие имена: Алиса, Валентина, Людмила, Петр и Семен. Я несколько лет сидел в архивах, отслеживая семейные связи, изучая родословные. Сейчас мне активно помогает Валентина. Она профессиональный историк, благодаря ей мы почти напали на след Франсуа. К огромному сожалению, клад, который я перед смертью своего очередного физического тела спрятал в укромном месте, исчез. Возродившись Вениамином Подольским, я в шестнадцать лет поехал туда, где хранилось богатство, и не нашел его. Поэтому сейчас все — Алиса, Валентина, Людмила, Петр и Семен — тяжело работают, а я корплю над созданием женского варианта эликсира бессмертия. Мне уже удалось собрать многих членов своей семьи вместе и не хочется их еще раз потерять. Дорогая, моя любимая жена Адель, ты снова со мной! Я беспредельно счастлив!

Глава 23

Ровно в семь утра я позвонила Костину, услышала его сонное: «Слушаю...» — и заговорила без остановки.

— Что-то я не понял... — пробормотал удивленно Володя, когда поток моих слов иссяк. — Подольский выдавал себя за графа Сен-Жермена? А кучка идиотов ему поверила?

— В сети авантюристов попадаются и умные образованные люди, — вздохнула я. — Кстати, я почитала в Интернете историю графа Сен-Жермена. Он пользовался доверием Людовика Пятнадцатого, датского короля Фредерика Пятого, покровительством Медичи, дружил с Екатериной Второй. Согласись, вышеперечисленных особ нельзя назвать глупцами. В бессмертие графа верили Блаватская, Рерих, многие писатели, философы, историки. Чего уж тут удивляться, что простые обыватели, далеко не эрудиты, были очарованы Подольским, смотрели ему в рот, надеялись на вечную жизнь и изо всех сил старались помочь мошеннику. Основной костяк «семьи» сложился до знакомства Вениамина с Ошкиной. Первой лжеграф «нашел» Алису. Девушка трудится в салоне красоты, не очень интересна внешне, сирота, кавалеров не имеет. Но у Алисы есть два больших преимущества: от покойных родителей ей достались просторная трехкомнатная квартира и дача, а еще она прилично зарабатывает. Валентина потеряла в автокатастрофе семью, жила одна, свободное время проводила на кладбище, у могил мужа и матери, затем столкнулась с Подольским, а тот поведал женщине, что она является сестрой графа Сен-Жермена, ее погибшие муж и сын тоже родственники бессмертного, и в следующем перевоплощении они все встретятся. Ну, не стану утомлять тебя биографиями остальных членов «семьи», в принципе похожими.

— Вот же сволочь наш клиент! — не удержался от комментария Вовка. — Наверняка обирал легковерных людей.

— Да, «сестры» и «братья» отдавали Вениамину свою зарплату, оставляли себе совсем немного денег. Подольский им говорил, что все тратит на научные исследования. Но аппетит, как известно, приходит во время еды, милому Вене хотелось рублей побольше. Я проверила в Интернете, пьеса «Сто жизней» переведена с немецкого, она написана в тридцатые годы прошлого века. Подольский никакой не автор, просто записной врун. Правды нам из-за смерти «гения» не выяснить, но я думаю, аферист ходил в крохотный театр, чтобы встретить там новых членов своей «семьи», и увидел роскошно одетую, всю в драгоценностях, одинокую пожилую Ошкину. Манипулятору не понадобилось много времени, чтобы понять: рядом с ним богатая вдова, и он начал действовать. Помнишь, бывшая супруга Вени говорила о своем экс-муже, что у него-таки есть один талант — Подольский умеет нравиться бабам, оказывает на них гипнотическое воздействие, не захочешь, а очаруешься. Регина Натановна оказалась самой сладкой добычей. Ошкина сняла для него прекрасную квартиру неподалеку от дома, где жила сама, дабы Вениамин перетащил туда свою лабораторию и продолжал исследования.

— Минуточку! — остановил меня Володя. — В апартаментах нашего покойного клиента нет ни одной пробирки, там только горы дорогих шмоток.

— Ну ты даешь, — усмехнулась я. — Конечно, он никогда не занимался алхимией, даже и не собирался чахнуть над ретортами. Неужели ты не понял, что создание эликсира — чистейшей воды надувательство? Подольский нагло использовал «семью», обирал людей, припеваючи жил на чужие деньги. Более того, после налаживания тесного контакта с Ошкиной поселил в ее доме всех «родственников», а их квартиры сдал. Арендная плата капала в карман Вениамина, который тратил ее отнюдь не на приобретение дорогостоящих ингредиентов для своего зелья, а на костюмы-рубашки-деликатесы. Кроме желания жить красиво, Подольский обладал непомерно огромным тщеславием, хотел стать звездой, но от рождения ему не досталось яркого таланта ни в одном из видов искусства. Он пытался стать музыкантом, певцом, композитором, фотографом — и везде случился облом. К тому же у Подольского нет необходимого трудолюбия. А вот его «брат» Петр Ефимов усидчив, может часами работать за столом. Он человек, склонный к мистицизму, верит в чудеса, поэтому легко стал жертвой махинатора. Ефимов — корреспондент онлайн-газеты «Тайны магии», пишет статейки о реинкарнации, призраках, духах, явлениях потустороннего мира и... о сексе.

На досуге Петр накропал роман о любви пожилой дамы к молодому человеку.

— Как Подольский? — влез с вопросом Костин.

— Да нет же! Ты все еще не понял сущности нашего клиента? Вениамин просто взял у Петра рукопись и пообещал пристроить ее в издательство. Под своим именем, конечно.

— С ума сойти! — возмутился Володя. — Да они все клинические идиоты! Отдавали псевдографу свои деньги, поселили его в роскоши, сами забились в одну квартиру, а этот болван Петр еще и снабдил мошенника рукописью своего романа... Ни у кого не возникло вопроса: почему в апартаментах Подольского отсутствует лаборатория? Где пробирки с зельем?

Я протяжно вздохнула.

— Ты рассуждаешь здраво, а члены «семьи» лишены этого качества и просто верили «брату». Подольский сказал Алисе и остальным женщинам: «Ваши души потеряли память, без эликсира они не оживут. Почему я помню все перевоплощения, беседы с королями, а вы нет? Потому что я принимал специальное снадобье, а вам его не досталось, ведь флакон с женским эликсиром разбился. Но подождите немного, близится завершающая стадия создания нужного препарата. Понимаете, что будет, когда вы получите лекарство? Оживут все ваши прежние жизни, Алиса тут же вспомнит, как танцевала с Наполеоном, а Валя увидит мысленным взором свою спальню в лучшем замке Англии. Терпение! Главное, не снижать темп исследований, удача приходит к упорным».

— Нестыковочка! — повысил голос Костин. — Ладно, с бабами ясно, они отдавали деньги и ожидали эликсира. Но мужики? У Вениамина якобы был запас эликсира для них. Почему Петр и Семен не потребовали: «Дай нам отхлебнуть из бутылочки, желаем вспомнить, как были благородными рыцарями»?

— Могу ответить лишь на вопрос об отсутствии лаборатории, — хмыкнула я. — Подольский категорически запретил членам «семьи» соваться к нему в квартиру, объявил им: «Идет процесс синтеза, который будет длиться пять лет, течению реакции может помешать чужая энергетика, я буду вынужден начать исследование заново». Вот «братья» с «сестрами» и боялись даже приблизиться к его дому. Теперь что касается Петра и Семена. Им, полагаю, просто не пришло в голову так себя вести, то есть задавать какие-то вопросы. Кстати, «семья» не горюет о Подольском, ее члены ждут возвращения графа, верят, что тот в ближайшее время возродится.

— Бред какой-то, — фыркнул Костин. — Душенька-то бессмертного переселится в младенца! Что, новорожденный приползет к порогу Регины Натановны, протянет к ней слабые ручонки и молвит: «Это я, твой муж, граф Сен-Жермен»? У них совсем головы снесло?

— Успокойся, — велела я. — Подольскому удалось собрать вместе крайне наивных, не очень умных людей. Мошенник действовал хитро. Алисе, например, сказал, что та в восемнадцатом веке являлась его любимой сестрой. Сен-Жермен якобы спас девушку от смерти, вылечил от чумы, но об этом нельзя никому рассказывать. Теперь Вениамин хочет подарить бессмертие только Алисе, остальным рассчитывать не на что. Но! Тссс! Молчок! То же самое по секрету он нашептал остальным адептам. Мужчины, понятное дело, услышали слова «любимый брат». Ну а Регина Натановна получила статус жены. Подольский каждый день навещал «семью», забегал когда на два часа, когда на десять минут. И был очень заботлив — приносил Алисе ее любимое овсяное печенье, Валентине книги, Регине Натановне горький шоколад, Петру журналы про автомобили, Людмиле цветы. Рассказав «жене» правду, Веня перестал ежедневно водить Ошкину по циркам-зоопаркам-кафе. Пояснил ей: «Дорогая, время тикает, твое тело стареет, мне надо поторопиться». Вдова согласилась. К тому же она теперь больше не страдала от тоски, ведь жила вместе с «семьей», ее считали главной, все подчинялись «жене Сен-Жермена». Но раз в две недели «граф» непременно развлекал пожилую даму — «супруги» куда-нибудь ходили вместе, Регина Натановна получала столь необходимую ей порцию внимания, любви и нежности.

— Хорошо, хоть мерзавец с ней не спал, — проворчал Вовка. — Небось предпочитал кого помоложе.

— Нет, — возразила я. — По возрасту ему в любовницы годилась одна Алиса, но в постель ее Вениамин не тащил. Кстати, девушка единственная, кто проявил самостоятельность. Когда «граф» не появился в течение целых суток в апартаментах Регины и ни разу не позвонил, чего ранее никогда не случалось, члены общины «Сто жизней» не забеспокоились, все просто его ждали. Одна Алиса встревожилась и, несмотря на строжайший приказ никогда не беспокоить «брата» в лаборатории, решила вечером заглянуть к нему — хотела убедиться, что с Веней все в порядке. У нее на душе было очень и очень неспокойно, она чувствовала беду. Закончив беседу с Ошкиной, я поболтала с Валентиной и другими жильцами квартиры, но те отделывались короткими фразами, вроде: «Мы одна семья, нам хорошо вместе, Вениамин наш Учитель». Потом решила еще раз поговорить с Алисой. Зашла в спальню и, чтобы ей польстить, воскликнула: «Как у вас уютно!» Девушка тут же похвасталась: «У меня самая светлая комната, я переехала в нее после смерти Нади. Сначала-то Регина Натановна велела мне угловую занять, а там темно, окно крошечное». Я сразу встрепенулась: «Кто такая Надя? Почему она умерла?» Алиса смутилась и захлопнула рот. На все расспросы она лишь бормотала: «Вам лучше поговорить с Региной Натановной». Я пошла к Ошкиной, а та, услышав имя «Надя», отрезала: «В нашей семье таких женщин нет и не было». Вернуться к Осипенко мне не дали, Валентина закудахтала: «Простите, Алисе завтра рано на работу, у нее первый клиент к восьми утра придет, девочка уже спит». Удалось лишь выяснить, что Алиса очень востребованный колорист, работает в СПА-центре на улице Варганяна. Я записалась к ней сегодня вечером на окрашивание волос и, пока сижу в кресле, заставлю девушку рассказать про таинственную Надю. Там ведь рядом не будет Валентины и Регины.

Я сделала секундную паузу.

— В деле Подольского много вопросов, но мы теперь знаем, откуда у Вениамина большие деньги, — он получал арендную плату от всех сдаваемых квартир, забирал львиную часть заработка членов «семьи» и не отдавал ни копейки за шикарные апартаменты, в которых жил, их ему снимала Регина Натановна, тратящая наследство мужа. Я не в курсе, есть ли у дамы крупный счет в банке, или она продает драгоценности.

— М-да, — пробормотал Костин, — некрасивая история.

— Подольский мошенник, возжелавший славы, — человек без каких-либо моральных принципов, обиравший наивных людей, желавший получить статус писателя за счет публикации чужой книги, — резюмировала я. — К сожалению, таких типов в наше время развелось много, в Интернете тьма объявлений от магов, волшебников, кудесников всех мастей, предсказателей, разнообразных гуру, прорицателей... Наш покойный клиент объявил себя графом Сен-Жерменом, а кто-то прикидывается государем страны Нарния, хоббитом, королем эльфов, ведьмой с Лысой горы...

— Ладно, с этим все ясно, — прервал меня Костин. — Но почему Вениамина застрелили? Он жертва собственного пиара? Нашел неумелого стрелка? Велел тому для пущей натуральности пользоваться боевыми патронами? Или его убийство как-то связано с общиной «Сто жизней»? Ты когда едешь к Алисе?

— Похоже, девушка на самом деле замечательный мастер, и ей очень нужны деньги, — вздохнула я. — Салон открывается в семь утра. Я звякнула туда в пять минут восьмого и услышала от администратора: «Очень сожалею, но у Осипенко все время на сегодня расписано». Я взмолилась, наврала про срочный отъезд в командировку, и женщина на рецепшене, переговорив с Алисой, сообщила: «Она готова задержаться ради вас, подъезжайте к десяти вечера. Но заплатить придется в два раза больше».

— Отлично! — обрадовался Костин. — Как раз успеешь встретиться с Ириной Богатыревой. Ты с ней договорилась?

— Беседовала по телефону, она меня ждет около трех часов дня, — подтвердила я. — Эжени не звонила Нине?

— Нет, тишина, — сердито буркнул приятель. — Жена сто раз пыталась связаться с сестрой, но без толку, ее телефон выключен.

— Я тоже многократно набирала ее номер, но безрезультатно, — вздохнула я. — Знаешь, перед сном я неожиданно вспомнила нашу беседу с Иваном Сергеевичем Будановым и с запозданием удивилась истории с японской вазой. Олигарх обвинил дочь в том, что та ее кокнула, а в наказание отправил дочь учиться за границу. Почему он так поступил?

— Вот те на! — удивился Вовка. — Неужели не поняла? Мой тесть ведь объяснил: требовалось привезти домой девочку, которую они с женой собирались представить как Женю, свою умершую дочь. Бизнесмен сменил всю прислугу, переселился в другое место, но Нине-то исполнилось десять лет, ее нельзя было обмануть словами: «Твоя сестричка просто изменилась после пребывания в больнице».

— Наверное, я неправильно задала вопрос, — остановила я Костина. — Почему отец действовал столь грубо, нанес старшей дочке душевную травму? Неужели нельзя было действовать более аккуратно? Скажем, не обвинять девочку в несовершенном ее проступке, а спокойно сказать: «Поедешь в Англию для изучения иностранного языка». И обрати внимание: Буданов страстный коллекционер, напольное украшение приобрел недавно, еще не успел на него налюбоваться и вдруг — разбил. Можно ведь было найти в коллекции менее ценный экземпляр. Ан нет! Тебе эти два обстоятельства не кажутся странными?

— Ну, наверное, мужик нервничал, — протянул Костин. — Смерть дочери кого угодно выбьет из колеи. Еще он хотел помочь жене. Боялся, что Нина увидит Мариэтту и весь спектакль пойдет насмарку. Скорей всего он, на самом деле, случайно жахнул вазон, пнул его от нервяка ногой, увидел осколки, и ему пришла в голову мысль, как их использовать. Сразу начал действовать, не подумал как следует.

— Ох, не нравится мне эта история, — не успокаивалась я. — Ты поговорил с Верещагиным? Он подтвердил рассказ Ивана Сергеевича?

— Доктор вскоре после смерти младшей дочери Будановых попал под машину, его недалеко от центральных ворот клиники сбил автомобиль. Профессор стоял около своего джипа, хотел, очевидно, его открыть, и ему в спину въехали «Жигули». Свидетелей происшествия не было, все произошло поздним вечером, марку машины-убийцы определили по отпечаткам шин, но больше ничего не узнали. Через месяц на пустыре в том районе, где находится клиника, обнаружили полностью сгоревшую «копейку» с разбитой передней частью. Преступника так и не нашли, огонь уничтожил все следы. Семьи у Глеба Алексеевича не было. Вот все, что я узнал.

Я заерзала в кресле.

— Становится все интереснее и интереснее... Сейчас-то внедорожником никого не удивить, если человек едет на пафосном джипе, все сразу понимают, какой кредит хозяин авто выплачивает банку. Но двадцать лет назад такая машина была редкостью, первыми на них пересели лидеры преступного мира, криминальные авторитеты, никого и ничего не боявшиеся, демонстрировавшие свое богатство. А откуда крутая тачка у простого врача?

— Верещагин был профессором, владельцем медцентра, деньги у него водились, — остановил меня Костин. — И ему могли сделать подарок.

— Ладно, — согласилась я. — Тогда следующий вопрос. По какой причине титулованный доктор решился на такую, мягко сказать, авантюру? Надо же, он согласился выдать найденыша за Евгению Буданову, уничтожил свидетельство о смерти родной дочери Ивана Сергеевича, выдал ему тайком ее труп для похорон.

— Бизнесмен ему заплатил, — объяснил Костин, — совершить преступление врача побудила жадность. Наверное, Верещагин нашел себе оправдание: бездомный ребенок обретет счастье в богатой семье, Вера Петровна не попадет в психиатрическую клинику.

— Нет, что-то здесь не так... — не утихала я. — Ситуация с профессором очень странная. Да еще эта история с вазой! Почему из семьи удалили именно своего родного ребенка? За границу могли отправить найденыша, а через пару лет вернуть, и Нина бы не удивилась изменениям во внешности младшей сестры. С чего вдруг малышка из леса оказалась более любимой, чем родная дочка? Вера Петровна увидела ее и вмиг стала обожать чужую девочку сильнее Ниночки, так сказать, своей кровиночки?

Костин издал стон.

— У Будановой был сильный стресс, она решила, что видит ожившую Женечку.

— Охотно верю, что в первый момент так и было, — согласилась я. — Но потом-то! Вера не сошла с ума, оправилась от душевной травмы. И она непременно должна была сообразить: в доме живет не Женя. Неужели, осознав это, мать не захотела или не смогла уговорить мужа вернуть в Москву Нину?

— Потом договорим! — неожиданно рявкнул Костин. — У меня встреча!

Из трубки полетели короткие гудки.

Я положила телефон на стол. Как и большинство мужчин, Володя терпеть не может признавать свои ошибки. Никуда он не спешит, просто разозлился, что сам не заметил нестыковок в рассказе Буданова.

— Простите, Лампа, Боня у вас? — раздался из коридора голос Краузе. — Можно зайти?

Глава 24

Я распахнула дверь.

— Боня? Песик сюда не заглядывал. Муся и Фира спали в моей комнате, а чихуахуа устроился в другой. Может, он у Кисы?

— Там его тоже нет, — ответила Роза Леопольдовна. — Похоже, Боня исчез. Сейчас я кормила собак, звала его, звала, но мальчик не прибежал.

— Странно, — насторожилась я. — Давайте вместе поищем. Собачка не могла уйти из квартиры.

— Вдруг он вывалился из окна? — всхлипнула Краузе.

На секунду мне стало жутко. Но потом страх отступил.

— Ему на подоконник не запрыгнуть. И у нас в проеме балконных дверей и всех стеклопакетов установлены сетки. Макс их прикрепил, когда в доме появилась Киса. Давайте не будем впадать в панику. Сейчас я умоюсь, выпью кофейку и отыщу Боню. Просто малыш устроился в каком-нибудь укромном уголке.

Роза Леопольдовна сложила руки на груди.

— В гостиной Бони точно нет. Я тщательно закрыла дверь в комнату, предварительно проверив, что собак там нет.

— Однако странная идея пришла вам в голову, — удивилась я. — До сих пор мопсихи свободно разгуливали по всей квартире.

Краузе поманила меня пальцем.

— Сейчас кое-что вам покажу, пойдемте.

Ничего не понимая, я последовала за няней, а та, величаво прошествовав по коридору, жестом вышколенного дворецкого распахнула дверь и сказала:

— Смотрите!

Я вошла в гостиную и не узнала ее. Вся мебель закрыта старыми занавесками, снятыми мной пару лет назад, когда были куплены новые гардины. На диване стоят какие-то разноцветные банки, в креслах лежат мешки, Киса, с косынкой на голове и в одних только трусиках, сидит спиной к нам у маленького столика, на котором обычно лежит гора пультов от разной техники. Но сейчас на нем стоит нечто, смахивающее на трубу хлебозавода, только с длинной ручкой.

Девочка не обратила внимания на то, что мы с Краузе вошли в помещение. В этот момент она деловито запихнула в трубу какую-то серо-зеленую массу, а затем что есть силы стукнула по ручке. Раздался отвратительный звук, словно агрегат внезапно стошнило, внизу открылась дверца. Киса засунула в нее пальчики и вытащила небольшой брусочек.

— Солнышко, чем ты занимаешься? — поинтересовалась я.

Малышка обернулась, и я попятилась, потому что вместо хорошенького личика увидела зелено-бурую морду лягушки, на которой вместо носа покачивался гофрированный шланг.

— Бу-бу-бу, — произнес монстр.

— Детонька, сними защитную маску, — велела Краузе.

Маленькая ручонка дернула за «хобот».

— Фу-у... — выдохнула я.

— Мы с Розой Леопольдовной мастерим дом для Егора, — пояснила девочка. — Поможешь?

— Да, дорогая Лампа, поиграйте с ребенком, пока я сбегаю в супермаркет. Вы же со сливками кофе пьете, а они у нас закончились, — засуетилась няня.

— Ну да, кофе без сливок, как дом без окон, — пробормотала я. — Хорошо, займусь с Кисой строительством, но сначала прочитаю руководство.

— Отлично! — обрадовалась Краузе. — А на инструкцию не тратьте время зря, она написана нечеловеческим языком. Сейчас объясню по-простому. В кресле смесь для производства кирпичей...

— Роза Леопольдовна, — остановила я няню, — очень кофейку охота.

— Не желаете слушать совет умного человека? — надулась Краузе. — Только не получится у вас без меня.

— Рискну попробовать, — улыбнулась я и взяла очень толстую тетрадку с надписью «Настоящий дом без хлопот и забот. Руководство по сбору, использованию и уничтожению».

Инструкция начиналась оптимистично:

«Дорогие родители, педагоги, воспитатели детских садов и прочие люди! Поздравляем!!! Вы совершили один из лучших и правильнейших поступков в своей жизни — приобрели «Настоящий дом без хлопот и забот». Теперь ваш досуг будет интересным, веселым и занимательным. Строительство особняка дает возможность всем членам семьи творчески проявить себя, продемонстрировать разнообразные скрытые таланты, пообщаться».

Я перелистнула страницу. Ну и где же деловая часть? Ага, вроде вот она.

«Дом состоит из десяти тысяч кирпичей, которые надо самим сделать и покрасить. Из полученного строй-материала вам предстоит сложить здание в соответствии с выбранным дизайн-проектом. Мы предлагаем шесть вариантов: «Уют», «Покой», «Наслаждение»...

Я оторвалась от буклета.

— Киса, сколько вы с Розой Леопольдовной приготовили камней?

— Двенадцать.

— Долго трудились?

Малышка призадумалась.

— Вчера после полдника начали.

Я принялась листать страницы. Нет ни малейшего смысла изучать, что можно сделать с кирпичами, сначала надо их изготовить. Десять тысяч делим на двенадцать и получаем... Нет, без калькулятора я не смогу обойтись, но уже ясно, что за пару дней с задачей не справиться. Вот «напечем» нужное количество кирпичиков, тогда и озаботимся дизайн-проектом. Итак, глава первая — «Производство стройматериала». Что у нас там?

«Кирпичный завод состоит из пятидесяти шести деталей».

Я посмотрела на Кису.

— Труба — это фабрика?

— Кирпичеделательная, — без запинки выговорила малышка непростое слово.

— Ага, — обрадовалась я, — значит, одной заботой меньше. А кто так ловко сложил сооружение из множества кусочков?

Киса потупилась.

— Мы вместе с няней.

Я опять пробежала глазами по строчкам.

«Возьмите ведерномешательную часть, насыпьте в нее с помощью отмерочерпального приспособления экологически чистую смесь из натуральной глины, песка и каумассы. Добавьте 4 унции жидкости комнатной температуры, тщательно поработайте соединительно-разъединительной метелкой, наберите полное загребательно-хватательно-насыпательное горшечное устройство, затем осторожно, не уминая, уложите в приемолоточнокрышевой отсек. Внимание! Отпускательно-запирательно-сдерживательную часть следует тщательно закрыть. Проверив плотность прилегания опускательно-запирательно-сдерживательной части, опустите рукоятонаправительный рычаг до полнейшего его касания с горизонтально-утяжелительной платформой. Раздастся характерный звук, означающий начало кирпичесоздавательного процесса. Внимание! Ни в коем случае не наклоняйтесь к выдавательно-направительному-отпускному отверстию для избежания носо-рото-ушно-глазной травмы. Всегда используйте прилагаемый респиратор новейшего поколения, разработанный нашей фирмой. Дважды внимание! Кирпичеформировательная смесь застывает быстро. Если вы не успели заложить ее в опускательно-запирательно-сдерживательную часть или конечный продукт вышел кособоким, неаккуратным, оскорбляющим ваш художественный вкус, его нужно положить в разрубательно-перемалывающе-измельчительную машину, которую предварительно необходимо сложить из ста деталей.

Я потрясла головой.

— Киса, вы с няней сделали такую... э... штуку... которая жует плохие кирпичи?

Малышка показала пальчиком на край стола.

— Там. Кирпичежорка. Др-р-р и опять мука.

— Экие вы с Розой Леопольдовной молодцы! — восхитилась я. — Сможешь показать, как лепить кирпичики? Хочу проверить, хорошо ли у тебя получается.

Последняя фраза была наглой, стопроцентной ложью. Но не говорить же ребенку, что взрослая тетя, имеющая диплом консерватории, ничего не поняла, прочитав подробную инструкцию, и хочет освоить процесс, наблюдая за действиями пятилетки?

Киса кивнула и натянула жабью морду с хоботом, то есть, простите, респиратор. Затем набрала полный совочек серой пыли, высыпала ее в красное ведерко, плеснула туда воды из бутылки, быстро перемешала, зачерпнула полученную массу, вывалила ее сверху в трубу, захлопнула крышку, нажала на рычаги...

Раздался душераздирающий вопль:

— А-а-а-а!

Я подпрыгнула на стуле и вспотела. А Киса ткнула пальчиком в красные воротца на постаменте трубы, и когда те открылись, вытащила аккуратный прямоугольный брусочек.

— Вот.

— Совсем не трудно, — обрадовалась я.

— Угу, легко, — кивнула малышка. — Попробуй.

Я схватила второй совочек, насыпала в ведерко сухую смесь, сдобрила ее водой, помешала, запихнула в трубу, нажала на рычаг и, ожидая отвратительного звука, втянула голову в плечи. Но в комнате стояла тишина. Потом раздался громкий хлопок, из кирпичного завода вылетел фонтан грязи и осел везде, где только можно.

— Крышку плохо закрыла, — вынесла вердикт Киса. — Начинай сначала.

Ощущая себя полнейшей идиоткой, я повторила действие, но на сей раз перед тем, как нажать на рычаг, хорошенько постучала кулаком по «голове» кирпичного завода.

— А-а-а! — последовал знакомый вопль.

Я обрадовалась. Ура! Справилась! Теперь надо ткнуть пальцем в красные воротца. Я понажимала — никакого эффекта. Я нагнулась, приблизила голову к трубе...

— Нельзя! — закричала Киса. В ту же секунду воротца распахнулись, и оттуда со скоростью ракеты вылетел кривой обрубок, попав мне прямо в нос.

Из глаз посыпались искры, потом полились слезы.

— Ну, как у вас делишки? — весело спросила Краузе. — О, господи!

Мне в лицо ткнулось что-то мягкое, затем я услышала голос Розы Леопольдовны:

— Скорей утрите кровь, а то она нам кирпичевую смесь испортит. Не хватит цемента, что делать будем?

Глава 25

Следующие полчаса я провела в ванной, приводя себя в порядок. Удивительное дело, лицо не опухло, и на нем даже синяка не появилось, правда, нос перестал ощущать запахи. Но это показалось мне незначительным последствием травмы. Глядя на себя в зеркало, я торжественно поклялась никогда-никогда-никогда не приближаться ни к одному предприятию, производящему стройматериалы, и вернулась в гостиную.

— Вовремя я подоспела! — обрадовалась Краузе, увидев меня. — Спасла цементную смесь, вы не успели ее испортить.

— По-моему, лучше выбросить опасную игрушку, — пробормотала я. — Ладно, мне по носу попало, но, не дай бог, Кису ударит.

— Девочка умная, не наклоняется к месту выброса кирпичей, — заметила Краузе. — И если соблюдать все правила, они не вылетают. Вот, смотрите.

Няня повертела в пальцах ровный брусочек, потом взяла нечто жутко кособокое.

— Вы неправильно сформировали заготовительную массу, получился ком. Но ничего, сейчас живенько превратим его в муку. Лампа, дорогая, видите вон там слева камнедробилку? Сделайте одолжение, засуньте в нее своего уродца, у меня руки в краске. Крышку надо тщательно закрыть до щелчка и лишь потом нажать на красную кнопку. Объясню последовательность действий. Сначала следует открыть приспособление, поместить в него...

— Спасибо, поняла, — процедила я.

Профессия накладывает несмываемый отпечаток на человека. Краузе беседует со взрослыми людьми так, словно они неразумные дошколята. Неужели Роза Леопольдовна всерьез считает, что я не догадаюсь снять крышку с подобия кофемолки? Положу бракованный кирпич прямо на нее?

Я подошла к устройству, отщелкнула прозрачную пластину, лежащую сверху...

— Правильно, умница, — прокомментировала мои действия Краузе, — прекрасно получается. Теперь аккуратненько...

Я быстро бросила комок в раструб и ткнула пальцем в кнопку.

— Крышка! — завопила няня.

Но уже послышался скрежет, затем звук, похожий на кашель больного медведя, из пластиковой воронки вылетел фонтан пыли и разнесся по комнате.

— Я же вас предупреждала, — менторски произнесла Краузе. — Ну ничего, собрать грязь не составит труда. Покормлю Кису обедом, уложу ее спать и пройдусь тут с пылесосом. Не расстраивайтесь, Лампа, с первого раза не у всех получается создавать и уничтожать кирпичи, потренируетесь и все освоите. Хотите, я напишу для вас большими буквами таблички с руководством и положу возле завода и рубилки?

— Спасибо, но лучше вы с девочкой без меня займитесь строительством дома, — ощущая себя полной дурой, ответила я.

Ну вот почему я забыла про крышку? Держала ведь ее в руке, а не установила на место!

— Куда-то подевалась потолочная часть, — пожаловалась Краузе. — Вчера мы сели с малышкой играть, я решила сделать плиту перекрытия. Она большая, заливается в форму размером с лоток для холодца. Вон там лежит, видите? На полу, у батареи. Наполнила емкость, установила ее, как велено в руководстве, в теплое место, отвлеклась на создание кирпичиков. Сейчас посмотрела, а в ванночке почти пусто! Чудеса, да и только. Может, заготовка испарилась? В прямом смысле слова? Теперь я переживаю — вдруг нам не хватит смеси? Где ее взять?

— Цемент не мог улетучиться, — улыбнулась я и пошла к окну посмотреть на форму.

К моему удивлению, квадратная оцинкованная жестянка действительно оказалась почти пустой. Только на дне и на стенках виднелись небольшие комочки засохшей массы.

— Странно... — протянула я. — А что такое стоит вон там?

Краузе завертела головой.

— Где?

Я подошла к креслу у телевизора.

— Здесь фигурка вроде оленя. Вы сделали садовое украшение для кукольного дома? На мой взгляд, оно великовато, размером с тойтерьера.

— Нет, пока только с кирпичами работаем, — пояснила Роза Леопольдовна. — Зачем заниматься ландшафтным дизайном, если особняк не собран? Кисонька, это ты вылепила оленя?

— Не-а, — звонко отозвалась малышка.

Я наклонилась к статуэтке.

— Нет, на оленя не очень похоже, это скорее собачка. Пятнистая, частично белая, а местами серая. Мордочка как живая. А-а-а-а!

Краузе забеспокоилась:

— Что случилось?

— Она моргает, — пробормотала я.

— Лампа, дорогая, вы ошибаетесь, статуэтка не может моргать, она не живая, — заулыбалась няня. — Не знаю, откуда появилась эта безделушка. Зато отлично помню, как собралась поставить лоток с цементом вон у того кресла, потом передумала и отнесла к батарее. Вчера вечером никаких фигурок оленей или псов в комнате не было.

Я осторожно потрогала странное животное за ухо.

— Роза Леопольдовна, сколько времени застывает цементная масса?

— В инструкции написано, что он схватывается почти мгновенно, — пустилась в объяснения Краузе. — Сверху состав живо каменеет, а внутри остается вязким более суток. Поэтому не рекомендуется вынимать плиту из формы ранее, чем через сорок восемь часов.

— Это же Боня! — заорала я. — Песик случайно упал в ванночку, попытался встать, искупался в содержимом, пошел к креслу и — застыл. Хорошо, что ему на мордочку и на глаза цемента мало попало!

— Боня? — ахнула Краузе. — Какой ужас! Скорей вызывайте «Скорую»!

Я подняла несчастную обездвиженную собачку.

— Врачи тут не помогут, надо аккуратно удалить панцирь. В руководстве сказано, как можно размягчить плиту?

— Ее надо запихнуть в камнедробилку и включить самую высокую скорость, — доложила Краузе. — Давайте скорей проделаем эту операцию!

— Нет, это уж слишком радикальное решение, — покачала я головой. — У нас же не просто кусок цемента, а Боня, покрытый застывшим бетоном.

Краузе схватилась за виски.

— Ой, да, я сказала глупость...

— С каждым случается, порой против желания можно ляпнуть чушь, — утешила я няню. — Принесите из ящика с инструментами долото и молоток. Попытаюсь сколоть панцирь, которым обзавелся бедолага Боня.

— Сию секунду! — засуетилась няня и убежала.

Мы с Кисой пошли в гостевую ванную, и я увидела прямо посередине ее здоровенный унитаз ядовито-розового цвета.

— Вот! Но надо действовать очень аккуратно, — закудахтала Краузе, переступая порог.

— Это что? — спросила я, показывая на сантехнический агрегат.

— Унитазик, — заулыбалась Роза Леопольдовна.

— Откуда он тут взялся?

— Как? Неужели вы забыли? Это подарок от фирмы «Розовое счастье», — зачастила Краузе, отводя глаза в сторону, — награда за победу в конкурсе.

— Почему он до сих пор в доме? Я велела вернуть биотуалет в магазин, — наседала я.

Краузе смутилась.

— У вас ведь сломался фаянсовый друг, и я попросила Мирона его починить. Муж его осмотрел и объяснил: «Надо покупать новый». Представляете цену вопроса? И тут я вспомнила про презент. Отлично получилось, мы ни копеечки не потратили!

— Хорошо, — кивнула я, — но непонятно. Унитаз сломался в моей ванной, тогда почему этот биокошмар оказался в общем санузле?

— Э... э... — забормотала няня, — ну... ваша ванная скромных размеров, туда «Розовое счастье» не поместилось... вещь крайне нужная, дорогая, досталась даром, грех отказываться... люди в очереди за такой красотой годами стоят, а нам домой принесли...

— Сомневаюсь, что в Москве дефицит биотуалетов, — остановила я Краузе. — Уберите сей монумент.

— Ой! Нет! — замахала руками Роза Леопольдовна. — Смотрите, как красиво теперь в ванной стало. Оригинальный интерьер. Я видела в журналах, как люди парные раковины устанавливают, чтобы вместе умываться. Это очень удобно, модно, современно, все вокруг обзавидуются.

— Два мойдодыра, может, и неплохо иметь, — согласилась я. — Но к чему пара унитазов? Да еще в гостевом санузле?

— Ну как вы не понимаете? — ажитировалась няня. — Утром сядете вместе с Максом, поговорите о проблемах. Такое времяпрепровождение вас сплотит, скрепит ваши отношения. Вчера днем Мирон слегка улучшил «Розовое счастье».

— Боже, спаси нас от креативных идей парня, — буркнула я, вспоминая, как муж Краузе чинил кран в моей ванной[1].

Однако Роза Леопольдовна проигнорировала ехидное замечание и, закатив глаза, вещала дальше:

— Теперь не надо менять наполнитель фильтра биотуалета. Мирон подсоединил его к особой трубе, которую протянул сам, она ведет прямо на кухню.

Я потрясла головой.

— Я нажму на слив, и содержимое унитаза окажется на сковородке? Креативно!

Краузе схватилась руками за щеки.

— Боже! Конечно, нет!

Я посмотрела на часы, висящие у зеркала.

---

[1] Эта история описана в книге Дарьи Донцовой «Белочка во сне и наяву», издательство «Эксмо».

— Больше не могу болтать о глупостях. Надо поскорей освободить несчастного Боню, мне пора ехать по делам. Пусть Мирон сегодня же отсоединит этого монстра. Вызовите представителя фирмы, мне не нужны подарки. И уж точно я не собираюсь обсуждать с мужем дела, восседая на унитазе, лучше схожу с ним в кафе.

— Но в ванной интимнее, — попыталась спорить Краузе. — Пожалуйста, не выбрасывайте «Розовое счастье». Оно вам необходимо, станет семейным талисманом.

Я покосилась на няню. Ох, что-то здесь нечисто! По какой причине Роза Леопольдовна настаивает на присутствии сего агрегата в нашей квартире?

— Очень полезная сантехника, — все больше входила в раж няня, — многофункциональная. Например, сейчас надо отбить с собачки цемент. Где произвести эту процедуру? Тут нам как раз и придет на помощь «Розовое счастье».

Краузе выхватила у меня из рук окаменевшего Боню, поставила его на закрытую крышку стульчака и продекламировала:

— Нету на свете ничего, лучше «Розового счастья»! Оно всегда с тобой!

Чихуахуа неожиданно чихнул. Крышка мгновенно перевернулась, Боня исчез из вида, послышался чавкающий звук, потом раздалось шипение и хлопок. Я бросилась к унитазу и заглянула внутрь, очень надеясь увидеть песика сидящим на розовом пластике. Но перед глазами предстало широкое отверстие. Боню смыло в трубу!

– Мама... — прошептала я. — Что делать?

Роза Леопольдовна попятилась к двери.

— А где Боня? — спросила Киса.

— Он пошел... э... поплавать, — заикаясь, ответила Краузе. — Заниматься спортом, чтобы стать здоровым.

— И когда Боня приплывет назад? — полюбопытствовала малышка.

— Ну... э... под Новый год, — пообещала няня. — Он... э... изменится... получит новую шубку... мда... и... э... э... может, станет внешне другим... да... да.

Она перестала вещать глупости и молча уставилась на меня. Я не знала, что сказать. Пауза затянулась, ее прервал звонок в дверь.

— Откройте, — мрачно велела я Краузе, изо всех сил стараясь не разрыдаться при Кисе.

Бедный маленький чихуахуа. Песик не заслужил такой смерти.

— Помогите! — заорал издалека женский голос. — Скорее, в моей кухне нашествие крыс! Пожалуйста!

Я, опередив Краузе, ринулась в холл и распахнула входную дверь. В квартиру влетела Жанна в байковой пижамке с принтом в виде обезьянок и бросилась мне на шею.

— Лампа! Умоляю! Она торчит из вытяжки! Кашляет! Чихает! У нее, наверное, чума!

— Чума сейчас лечится, — подала голос Краузе. — Один укол — и человек здоров.

— Оставайтесь с ребенком дома, — отрезала я, — встреча с больным грызуном Кисе не нужна. Где у нас старый плед, который раньше лежал на диване?

— На антресолях, — ответила няня.

— Снимите его и принесите к Жанне, в квартиру на этаж ниже, — распорядилась я.

— Так мне сидеть дома или идти к соседям? — уточнила Краузе.

Я оторвала от себя Златову.

— Притащите шерстяное одеяло и вернетесь к малышке. И немедленно вызовите Мирона, сами знаете для чего.

— Он на работе, — заикнулась няня.

Я взяла рыдающую Жанну под локоть.

— Успокойся, я не боюсь крыс, сейчас живо выгоню незваную гостью.

— Сделаю для тебя все, что хочешь, — пообещала сквозь слезы соседка, — только помоги.

Глава 26

Держа Златову за руку, я вошла к ней на кухню и огляделась по сторонам.

— Там! — еле слышно шепнула Жанна. — Видишь вытяжку?

Над плитой висел блестящий куб из нержавейки, а снизу из него выглядывала маленькая остроносая мордочка с треугольными, задорно торчащими усиками. На одной горелке валялась прямоугольная решетка, остальные нагревательные элементы были засыпаны мелкими белыми шариками. Черные глазки животного уставились на нас, пасть приоткрылась, и из нее вылетел странный звук.

Жанна быстро спряталась за мою спину.

— Слышишь?

— Интересно, каким образом крыса проникла в вытяжку? — спросила я, не двигаясь с места.

— Там же труба, которая куда-то ведет, — всхлипнула Жанна. — Ой, что это сыплется?

— Грызун выбил решетку, которая прикрывает отсек с адсорбентом, — сообразила я. — Вон, гранулы разбросаны.

— Нет, это песок, — возразила Златова, — серый.

— Ну и фиг с ним, — легкомысленно отмахнулась я, — надо сообразить, как избавиться от шушеры.

— Нечего тут долго думать! — воскликнула Краузе с пледом в руке. — Она очень удачно высовывается, застряла башкой. Надо взять сковородку, шарахнуть ей по носу, и проблема исчерпана. Я уже вызвала Мирона, он едет сюда. Муж вытащит крысиный труп и выкинет.

— О! Нет! — заплакала Жанна. — Не убивайте ее! Это жестоко!

Краузе покачала головой, а я сказала:

— Дайте сюда одеяло. Наброшу его непрошеной гостье на голову и... и...

— И что? — усмехнулась няня. — Грызун застрял, вы его не вытащите.

— Боня уже вернулся? — весело спросила Киса, тоже появляясь на соседской кухне. — Новый год наступил?

— Нет, солнышко, елка еще не скоро, — сказала я. — Почему ты подумала о зимнем празднике?

— Няня пообещала, что Боня придет с Дедом Морозом, — объяснила малышка.

Я начала выкручиваться.

— Никто точно не знает, как поступит песик. Он уже подружился с оленями, те ему предложили навсегда остаться с Дедушкой и Снегурочкой. Не жди Боню. И иди домой.

Киса улыбнулась.

— Нет, Боня приехал. Скоро елка, да?

— И где ты видишь Боню, золотце? — вмешалась в разговор Краузе.

Малышка показала ручонкой на вытяжку.

— Там. Он, как Дед Мороз, полез в квартиру с крыши, но перепутал, попал не к нам домой, а к тете. Боня, Боня, хочешь печеньку?

Я уставилась на крысиную голову и — чуть не расплакалась от радости.

Чихуахуа не утонул! Он жив. Остается только удивляться, почему я сама сразу не поняла, кто высовывается из вытяжки. Но ведь смыв собаку в унитаз, никак не ожидаешь найти ее над плитой у соседки на кухне. Я уже мысленно похоронила несчастное животное в канализационной трубе.

— Бонечка! — всхлипнула я. — Как здорово, что ты вернулся!

— Вы знакомы с крысой? — удивилась Жанна.

— Это собачка, — сказала Киса. — Хуху-ча.

— Чихуахуа, — машинально поправила Роза Леопольдовна. — Ума не приложу, как Боня здесь очутился?

— Непременно поинтересуйтесь у Мирона, к какой трубе он подсоединил «Розовое счастье». Вероятно, парень перепутал канализацию с вентиляцией. Представляете, что получится, если кто-нибудь смоет в унитаз продукты собственной жизнедеятельности? Отходы человеческого организма выдует к Златовой в кастрюлю!

Краузе покраснела.

— Мирон высококлассный специалист, его приглашали работать с космонавтами. И...

Роза Леопольдовна замерла с полуоткрытым ртом.

— Ничего не понимаю, — протянула Жанна. — Так откуда вы знаете крысу? И вообще, о чем вы говорите? Кто такой Мирон? Боня?

— Боня — хуху-ча, собачка, — повторила Киса.

— Многоуважаемая Жанна, — тошнотворно сладким, как патока, голосом завела Краузе, — малышке не стоит рассматривать грызуна, она хочет поиграть со своей плюшевой собачкой хуху-ча по имени Боня. Не могли бы вы отвести ребенка домой? Вот ключи. А мы тут с Лампой пока разберемся с проблемой. Впрочем, если хотите помочь, извольте держать животное за хвост, я отправлюсь с крошкой наверх.

Златова быстро схватила ключи и скомандовала:

— Пошли, Киса!

— Хуху-ча, — попыталась сопротивляться девочка, — Боня.

— Ступай с тетей Жанной, детонька, — прокурлыкала Краузе.

Златова взяла малышку на руки.

— Хочешь посмотреть мультики? Включу тебе телевизор.

Когда соседка унесла ребенка, я вопросительно посмотрела на няню. Та заговорщицки зашептала:

— Ни в коем случае не говорите соседке, что в вытяжке собака Эжени.

— Почему? — не поняла я.

Краузе сложила руки на груди.

— Лампа, вы умная, но одновременно такая глупышка. Уж простите за откровенность, хитрости у вас никакой. Оглянитесь! Очиститель воздуха сломан, адсорбент рассыпан, вокруг грязь. Златова узнает, что безобразие устроил Боня, и заставит вас оплачивать ущерб, делать ремонт. А с домовой крысы денег не слупить.

Послышался звук капающей воды. Я увидела, как из левого угла вытяжки потекла тоненькая струйка, и спросила:

— Что это?

— Наверное, Боня описался, — вздохнула няня. — Делаю предположение, опираясь на положение головы собаки — она справа, а капает слева. Наша стратегия: отрицаем, что в вытяжке наш Боня, сообщаем о поимке крысы. Мол, замотали грызуна в одеяло и отнесли на помойку. Тогда деньги семьи останутся в целости и сохранности.

Я не успела ответить, раздался щелчок, и в кухне погас свет.

— Ну вот! — подпрыгнула Роза Леопольдовна. — Неприятности ходят косяком. Боня описался, моча замкнула провода, придется еще за них платить. Очень вас прошу...

Но мне не удалось услышать просьбу няни. Боня неожиданно взвизгнул, и в ту же секунду вытяжка с грохотом упала на плиту, развалившись на несколько частей, а из отверстия, образовавшегося на ее месте в потолке, хлынула вода.

— Мама! — завизжала Роза Леопольдовна и отпрыгнула к двери.

Я же, наоборот, кинулась к руинам вытяжки, выхватила из них дрожащего Боню, который чудесным образом избавился от цементного панциря (только на спинке песика осталась пара засохших кусочков), бросилась в коридор, но поскользнулась в образовавшейся на полу луже и шлепнулась. Боня вывернулся из моих рук, предпринял попытку удрать, но запутался передними лапами в свисавшей со стола скатерти. Кружевная ткань сползла на меня, а вместе с ней на мою голову свалились сахарница и вазочка с печеньем.

— Ой-ой-ой! — заголосила Жанна, заглядывая в кухню. — Что тут произошло?

— Некогда объяснять. Отнесу крысу в мусорник... — живо среагировала Краузе и испарилась, утаскивая ошалевшего Боню.

Златова достала из кармана телефон, положила его на стол, открыла шкафчик под мойкой и начала в нем рыться. Мобильный издал бравурную мелодию.

— Будь добра, ответь на вызов, у меня руки мокрые, — попросила Жанна. — Спроси, кто это, и скажи, что через полчасика я перезвоню.

Я встала и взяла трубку в забавном розовом чехле в виде конфеты.

В ухо ворвался грубый мужской голос:

— Гони мои деньги!

— Кто это?

— Не прикидывайся! Отдавай бабло!

— Извините...

— Хорош из себя дуру корчить, грины отслюнивай! Я не виноват, что его убили. Приехал, а мужик уже лежит. Не заплатишь, я уговор выполню. Тебя переезду!

Усекла? Ты чего обещала, а? Собью парня машиной, мне три куска. А че я получил? Короче, сегодня в девять. Иначе ты меня на всю жизнь запомнишь!

Далее понеслась матерная брань, затем абонент отключился.

— Что здесь произошло? — удивилась соседка. — Почему повсюду лужи?

— Тебе звонил какой-то хам, — пробормотала я, — требовал деньги, говорил про какого-то парня, которого следовало машиной переехать.

Златова нахмурилась.

— Ерунда, ошиблись номером. Связь отвратительно работает, вечно посторонние звонят.

И тут, словно в подтверждение ее слов, трубка вновь ожила. Жанна схватила ее и вышла из кухни.

Я подождала пару секунд, затем на цыпочках двинулась следом. Длинный коридор оказался пуст, я осторожно шла по нему и услышала из-за двустворчатой двери громкое сопрано Златовой:

— Хорош меня пугать! Да, да, да. Сам идиот! Опоздал хрен знает на сколько. Ха! Еще чего! В другой раз прикатывай вовремя. Шиш тебе, а не бабло. Нет, договор не выполнен. И что? Ты должен был изобразить наезд на Вениамина. Дело не сделано — денег нет. Рада, что мы друг друга поняли. Еще раз позвонишь... без башки останешься. Усек, зайка? Более я с тобой дел не имею. Оревуар, кретино!

Я не успела отскочить от двери, она распахнулась, на пороге появилась Жанна. Увидев меня, она стиснула губы, потом спросила:

— Ты чего тут делаешь?

— Подслушиваю, — ответила я.

Златова сдвинула брови.

— Хорошо, хоть не врешь.

— Солгала бы, да не сообразила, как это лучше сделать, — в тон ей заявила я. — Надеюсь, и ты сейчас не станешь фантазировать. Кто требует у тебя денег? Что означают твои слова «изобразить наезд на Вениамина»?

Златова молча направилась в кухню, я за ней.

— Можешь не отвечать, но я поняла: речь шла о Подольском. Вы с Еленой отвергли идею с выстрелом, решили инсценировать ДТП, так? Теперь ясно, по какой причине мой подопечный остановился посреди дороги и начал топтаться на месте — он ожидал машину.

— Какая теперь разница, кто чего хотел, — вздохнула Жанна. — Подольский погиб.

— Немедленно рассказывай о вашей задумке! — потребовала я.

Жанна включила кофемашину, но та не заработала. Я объяснила, что свет внезапно погас, Златова побежала в прихожую, включила пробки и вернулась.

— Елена не в курсе. Это была договоренность между мной и Вениамином. И не смотри на меня так. Полагаю, ты и сама не святая. Мне нужны деньги, нынешний год в финансовом плане выдался неудачный, заработка почти нет.

— Но ты устроила шикарный день рождения, — напомнила я.

Златова пошла к холодильнику.

— Я же коннектер, поэтому просто обязана демонстрировать окружающим, сколько значительных людей имею в друзьях, доказывать, что успешна. К бедному, никому не нужному человеку не подойдут с просьбой познакомить с влиятельным чиновником, а ко мне побегут. Ведь у меня на празднике пели-плясали министры, замминистры, подминистры, жены чиновников, любовницы губернаторов и прочие. Закатывать пышные вечеринки раз в три месяца — это моя работа, а не прихоть. И обычно после пьянки-гулянки возрастает поток заказчиков. Но в этом году прямо лажа какая-то, поэтому я обрадовалась, когда Подольский ко мне обратился. Елена ему первый раз конкретно отказала, назвала его идею с покушением бредом и выставила чудака за порог. Тогда этот фрукт соединился со мной, телефон-то мой в Интернете легко найти, и предложил: «Займитесь моей раскруткой. Заплачу сполна наличными, есть гениальный план». Я ему ответила: «Вы уже обращались в агентство. Если думаете, что я возьмусь за постановку спектакля с выстрелом в вас, то ошибаетесь». Знаешь, что он ответил?

Глава 27

— Полагаю, предложил очередной «креатив», — догадалась я. — На сей раз речь шла о наезде?

— Угадала, — хмыкнула Златова. — Занудил: «Я готов признать свою ошибку. Не продумал пиар-компанию с выстрелом. Сейчас план получше. Смысл такой: меня преследует фанат, возмущенный сюжетом романа «Нежность», пишет записки с угрозами. Я обращаюсь к частным детективам. Они все дураки, уволенные за пьянство сотрудники полиции, ничего в сыскном деле не смыслят, максимум, на что способны, это вести слежку за неверными женами...»

Жанна детально излагала план Подольского, и мне стало ясно: я не ошиблась, когда предположила, что, изображая падение и жалуясь на травмированную ногу, Вениамин хотел заполучить глупенькую, испуганную свидетельницу покушения на «великого литератора». Аферист рассчитывал, что я не запомню ни малейших подробностей инцидента. И, в принципе, не ошибся, я ведь даже не смогла как следует рассмотреть ни лицо убитой женщины, ни внешность того, кто унес труп. А Жанна все говорила.

— Он предложил мне очень хорошие деньги. Кто же от сладкого куска откажется?

— За что платил Подольский? — уточнила я.

Златова опустила глаза.

— Вениамин ранее видел меня в агентстве Елены, знал, что я коннектер, поэтому сказал: «Ваша задача найти шофера. Я в курсе, что вы общаетесь с разными людьми, непременно отыщете человека, согласного на все».

Жанна умолкла, а я отодвинула пустую чашку.

— Все понятно. У тебя напряженка с финансами, а Елена, человек осторожный, не станет рисковать, не согласится на глупую авантюру, снова откажет Вениамину. Поэтому ты решила действовать самостоятельно — взяла предложенный гонорар и договорилась с каким-то парнем. Так?

— Ничего плохого я не сделала! — стала оправдываться Жанна. — Пиарщики постоянно что-то подобное придумывают. Знаю одну певичку, которая пару месяцев ходила с накладным животом и раздавала направо-налево интервью о долгожданной беременности. А потом, вот беда, «потеряла» ребенка и опять стала общаться с прессой, теперь уже изображая горе. С Подольским ничего страшного не должно было произойти, всего лишь инсценировка наезда...

Подробности аферы из Златовой сыпались как из рога изобилия. Я внимательно слушала...

В качестве шофера она подобрала опытного каскадера. Да, он пещерный хам, грубиян, но ас в своем деле, во многих кино- и телефильмах выполняет трюки. Клиенту лишь следовало в нужный момент упасть, изобразить обморок. Мне по сценарию отводилась роль свидетеля — я перепугаюсь, начну кричать...

Вечером я приду в ресторан на день рождения Жанны и столкнусь там с Вениамином. Тот воскликнет:

— Как я рад тебя видеть! Вот неожиданная встреча! Мне повезло, а ведь могло быть иначе, лежал бы сейчас в морге. Жаль, что псих умчался. Но он непременно предпримет другую попытку меня сбить. Надо мной нависла опасность.

Ну и так далее, и тому подобное.

Именинница «случайно» услышит слова Вениамина и начнет сыпать вопросами: почему он говорит о морге? О каком сумасшедшем идет речь? Подольский расскажет историю с угрозами и про попытку сбить его автомобилем. Лампа без колебаний подтвердит его историю. Златова «ужаснется», выхватит у ведущего микрофон и предложит тост за талантливого писателя, счастливо избежавшего смерти от руки идиота, которому не понравился его эротический роман.

В ресторане будет много сплетников, журналистов, ведь на тусовках Жанны вечно толпится тьма народа. Веня притащит из машины пачки своих книг и станет их раздавать с автографами. Люди, обожающие халяву, расхватают роман. Пресса постоянно ищет подобные истории, газеты растрезвонят о наезде. А кое-кто из репортеров еще и перелистнет страницы подаренной книжонки. Повествование начинается весьма откровенной сценой, так что определенно найдутся поборники морали, которых она возмутит. Они выскажут свое мнение в Интернете, назовут опус порнографией. После такой оценки на писанину Подольского точно поднимется спрос...

— Можешь дальше не продолжать, — поморщилась я. — Роскошный план, но он пошел прахом, потому что шофер опоздал.

— Этот идиот попал в пробку! — гневно воскликнула Жанна. — Прикатил, когда Вениамина уже убили. А теперь он звонит мне, угрожает, требует деньги за работу. Удивительное нахальство! У людей сегодня не осталось ни чести, ни достоинства, ни благородства. Ни фига не сделал, а хочет, чтобы я заплатила.

— Значит, Елена ничегошеньки не знала о наезде? — уточнила я.

— Нет, — кивнула Златова.

Я удивилась.

— Вот интересно, ты на своем дне рождения слегка переборщила со спиртным, я зашла в комнату, где ты отдыхала, и поболтала с Крестовой. Так вот, Елена сказала, что Вениамин недавно пришел к ней во второй раз и согласился на стандартную раскрутку.

— Ну да, — без особой охоты признала Жанна, — верно.

— Зачем же ему понадобилось ее агентство, если вы с ним договорились устроить спектакль на дороге? — не поняла я.

Жанна сложила руки на груди.

— Я могу организовать разовую акцию, а длительную кампанию — нет, это не мой профиль. Но одного происшествия не хватит, чтобы надолго привлечь внимание прессы, любая новость живет не больше недели. В случае с Вениамином это была бы сенсация на пару дней, не больше. Авария — хороший старт, Елена же стала бы дальше планомерно работать с Подольским. Конечно, выстрел никуда не годился — при холостом патроне сразу будет понятно: это лажа. А машина... Ну да, была и уехала. Какие еще у тебя вопросы?

— Ты не подумала, что Крестова заподозрит неладное, услышав на тусовке охотничий рассказ Подольского? — не отставала я. — Елена могла обидеться на тебя.

Златова вскинула подбородок.

— У нас с ней прекрасные отношения, но она чистоплюйка, к тому же в деньгах не слишком нуждается. Ленка не дура, естественно, сразу сообразила бы, что с наездом нечисто, но дело-то уже будет сделано — договор с Подольским подписан, обратной дороги нет. И выходит: я при бабках, Крестова с заказчиком, Вениамин получил, что хотел. Кому плохо?

— Подольскому, — ответила я. — Он в морге.

— Этого не планировалось, — вздохнула Жанна.

— И ты позаботилась о прессе, — продолжила я, — позвала на место происшествия журналиста.

— Кого? — искренне удивилась Златова.

Я рассказала ей о парне, который сидел на улице в машине, а потом нагло рвался в каморку консьержа. Завершила монолог словами:

— Пожалуйста, только не ври, что понятия не имела о репортере.

— Вот мерзавец! — с чувством произнесла соседка. — Можешь, конечно, мне не верить, но я не знала об этом журналисте. Больше того, когда Вениамин предложил: «А давайте подгоним к месту ДТП кого-нибудь с фотоаппаратом? Пусть сделает снимки», — я запретила ему даже думать о папарацци. Сказала: «Будет один свидетель, Евлампия. Ты лучше правильно проведи разговор в агентстве Вульфа. Нужно, чтобы именно она сидела в подъезде вместо дежурного, а не профессиональный секьюрити. Романова не запомнит подробности, а фотоаппарат может зафиксировать что-то не то. И потом, как ты объяснишь репортеру, зачем он тебе нужен? Заявишь, мол, зову вас полюбоваться на то, как меня хотят убить?» Вениамин начал спорить: «Заплачу корреспонденту какого-нибудь издания хорошую сумму, введу его в курс дела. Мне нужен громкий пиар!» Ну не дурак ли? Журналюга возьмет деньги, а потом напьется и проговорится, или вообще начнет дурака Веню шантажировать. В общем, я это все Подольскому доходчиво растолковала, и мне показалось, что он отказался от тупейшей затеи. И что? Гаденыш меня обманул!

По лицу и шее Жанны поползли красные пятна. Я молча смотрела на нее. Даже самой лучшей актрисе не по плечу управлять реакцией кожи. Похоже, соседка и впрямь понятия не имела о папарацци. Здорово у них вышло: Жанна обвела вокруг пальца Елену, а Златову обдурил Подольский. Вспоминается поговорка: вор у вора дубинку украл.

Неожиданно мне стало обидно:

— Ага, а в агентство Макса ты посоветовала Вене обратиться, потому что сочла Вульфа непрофессиональным человеком, способным только следить за неверными супругами... А я его жена, по твоему разумению, глуповатая блондинка... Ладно, проехали. У тебя есть предположение, кто мог стрелять в Подольского?

Жанна пожала плечами.

— Нет. Хотя Вениамин был страстным бабником. При мне ему один раз звонил какой-то мужик, похоже, разъяренный супруг очередной его пассии. Обещал ноги выдернуть. Подольский с ним поговорил и заржал: «Вот балбес! Надо жену на привязи держать, а не на меня собак спускать». Думаю, чей-то ревнивый муж в него и пальнул.

— Ты знаешь, где Веня работал? — остановила я соседку.

Златова подняла брови.

— Видимо, занимался каким-то бизнесом. Во всяком случае, деньги за работу он мне выплатил без писка, не торговался, когда я озвучила сумму.

— Название своей фирмы он тебе не сообщил? — хмыкнула я.

Жанна усмехнулась.

— Знаешь, Лампа, если я буду ковыряться у людей в печени, ко мне никто не обратится. Я не налоговая полиция. Имеешь средства для оплаты услуг? Отлично, я свожу тебя с нужными людьми. Нет средств? Извини, шагай лесом. Но на какой поляне растет твое денежное дерево, меня совершенно не касается. Вениамин был ходок, вам надо искать ревнивого супруга.

Я навострила уши.

— Ты решила, что Подольский ловелас, по одному телефонному звонку?

Жанна улыбнулась.

— Дорогая, это же видно. Он ощупывал взглядом всех попадавшихся ему на пути женщин, машинально говорил комплименты, распускал хвост, если рядом оказывалась интересная дама. Уж поверь, я отлично знаю мужиков. Некоторые из них, узнав о неверности жены, способны на резкие поступки. И брошенные бабы тоже злые гадины. Напротив дома Подольского есть кафе, мы там обсуждали пиар-акцию. Зал небольшой, а народу битком. Хозяин — кажется, Веня его Арамом назвал — нас посадил у окна. Сидим, разговариваем. Вдруг в кафешку врывается баба и начинает орать на Подольского. Я растерялась, Вениамин попытался успокоить скандалистку, хозяин позвал охранника, и дурочку поволокли к выходу, а она все кричала: «Убью тебя! Насмерть! Разлюбил меня, так и другой не достанешься!» Может, она выполнила свою угрозу? Подольский здорово в лице изменился, когда ее вопли услышал. В общем, шерше ля фам, Лампа. Или ревнючего мужа этой самой фам. Поговори с владельцем кафе.

* * *

Трактир, о котором говорила Жанна, назывался «Диана» и был полон народа. В маленьком зале почти впритык стояло двенадцать столиков, застеленных бумажными скатертями, и за каждым сидели люди.

— Пообедать хотите? — спросил симпатичный черноглазый мужчина. — Если не торопитесь, можете подождать у стойки, выпьете капучино за счет заведения.

— Спасибо, — обрадовалась я и вскарабкалась на высокий стул. — Ваш ресторан пользуется популярностью, пора расширяться.

Хозяин включил кофемашину, продолжая говорить:

— На кухне распоряжаются мама и две мои сестры. Они великолепно готовят, но с большим объемом блюд не справятся. Если же нанять повара, еда станет не такой вкусной. И большой бизнес требует больших усилий, а я хочу иметь время на личную жизнь.

— Совершенно с вами, Арам, согласна, — кивнула я, принимая из его рук чашку. — Капучино выглядит замечательно — вы нарисовали на пенке собачку. Как вы догадались, что я люблю животных?

— Я Карен, — улыбнулся собеседник, — Арам мой брат. Простите, не могу вспомнить ваше имя. Вы бывали у нас раньше, раз Арама видели?

— Приходила сюда пару раз с Подольским, — заулыбалась я. — Зовут меня Евлампия, но предпочитаю откликаться на Лампу.

Карен облокотился о стойку.

— Вроде я вас раньше не встречал. Вы знаете, что произошло с Вениамином?

Я изобразила изумление:

— А что такое?

Карен схватил полотенце и принялся рьяно полировать столешницу.

— Подольский к вам больше не заходит? — продолжала я. — Пытаюсь до него дозвониться, а он не отвечает. Хотела оставить ему под дверью на коврике записку, но консьерж в подъезд не впустил.

— Как вам капучино? — перевел разговор на другую тему Карен.

Я закатила глаза.

— Восхитительный! Если знаете, где Вениамин, скажите, пожалуйста. Он мне очень нужен.

— Слезьте с табурета, — неожиданно велел хозяин. — А то одна тут уже упала, когда увидела...

Карен замолчал. Я вынула удостоверение и тихо произнесла:

— Я расследую смерть Подольского, простите за спектакль. Кто у вас рухнул со стула, узнав, что он убит?

Карен укоризненно щелкнул языком.

— Зачем себя так вести? Можно было сразу сказать, что вы из полиции. Вас смутила моя национальность? Решили, что Енгибарян гастарбайтер, не захочет сотрудничать? Я коренной москвич, в паспорте постоянная регистрация. Вениамин жил в доме напротив и сюда частенько заходил, обедал-ужинал. Очень приятный интеллигентный человек, известный писатель. Книгу мне свою подарил с автографом, обещал в следующем романе похвалить мое кафе. Я ему двадцатипроцентную скидку сделал. Прекрасный клиент, не шумел, не скандалил, пьяным не напивался, заказывал бокал сухого вина, и все.

— Но один раз сюда вбежала какая-то особа и накинулась на него, — напомнила я.

Карен опять включил кофемашину.

— При мне такого не было. Может, когда мы с семьей отдыхать ездили? В кафе тогда Арам работал, брат жены, а на кухне свояченица с дочкой хозяйничали, выручили нас.

— Можно с Арамом побеседовать? — тут же спросила я.

— Так он в Армении, — пояснил Карен. — Специально в Москву приезжал, чтобы нас в Италию отпустить, каждый год так делает. Мы вернулись, Арам назад улетел.

— Телефончик его скажете? — не сдалась я.

Карен улыбнулся.

— Шурин в селе живет, в горах, у них сотовой связи нет. Со мной раз в два-три месяца связывается, когда в город выбирается. Может, кто и поскандалил здесь, но при мне дебоша не случалось. Вениамин иногда приходил с пожилой дамой, они мило беседовали, смеялись. Платила всегда она. Может, родственница? Еще один раз с ним была женщина лет сорока или чуть больше, дорого одетая, похоже, богатая. Тогда Подольский сам деньги за еду отдал. Приятная дама. Сказала мне: «В прошлый раз у вас не так вкусно кормили. Повара поменяли?» Я ответил: «Нет, мы с семьей уезжали, брат готовил. Теперь он в Армению к себе домой уехал, снова моя жена у плиты». Дама засмеялась: «У нее еда намного вкуснее, чем у вашего брата, получается». Этой спутнице писателя очень сациви понравилось. Три порции домой взяла, вот я ее и запомнил. Вениамин не из тех, кто с дамами скандалит. Уж поверьте, я в людях разбираюсь. И он ко мне с другими женщинами не приходил, только с теми был, о ком я сейчас рассказал. Порядочный человек, не потаскун.

— А с высокого табурета кто упал?

Карен поставил бокал около кофемашины.

— Незнакомая мне посетительница, уже в возрасте, лет шестидесяти. И она не Подольского ждала.

— Но свалилась со стула, когда узнала, что Вениамин убит? — уточнила я.

Карен поставил передо мной фужер латте.

— Вы в полиции служите, привыкли к трупам. Обычный же человек пугается, если кто на его глазах умирает. Мне самому чуть плохо не стало, когда я понял, что стряслось. Та женщина вошла незадолго до происшествия. Мест свободных не было, и я ей, как вам сегодня, сказал: «Если не торопитесь, можете подождать у стойки, выпить кофе за счет заведения. Через пару минут освободится столик у окна, гости уже десерт доедают. Вы одна?» Она ответила: «Сейчас подойдут еще двое. Хорошо, пока вы стол накроете, я здесь посижу». Было видно, что дама нервничает, все прыскала себе в рот из флакончика. Знаю это лекарство, гомеопатическое успокаивающее, им моя мама пользуется. Я помог ей сесть на стул, сварил капучино. Ставлю чашку, а она на нее ноль внимания. Вытянула шею, уставилась в окно. Мне любопытно стало, что ее так заинтересовало, я посмотрел на улицу и увидел Вениамина. Тот как раз переходил дорогу. Под руку с ним шла, повернув голову к Подольскому, стройная блондинка, лица ее я не разглядел. Подумал было, что писатель ко мне направляется, он очень медленно шел, а потом прямо посередине проезжей части замер. Пару нагнала какая-то девушка, поравнялась с Подольским. И тут, как в кино, все трое упали на асфальт. Я в первый момент не понял, что случилось. И вдруг вопль сзади: «Убили!» Затем — бух! Оборачиваюсь, а дама лежит на полу. Посетители зашумели. Сын примчался. Он в моем кабинете находился, там окна на дорогу выходят, так что хорошо все разглядел, закричал: «Папа, там людей застрелили». Клиенты врассыпную кинулись, заплатить по счету забыли. Мы даму подняли, отнесли в офис, положили на диван. Сын стал вызывать «Скорую». И тут у гостьи заработал мобильный. Я решил, что ее разыскивает кто-то из близких, и ответил на вызов. Но не успел ничего сказать, звонивший мужчина заговорил первым: «Диана, все в порядке, никто не пострадал. Мари просто упала...» Я его остановил: «Вы беседуете с хозяином кафе «Диана», владелица мобильного в обмороке...» Договорить мне не удалось, посетительница резко села, выхватила из моей руки трубку и закричала: «Где она?» Не требовалось большого ума, чтобы сообразить: клиентка ждала кого-то из женщин, упавших на дороге. Видно, ее успокоили, дама несколько мгновений молча слушала собеседника, потом сказала: «Слава богу, я чуть не умерла». Затем спрятала трубку, отказалась ждать «Скорую» и быстро ушла.

— Вас же опрашивали после происшествия, почему вы не рассказали про клиентку и свое знакомство с Подольским? — возмутилась я.

Карен смутился.

— Ни с кем из полиции мы не встречались. Как только я понял, что Вениамина убили, сразу закрыл кафе, повесил на дверь табличку «Простите, в связи с техническими проблемами мы сегодня не работаем» и увез маму с сестрой домой. Женщины очень напугались. Да они ничего и не видели, окно кухни во двор выходит.

— Ясно... — протянула я. — Вы хорошо запомнили имя потерявшей сознание дамы?

— Позвонивший по телефону мужчина сказал именно «Диана», — подтвердил Карен. — Мою маму так же зовут, поэтому наше кафе называется «Диана». И я сразу узнал в посетительнице армянку. Садитесь за столик, покормлю вас обедом за счет заведения.

Я отказалась от бесплатной еды, вернулась в машину и поехала к Ирине Богатыревой, мастерице, сшившей фейковую сумку от «Джузеппе Риви». Но, конечно же, попала в пробку.

Лента автомобилей еле-еле тащилась по шоссе, и чтобы не задремать, я включила радио. Из динамика полилась заунывная песня: «Зачем ты мне всю правду, всю правду рассказал...» Сон мигом улетучился, в голове возник вопрос: а почему Жанна так легко и охотно рассказала мне всю правду о спектакле с наездом? Не стала врать, потому что я случайно услышала слова шофера, а потом еще и погрела уши у двери, когда она с ним ругалась? Или Златова решила: раз уж Евлампии многое известно, не стоит отпираться? А может, откровенность соседки имеет какую-то другую причину?

Глава 28

Ирина продержала меня минут пять на лестничной клетке — расспрашивала, кто дал мне ее телефон и адрес. Наконец дверь распахнулась, хозяйка стала любезной.

— Проходите. Туфли не снимайте. Не обижайтесь, сейчас страшно впускать в квартиру незнакомого человека, а вы не постоянный клиент.

— Мне и в голову не придет дуться, вы молодец, что так бдительны, — похвалила я Богатыреву. — Долго ждать заказанную сумку?

Ирина толкнула дверь комнаты.

— Смотря что вы хотите. Если стандартный «Луи Виттон», «Шанель», «Валентино», то я управлюсь за довольно короткий срок. Но если вам нужен эксклюзив, тогда точный срок не назову. Может, вы припасли фото изделия?

Я села к круглому столу и открыла айпад.

— Вот. «Джузеппе Риви».

Богатырева почесала бровь.

— Ну, такое я мастерю три месяца. Надо изготовить фурнитуру, а ювелир у меня работает медленно, тщательно. Но вам повезло, я делала недавно такую модель. Заказчица сначала выбрала замок-змею, и я его заказала, но она передумала, ящерица ей больше по вкусу пришлась. Вот кобра и осталась в мастерской. Если вам этот вариант подходит, то через месяц получите сумку. Давайте я вам покажу застежку.

Ира открыла секретер, вытащила ящичек и поставила передо мной.

— Любуйтесь.

— Очень красиво, — одобрила я. — Но это же не платина!

Богатырева рассмеялась.

— И кожа не настоящий крокодил. Если у вас в банке километровые счета, то идите в бутик, там вам предложат и золото, и бриллианты, и любые натуральные материалы. Я не скрываю, что шью подделки, но они у меня наилучшего качества, ваша новая сумочка ничего общего с катастрофой, продающейся в переходах и у метро, иметь не будет. Кобра из простого металла, но обработана особым образом, смотрится прекрасно, а кожзам не отличить от крокодила.

— На словах звучит здорово, но мне хочется взглянуть на готовое изделие, — закапризничала я.

Ирина развела руками.

— Сумка давно у клиентки. Сейчас покажу ее фото.

— На снимке все будет выглядеть суперски, а в реальности окажется иначе. Хочу увидеть вашу работу воочию. Дайте телефон заказчицы. Позвоню ей, попрошу показать сумочку, — глупо заулыбалась я.

Мастерица покачала головой.

— Нет. Сведения о заказчиках не разглашаются. Вам понравится, если я расскажу, что вы купили копию брендового изделия? Не доверяете мастеру — ваше право, у меня клиентов хватает, и большинство из них постоянные. Давайте мирно разойдемся.

Я быстро «перелистнула» айпад.

— Вот эта девушка купила ящерицу?

На лице Богатыревой появилось удивление, между бровями залегла сердитая складка.

— Кто вы?

— Только не пугайтесь, — попросила я, вынимая удостоверение. — Не собираюсь никому рассказывать о вашем незаконном бизнесе. Женщину, которая изображена на снимке, убили, мы не знаем ее имени. Представляете, как волнуются родственники несчастной? Ищут дочь или жену, а она в морге, безымянная.

— О боже! Саша умерла! — ахнула собеседница. — Как?

— Ее застрелили, — уточнила я.

— Кто? — чуть слышно спросила Ира. — Этот хмырюга, да? Я ее предупреждала: странный тип, держись от него подальше. Ох, господи, господи...

Я провела пальцем по экрану.

— Вы хорошо знали погибшую? Здесь снимки из ее телефона. Понятно, что она их делала сама, фиксировала, как изменяется ее внешность. Вы знали, для чего ей понадобилось стать другой?

— Сейчас приду, — бросила Богатырева и убежала.

Вернулась она минут через десять. Покрасневшие глаза и распухший нос свидетельствовали о том, что она только что плакала, и в комнате сильно запахло валерьянкой.

— Если я расскажу вам правду, убийцу посадят? — спросила Ирина.

— Человека, втянувшего девушку в плохое дело, непременно накажут, — ушла я от прямого ответа.

Богатырева села на диван.

— Я никогда его не видела, но Сашенька о нем рассказывала, хоть мерзавец и запретил ей с кем-либо делиться. После того, как подруга приняла его предложение, мы поругались, она уехала...

— Давайте с самого начала, — попросила я. — Александра ваша близкая знакомая? Как ее фамилия?

— Рудакова, — после короткой паузы ответила мастерица. — Но последние пять лет она жила под псевдонимом Лансерэ. Паспорт не меняла, просто так представлялась.

— Красиво и звучит по-иностранному, — одобрила я.

Богатырева неожиданно улыбнулась.

— Саша ребенок и безудержная фантазерка. Мы с ней вместе приехали в столицу из Нижне-Егорьевска, городка, расположенного на обочине цивилизации и прогресса. Там свои нравы. Скажем, если девушка в двадцать лет не вышла замуж, то уже считается старой девой. Окончила школу? Перед тобой два пути: или на фабрику стиральных средств работницей, или на фабрику стиральных средств в администрацию. Кто поумнее, поступал в училище при предприятии и со временем становился итэром. Больше работать в Нижне-Егорьевске негде. Мужики все поголовно пьют, бабы рожают детей. Предел мечтаний — купить собственную двушку, дачку, машину. Мои предки считают себя сверхуспешными людьми — отец замдиректора фабрики, а мамуля сидит на фазенде, сажает овощи-фрукты, закатывает банки. У Александры отца нет, мамашка квасила по-черному, Саша у нас дома почти поселилась. Папа хороший человек, не гнал мою лучшую подругу вон, куском не попрекал, даже одежду ей покупал. И все повторял: «Девочки, пока я жив, устрою вашу судьбу, будете на фабрике начальницами. Получите аттестаты — пойдете в училище». Но нам с Сашей не хотелось гнить в Нижне-Егорьевске.

Я молча слушала Иру. Сколько таких девочек из провинции приезжает каждый день в столицу и замирает на привокзальной площади от восторга и страха — вот она, желанная Москва! Ну и куда идти? Где жить? Как заработать денег? Чаще всего на эти вопросы нет ответов.

А вот у двух подружек из крохотного городка имелся четкий план: обе мечтали попасть в мир моды. Ира хотела стать великим модельером, как Коко Шанель, не меньше. Саша мечтала заниматься макияжем, прическами. И, в отличие от многих других абитуриентов, девочкам повезло, обе поступили в те учебные заведения, куда хотели. Ирочка получила диплом дизайнера одежды и аксессуаров, попала на работу к известному московскому кутюрье, а вскоре начала шить фейковые сумки. Саша выучилась на стилиста, работала в салоне. Девушки жили вместе. Они стали модно одеваться, ходить в клубы, ездить отдыхать за границу. Раз в году подружки приезжали в Нижне-Егорьевск, встречали своих одноклассниц, потолстевших, постаревших, замороченных бытом, детьми, и понимали, что на их фоне просто красавицы, феи. Можно было порадоваться тому, как хорошо складывается жизнь. Но и Богатырева, и Рудакова были недовольны. Ире хотелось создать собственную коллекцию сумок, презентовать ее в Париже. Саша мечтала попасть в команду мастеров, которая готовит моделей к показу все в той же Мекке международной моды. Молодые женщины решили перебраться во Францию и связались с одной знакомой, манекенщицей Наташей, которая пару лет назад уехала в город на Сене. Наташа объяснила подругам, что жизнь в Париже не так уж радужна.

— Снять квартиру в историческом центре дорого, и она будет маленькой, с низким потолком и крошечной ванной. Поэтому вы поселитесь в дешевом квартале, где живут эмигранты и беднота. Счета за электричество пугающие, французы экономят на всем, зимой стараются как можно реже включать отопление и стирают белье в общественных прачечных. На работу устроиться очень трудно, нужны знакомства. Я служу продавщицей в дорогом бутике, но здорово помыкалась, прежде чем попала туда. Если вы твердо намерены перебираться в Париж, вам придется выучить французский и иметь хороший денежный запас, чтобы продержаться на плаву, пока не найдете работу.

Саша и Ира решили отправиться за рубеж через два года и принялись активно готовиться. Девушки записались на курсы иностранных языков, включили режим строжайшей экономии, тратили деньги лишь на самое необходимое, откладывали каждую копейку и искали нужные знакомства.

Некоторое время назад Сашенька прибежала домой в крайне возбужденном состоянии и бросилась обнимать подругу.

— Мы скоро уедем в Париж! — объявила она. — Будем жить в хорошей квартире, получим прекрасную работу. Я познакомилась с человеком, который нам поможет.

— Хотелось бы, — вздохнула Ира. — Ты встретила добрую волшебницу? Пора спешить в магазин за тыквой и ловить мышей? Тебе предстоит ехать на бал к принцу?

Саша рассмеялась.

— Почти.

— Рассказывай, — приказала Богатырева. И услышала фантастическую историю.

У них с Сашей есть общая клиентка Жанна Златова. Она занимается тем, что знакомит людей. Ну просто не тетка, а волшебная палочка, сведет вас с тем, кто непременно решит вашу проблему. Услуги Златовой дороги, но они того стоят. Жанна нравилась подругам. Клиентки встречаются разные. Вот у Саши, например, некоторые, как сядут в кресло, так и заноют: «Все плохо, жизнь не удалась, денег мало», потом достанут платиновую визитку и в кассе не оставят чаевых. Жанна же всегда весела, приветлива. И, когда у нее деньги есть, хорошую сумму мастеру в карман кладет, не скупится, обязательно подарочек на Новый год, Восьмое марта принесет. Мелочь, а приятно.

— У Златовой бывали проблемы с финансами? — уточнила я.

— А у кого их нет? — фыркнула Богатырева. — Если с людьми работаешь, жди нервотрепки и качелей с рубликами, когда в кармане то густо, то пусто. Вот у меня, например, то куча клиенток сумки заказывает, то полгода без работы сижу. Думаю, у Жанны такая же ситуация. Она порой Саше звонила и просила: «Покрась и постриги меня в долг, надо хорошо выглядеть». Подруга ей никогда не отказывала, и макияж делала, и прическу, понимала: Златова же, так сказать, лицом торгует, а народ с оборванкой связываться не станет.

Жанна у меня сумку купила, сказала: «Возьму любую, но чтобы она в глаза ценой била». Очень удачно получилось: меня как раз заказчица подвела, я ей «Биркин» из кожи страуса сварганила, а тетка рожу скорчила и не взяла. Златова расплатилась через месяц и даже чуток сверху набросила за то, что ей в долг изделие дала. Она и за парикмахерские услуги всегда рассчитывалась, поэтому Сашка к ней по-человечески относилась. Когда у Жанны сестра погибла — молодая совсем, в ДТП попала, — Рудакова покойницу причесала, загримировала и ни копеечки не взяла, хотя макияж мертвеца дорого стоит. Ой, такая жуткая история! Сашуля тогда совсем разбитая домой вернулась. Красивая девушка, и умерла. Жанна жутко переживала. Когда гроб из морга выносили, все кричала: «Оставьте Надю, не надо ее увозить!» В общем, караул просто.

— Вы знаете, как звали покойную? — удивилась я.

Ирина поежилась.

— Да, как-то запомнилось имя. Саша рассказала, что до катафалка Жанну проводила, увидела венок в машине, а на нем была лента с подписью «Спи спокойно, Надежда». Это ее прямо перевернуло. После этого подруга постоянно твердила: «Главное, чтобы моя надежда никогда не умирала». Согласитесь, жутковато звучит: похороны надежды.

— Да уж, — пробормотала я. А затем вернулась к интересующей меня теме: — Так с кем познакомилась Саша? Что за человек собирался вам помочь перебраться в Париж?

Ира потянулась к пачке сигарет на столе.

— Саше позвонила Жанна и сказала, что к ней обратился мужчина, некий Илья, которому нужно найти девушку, похожую на одну фотографию. Увидев снимок, Златова сразу поняла: незнакомка здорово смахивает на Рудакову. Илья пообещал заплатить большие деньги.

Александра, не посоветовавшись со мной, согласилась на встречу. Естественно, беседовали они вдвоем, без Златовой, та выполнила свою работу и устранилась. Илья был откровенен, поведал Саше о трагедии в семье Самохваловых, а еще о том, что случилось с ним и его родителями. Мне придется вам его слова повторить, иначе вы не поймете, что к чему. Но это займет не пять минут.

— Я не спешу, — заверила я, — говорите спокойно.

Мастерица завела рассказ...

Глава 29

В коттеджном поселке неподалеку от Москвы живет семья Самохваловых. Ее глава, богатый бизнесмен Петр Ильич, не так давно перенес инсульт и превратился в младенца. Он лежит в специальной клинике, где за ним прекрасно ухаживают, и, вероятно, протянет еще некоторое время, но никогда не восстановится ни физически, ни умственно. Его бизнесом занимается сын Илья, это он встречался с Рудаковой. Дела идут хорошо, но есть нюанс: все права на фирму, сбережения, дома в разных странах принадлежат Диане Варкесовне, жене олигарха и матери Ильи. Она ведет уединенный образ жизни. Диана глубоко верующий человек, соблюдает посты, посещает церковь, ездит по святым местам. Светские же мероприятия игнорирует. Кстати, на всяких тусовках ранее Диана Варкесовна появлялась лишь по приказу мужа. Званые вечера Самохвалова устраивала редко, опять же исключительно в угоду супругу. К вере она пришла после трагедии — двадцать лет назад во время семейного пикника на природе исчезла пятилетняя дочка Самохваловых Мариэтта. Найти ребенка не удалось, спустя отведенный законом срок девочку признали умершей. Но ведь тела ее не обнаружили! Петр Ильич был уверен, что крошка погибла, а вот его жена считала иначе и продолжала искать Мари. Несчастная мать тщательно изучила все окрестности деревеньки, около которой пропала девочка, опрашивала местных жителей, прочесывала шаг за шагом лес. Самохвалов, видя, в каком состоянии супруга возвращается домой, неоднократно просил ее прекратить эти поездки, но Диана, обычно во всем согласная с мужем и никогда ему не возражавшая, резко отвечала:

— Нет. Я знаю, Мари жива, и непременно найду ее.

Петр Ильич надеялся, что рано или поздно боль от потери ребенка притупится и жена станет прежней. Но время шло, а она по-прежнему методично обходила ближайшие села, показывала фото Мари жителям и задавала вопрос:

— Видели такую девочку?

Петр же нашел свой способ справиться с душевной болью, — начал заниматься бизнесом и почти перестал бывать дома.

Кроме Мариэтты у Самохваловых есть еще сын Илья, который на момент исчезновения сестры был подростком. Все мысли матери занимала исчезнувшая дочка, отец поселился в офисе, и старший ребенок остался без присмотра. Илья чувствовал свою ненужность, обижался на родителей и даже удрал из дома. Он надеялся, что мама, заметив его отсутствие, всполошится, станет переживать. Но Диана отреагировала прагматично: обратилась к частным сыщикам, а те объехали московские вокзалы и менее чем за день нашли Илью. Вместо того чтобы обнять-расцеловать вновь обретенного сына, Диана Варкесовна отругала его и лишила сладкого. А Петр Ильич выдрал наследника ремнем и посадил под домашний арест. Илья возненавидел родителей и опять убежал. На сей раз он не стал спать на вокзале, влез вместе с группой беспризорников в товарный состав и укатил из города.

Самохваловым вновь пришлось нанимать детективов. Через две недели парнишку доставили домой из Екатеринбурга. Мать тогда угодила в больницу с гипертоническим кризом, поэтому отец один высказал сыну все, что о нем думает. Но Илья и в этот раз не взялся за ум. Он стал регулярно покидать отчий дом. За два года подросток изучил всю географию России, а его родители потратили на детективов огромные деньги. В конце концов отец отправил парня в школу-интернат казарменного типа. Оттуда Илья смылся спустя три месяца, примкнул к банде уличных хулиганов, поселился в заброшенном доме и в результате оказался в милиции как участник ограбления. В обезьяннике Илья сообразил, что его игры с предками зашли слишком далеко, и попросил следователя позвонить отцу. Кстати, юноше повезло, что он угодил в СИЗО за месяц до своего совершеннолетия. Узнав, из какой семьи юный правонарушитель, дознаватель алчно потер руки и позвонил Петру Ильичу. Но бизнесмен отреагировал иначе, чем рассчитывал следователь. Узнав, что отпрыску грозит срок, он воскликнул:

— Вот и сажайте его! Все нервы нам с женой истрепал!

Но потом сердце у него дрогнуло, Самохвалов все же выкупил Илью... и отправил его в армию. Причем позаботился, чтобы непутевый отпрыск попал служить на границу, на малочисленную заставу в Средней Азии, в суровые климатические условия. Правда, Петр предварительно выяснил, что в коллективе нет дедовщины, а командиры правильные.

Пристроив таким образом неуправляемое чадо в хорошие руки, Петр Ильич впервые в жизни закатил жене скандал. Запретил ей раз и навсегда искать Мариэтту, жестко заявил:

— Девочка давно погибла. Точка. Мертвых следует хоронить, а не жить с ними. Пытаясь найти Мари, ты упустила Илью. Все! Более никаких походов по селам. Если ослушаешься, отправлю тебя в психушку.

Диане Варкесовне пришлось покориться воле мужа.

Но она стала посещать церковь, где истово молилась о возвращении девочки.

Через два года Илья вернулся домой иным человеком. Командиры выбили из головы солдата-срочника всю накопившуюся в ней дурь.

Окончательное превращение Илюши в нормального взрослого человека произошло после того, как на заставу напали бандиты. Момент они выбрали удачный — бушевал ураган, помощь не могла подоспеть быстро. Три дня пограничники, ожидая подкрепления, отбивались от нападавших, бой был настоящим, не учебным, и убивали в нем не понарошку. Когда наконец появилось подкрепление и члены бандформирования были перебиты, командир собрал уцелевший личный состав и сказал:

— Ребята, похоже, у Бога на вас особые планы, раз оставил в живых. Помните об этом, не проспите свою жизнь.

Отчего-то его слова сильно подействовали на младшего Самохвалова.

Приехав в Москву с наградой на груди, Илья попросил прощения у родителей. Но те весьма настороженно отнеслись к сыну. Отец сказал:

— Тебе двадцать лет, пробивайся сам. Я в твоем возрасте учился в институте, работал и не просил денег у матери. Жилплощадь у тебя есть — завещанная тебе бабушкой квартира стоит пустой. Въезжай туда и сам строй свою жизнь, а там посмотрим.

Илья поступил на юридический факультет. Днем он сидел на лекциях, по вечерам и ночам работал санитаром в морге, обеспечивал себя сам. Когда он получил диплом с отличием, отец предложил ему самую низшую должность на своей фирме. Никаких поблажек отпрыску босса никто не делал, но Самохвалов-младший быстро пошел вверх по карьерной лестнице — он оказался умен, трудолюбив и талантлив. В конце концов родитель признал, что сын достоин стать его правой рукой в бизнесе.

Петр Ильич давно простил Илью. Он понял, что подростковые проблемы парня спровоцировало поведение матери и полнейшее погружение отца в свои дела. В юности многие совершают ошибки, однако Илья одумался, исправился и сейчас им можно гордиться. Самохвалов забыл о неприятностях, доставленных сыном, а вот Диана Варкесовна нет. Она помнила все. Мать сторонилась Ильи, лишний раз не заговаривала с ним, избегала общаться наедине. Самохвалов, как всегда, занятый расширением бизнеса, не замечал, как ведет себя жена. Илья же старательно делал вид, что в семье полный порядок. Спустя несколько лет в день своего рождения он, весьма обиженный сухими словами: «Поздравляю, желаю счастья», которые мать бросила перед завтраком, не удосужившись купить никакого подарка, воскликнул:

— Ты меня совсем не любишь?

Диана неожиданно резко ответила:

— По какой причине я должна хорошо относиться к человеку, лишившему нас с отцом дочери?

Илья обомлел.

— Мама, ты меня винишь в смерти Мариэтты? Как такая мысль могла прийти тебе в голову?

— Хочешь знать, что я думаю? — недобро усмехнулась Диана Варкесовна. — Пожалуйста! В тот роковой день я прихватила на пляж бутылку воды, но она быстро оказалась пустой. Почему? Отвечай!

— Понятия не имею, — растерялся Илья. — Вернее, не помню. Напрашивается простое объяснение: кто-то воду выпил.

— И кто же? — с вызовом спросила мать.

— Навряд ли чужой человек, — пробормотал сын.

— Вот именно, — согласилась Самохвалова. — И тем человеком был ты. Носился с приятелями, потом подскочил, схватил без спроса минералку и всю выдул, ни глоточка не оставил.

Илья сник, а мать продолжала:

— Мне пришлось идти домой за водой. Вспоминаешь?

— Конечно, нет, — пробормотал Илья, — ведь почти двадцать лет прошло.

Диана Варкесовна встала.

— А я никогда не забуду тот день. Перед тем, как отправиться на дачу, я попросила тебя не спускать глаз с Мариэтты. Ты пообещал следить за сестрой, а сам играл с детьми, вот она и ушла. Не выпей ты воду, я бы не покинула берег реки и сейчас моя девочка сидела бы за этим столом. А из-за того, что ты постоянно убегал из дома да еще потом угодил за решетку, твой отец запретил мне искать Мари. А ведь я ее почти нашла! Как раз тогда нашла человека, который видел крошку через неделю после ее исчезновения. Однако муж приказал мне оставаться дома. Если бы не твои хулиганские выходки, я бы точно отыскала дочку. Сначала ты не уследил за сестрой, а потом именно из-за тебя мне пришлось прекратить поездки в Подмосковье. И чего ты после всего этого хочешь? Любви?

Мать развернулась и убежала.

Вскоре после того разговора Петра Ильича свалил с ног инсульт. Сын стал руководить фирмой. Через некоторое время Юрий Иванович Пилипченко, начальник юридического отдела, он же личный адвокат Самохваловых, предупредил его:

— Если ваш отец скончается, возникнут большие трудности.

— Какие? — напрягся Илья.

— По завещанию вы наследуете всего тридцать процентов бизнеса, а Диана Варкесовна семьдесят, — объяснил законник. — Вчера ваша мама интересовалась у меня, как быстро можно продать ее долю в случае кончины мужа. Она объяснила, что хочет уйти в монастырь, передать настоятельнице все свои деньги, чтобы монахини постоянно молились за ее дочь. Вы же понимаете, что будет, когда большая часть бизнеса отойдет чужому человеку? Состояние здоровья Петра Ильича не внушает радужных надежд, вам необходимо как можно быстрее убедить мать не совершать глупости.

Илья молчал. В отличие от юриста, ему было хорошо известно: родительнице безразлично, что будет с бизнесом и какая судьба ждет сына, ее волнует лишь Мариэтта. Она даже запретила ему, родному ребенку, называть себя «мамой», велела обращаться к ней только по имени — Диана.

— Есть еще один выход из ситуации, — продолжал тем временем Пилипченко. — Вы можете оспорить завещание и лишить мать ее прав. Ведь Петр Ильич указал: наследницей его жена может стать при одном условии — если никогда не затеет поисков давно умершей девочки.

— Много лет назад отец приказал ей прекратить поездки по Подмосковью, — кивнул Илья. — И мать оставила попытки найти Мари.

— Ошибаетесь, — возразил Пилипченко. — Вы в какой социальной сети зарегистрированы?

— Мне некогда тратить время на подобную чепуху, — отмахнулся Самохвалов-младший, — я целыми днями работаю. Да и вообще, я предпочитаю живое общение.

Юрий Иванович открыл ноутбук.

— Извольте взглянуть. Это страница Дианы Варкесовны.

— Не может быть! — поразился Илья. — Мать не умеет пользоваться компьютером!

— Разве этому так сложно научиться? — хмыкнул адвокат. — Так вот, буквально через месяц после того, как Петр Ильич очутился в реанимации, его супруга обустроилась во всех социальных сетях и разместила реконструированное фото Мариэтты.

Молодой бизнесмен уставился на экран и не поверил своим глазам.

— С ума сойти! Мать до сих пор надеется на встречу с дочерью? Она покорилась воле мужа, а сейчас, когда тот в беспомощном состоянии, решила, что у нее руки развязаны, и взялась за прежнее?

— Да, — подтвердил Юрий Иванович. — И тем самым Диана Варкесовна нарушила условие, выставленное Петром Ильичом. Так что ее можно лишить наследства. Не хочу утверждать, что это будет легко, но возможно. Однако я советую пойти мирным путем: попробуйте договориться с мамой.

— Почему вы решили мне помочь? — тихо спросил Илья. — Нарушили тайну завещания.

Юрист закрыл ноутбук.

— Я знаю вас с детства, понимаю, что вы были обделены материнской любовью и творили глупости, желая привлечь к себе ее внимание. Но у вашей матери маленькое сердце, в нем хватило места лишь для дочки. Я отец троих детей, и мне всегда было вас жаль. Ну и еще я не хочу лишиться отличного места службы, с приличным окладом. А новое руководство фирмы наверняка уволит начальника юротдела. Начинайте переговоры с Дианой Варкесовной. Пообещайте ей дать денег для обители, припугните лишением прав на наследство.

— Отец жив, — напомнил Илья.

— Поздно искать воду, когда пожар вспыхнул, — возразил Юрий Иванович.

Глава 30

Илья понимал: юрист прав. А еще он был уверен: мать пойдет на уступки. Затевать же судебный процесс он не хотел, потому что очень любил маму и жалел ее. Как поступить, он не знал, терялся в догадках. По какой причине отец составил такое завещание, отписав единственному ребенку только тридцать процентов бизнеса?

Ведь Илья давно стал его правой рукой, прекрасно вел дела, не совершал дурных или глупых поступков, он не пьет, не курит, не бегает за юбками. Неужели отец до сих пор не простил его за подростковую безголовость? Или тоже считает его виновником исчезновения Мари? И что теперь делать?

Сам не зная зачем, Илья завел под чужим именем страничку в Интернете, зашел к Диане Варкесовне и стал рассматривать фото взрослой Мариэтты. Сначала ему сделалось жутко — сестра давно умерла, ее останки истлели, она навсегда осталась пятилетней, но вот же снимок той, которой не существует. От тягостных мыслей у него началась сильная мигрень, он наглотался обезболивающих таблеток, но от них стало только хуже.

В расстроенных чувствах Илья собрался ехать домой. Вышел из кабинета, хотел сказать секретарше, что сегодня не останется в офисе, и удивился: за столом в приемной сидела не хорошо ему знакомая блондинка Варя, а знойная брюнетка в темно-зеленой блузке.

— Вы кто? — не понял Илья.

— Не узнали? — хихикнула та. — Это же я, Варвара. Вот решила имидж сменить. Блондинок ведь все за дурочек считают, а к брюнеткам серьезно относятся. Вам не нравится?

— Надо же, как женщина может преобразиться, покрасив волосы, — покачал головой босс. Постоял с минуту молча и — вернулся в свой кабинет.

В голове Ильи зародилась мысль, как растопить лед в сердце матери. Та считает сына виновником пропажи сестры? Ладно. А как она станет относиться к человеку, который вернет ей Мари? Илья найдет девушку, максимально похожую на фото, выставленное в социальных сетях, и выдаст ее за Мариэтту...

— Опасная идея, — перебив рассказчицу, не удержался я от замечания. — Диана Варкесовна сделает анализ ДНК и узнает, что представленная ей девица самозванка.

Ирина кивнула.

— Вот-вот! Я то же самое сказала Саше, когда та излагала эту историю. Подруга уперлась: «Нет. Илья объяснил: мать так мечтает увидеть дочь, что и не подумает ни о каких исследованиях. Вот Петр Ильич сразу бы повел внезапно обнаружившуюся Мари к экспертам, но он сейчас беспомощный, немой инвалид. А если вдруг у Дианы Варкесовны возникнет желание проверить кровь «Мариэтты», то ничего страшного, она увидит результат, который стопроцентно подтвердит их родство. Илья хорошо заплатит лаборанту, тот выдаст документ с нужными данными».

— Интересно... — протянула я.

— Самохвалов объяснил, что ему требуется, — продолжила Ирина. — Александра отправится к пластическому хирургу, а затем Илья приведет «сестру» к маме. И моя глупая подружка согласилась! Саше придумали биографию, вернее, подправили ее собственную. Якобы мать Рудаковой жила двадцать лет назад в Подмосковье, где работала на фермера, и однажды нашла в лесу маленькую девочку, которая была так напугана, что потеряла дар речи. У одинокой тетки мгновенно родился план. Она привела ребенка к себе, позвонила в Екатеринбург бывшему любовнику, с которым давно разошлась, и соврала ему: «Не хотела тебя беспокоить, но я родила от тебя дочь. До сих пор воспитывала ее, как могла, а сейчас нужна твоя помощь. Сашенька очень больна — кто-то ее напугал, девочка не может говорить. В общем, мы едем к тебе. Оплати нам квартиру, дай денег на жизнь».

— Александр Дюма отдыхает, — вздохнула я. — Диана Варкесовна непременно решила бы проверить эту охотничью историю.

— И каким образом? — поморщилась Ирина. — Ведь все очень похоже на правду. Рудаковы, мать и дочь, появились в Нижне-Егорьевске, когда Саше исполнилось десять. Приехали они именно из Екатеринбурга. Девочку еле-еле удалось пристроить в школу, так как мамаша потеряла документы — свой паспорт, свидетельство о рождении ребенка. Говорила, что у нее в поезде украли сумку. Новые бумаги им выправил начальник местной милиции, вдовец, к которому женщина нанялась прислугой. Сашкина мама тогда еще была хороша собой, все знали, что хозяин спит с домработницей. Это уж потом, когда его со службы турнули, они стали пить водку. Начнет кто в биографии Александры копаться, концов не найдет. Наверное, еще и поэтому Жанна ее кандидатуру Самохвалову предложила, Сашка ей про свое детство рассказывала. И еще у Ильи было платье.

— Платье? — переспросила я.

Девушка встала и включила чайник.

— Да. Ситцевое, розовое, с оборками. Диана Варкесовна, ища дочь через Интернет, разместила не только ее состаренный портрет, но и детские фотографии. Под одной написала: «В день пропажи на девочке было это розовое платье». Илья нашел такое в онлайн-магазине. Александра должна была сказать Самохваловой, что ее приемная мать сохранила одежду, в которой ее нашла. И она, мол, тоже бережет наряд, поскольку знает: в нем ее пятилетней нашли в лесу. Старая тряпка для Саши большая ценность, единственная вещь из родного дома.

— Неужели сейчас можно купить платье, которое носили двадцать лет назад? — удивилась я.

Ирина вздернула брови.

— Почему нет? Во времена нашего с Сашкой детства такими платьицами массово торговали на рынках, и у нас с ней у самих были похожие. А в Сети можно найти что угодно.

— Илья постарался изо всех сил, — произнесла я. — Видно очень хотел, чтобы мать его простила.

Богатырева скривилась.

— Или беспокоился, как бы она не продала бизнес. Лично мне этот мотив кажется более верным.

Ирина прислонилась спиной к подоконнику.

— В общем, Сашка согласилась на авантюру. Самохвалов наобещал ей золотые горы: собственную квартиру в любом районе Парижа, работу в доме «Шанель». Я ее отговаривала, но в Рудакову словно черт вселился. Говорила ей: «Сашуня, опомнись! Если Диана заподозрит неладное, она обратится в полицию, ты получишь срок за мошенничество». А в ответ слышала: «Нет, заказчик все предусмотрел, осечки не будет. Диана в последний раз видела дочь двадцать лет назад, я стану точь-в-точь как на ее фото. Думай о перспективе. У дочки Петра Самохвалова не будет проблем в Париже. Я тебя возьму с собой, исполнится наша мечта». Но мне было очень тревожно.

Девушка поежилась.

— Саша уволилась из салона. Илья купил ей сотовый, по которому только с ней общался, снял квартиру. Рудакова отправилась к пластическому хирургу, тот изменил ей форму носа и не знаю, что еще. Когда я увидела преображенную Сашу, сначала заплакала, потом сказала: «Ужасно! Я тебя не узнаю! Совершенно чужое лицо, незнакомый мне человек. Боюсь, не привыкну к тебе такой». Она вспыхнула и отрезала: «Ну и ладно. Незачем тебе дружить с чужим человеком». Более мы не виделись. Я ей пыталась звонить, но она не отвечала. А номер, который Илья приобрел, Сашка мне не дала.

Глава 31

Выйдя от Богатыревой, я зашла в небольшое кафе, заказала чай с пирожками, позвонила Костину и пересказала все, что узнала от Жанны и Ирины.

— Златова везде успела, — разозлился Володя.

— Оборотистая дамочка, хитрая, — согласилась я. — Ей постоянно нужны деньги, вот и хватается за любой заказ. Теперь понятно, почему Илья утащил труп. Он привез Сашу на свидание с Дианой Варкесовной, та сидела в кафе, и ей ни в коем случае нельзя было знать, что «Мари» убили. Ясно также, по какой причине Самохвалов не испугался мертвого тела, спокойно поднял его и увез. Илья служил в армии, а в студенческие годы работал в морге, поэтому не боялся покойников.

— Почему Диана решила встретиться с дочкой в кафе? — перебил меня Костин.

— Понятия не имею, — пожала я плечами. — Поговоришь с ней и узнаешь. По-моему, картина складывается. Илья привез Рудакову к кафе в назначенный час, Александра переходила дорогу, случайно оказалась около Вениамина. Я же, знавшая об угрозах Подольскому, встревожилась и дернула его за руку. Киллер выстрелил, пуля случайно попала в девушку. Убийца быстро исправил ошибку, застрелил мошенника. Диана Варкесовна увидела, как рухнула на асфальт девушка, и свалилась с табурета в обмороке. Представляю, как перепугался Илья — его тщательно разработанный план разлетелся на кусочки, но бизнесмен живо сориентировался. Он увозит куда-то тело Саши, по дороге звонит матери и успокаивает ее: «Мариэтта жива, только повредила ногу». Потом он прячет тело, мчится на вечеринку к Златовой...

— Зачем? — вновь остановил меня Володя.

— Думаю, этот вопрос лучше задать Самохвалову-младшему. Могу предположить следующее. Илья подумал, что надо срочно найти замену Саше, и Жанна может предоставить ему еще одну «сестру». Вероятно, он звонил Златовой, но та тогда неожиданно напилась. Обычно-то она осторожна с алкоголем, однако у всех правил бывают исключения, именинница наклюкалась.

Елена оттащила ее в комнату отдыха и уложила на диван. Она не отвечала на вызовы, вот Илья и полетел на вечеринку, а там увидел... Эжени. Перед Самохваловым стояла девушка с портрета из Интернета. Даже не знаю, как он справился со стрессом. Он подошел к Эжи, вероятно, сказал ей пару комплиментов...

— И сестра Нины, ждавшая обещанного Альдабараном жениха, решила, что перед ней тот самый принц, поэтому согласилась уехать с ним без колебаний, — договорил за меня Костин. — Если дело обстоит так, как мы думаем, то опасность Евгении не грозит. Наоборот, Илья должен с нее пылинки сдувать. Прикольно получилось: парень хотел обмануть мать, а приведет к Диане Варкесовне и правда родную дочь.

— Но он-то этого не знает. К тому же ему надо как-то убедить Эжени прикинуться его сестрой, а она за него замуж хочет.

— И что? — хмыкнул Вовка. — Илья не женат, начал изображать влюбленного...

— Костин, очнись! — приказала я. — Брат не может жениться на родной сестре. Это во-первых. А во-вторых, познакомившись с Дианой Варкесовной, Эжени поймет, что брака не будет.

— Хмырь найдет нужные аргументы, — разозлился Костин. — И как ты только что сама говорила, на какие-то вопросы ответ может дать только Илья. Теперь послушай меня...

— Мне пора ехать к Алисе, я записалась к ней в салон. Мы ведь так и не знаем, кто и почему убил Вениамина. Может, поискать ревнивого мужа? Жанна упомянула, что Подольский бабник. Хотя Карен, владелец кафе «Диана», говорил обратное. По его словам, тот не гонялся за юбками, в его заведение часто приходил с пожилой дамой. Полагаю, это была Регина Натановна. Еще Карен сказал, что один раз видел Вениамина с другой женщиной. Та по описанию смахивает на Златову. Но, с другой стороны, откуда Карену знать правду? Подольский всего лишь его клиент, вовсе не друг, владелец кафе считает нашего «графа» известным писателем и не подозревает, что он аферист.

— Версию про ревнивого супруга необходимо проверить, — оживился Костин. — Странно, что мы о ней раньше не подумали. Раз ты спешишь, ступай в машину, подключи хэндс фри и снова звякни мне. Расскажу еще кое-что интересное.

Я вышла на улицу, села за руль, но не успела воткнуть в гнездо штекер наушников — трубка зазвонила.

— Ты велел мне самой номер набрать, — укорила я, откликаясь на вызов и полагая, что на связи Костин. Но сотовый заговорил голосом Краузе:

— Лампа, вы когда собираетесь домой?

— Вернусь поздно. Что-то случилось? — встревожилась я.

— Нет, нет, — успокоила меня няня, — Боня прекрасно себя чувствует. Цемент отвалился, я собачку помыла, она сейчас спит. Киса мастерит кирпичи, хочет побыстрее дом собрать. Я хотела поговорить о прекрасном, замечательном, восхитительном биотуалете, который вы велели вернуть в магазин. На мой взгляд, отказываться от великолепного подарка неразумно. И Мирон тоже так считает.

— Роза Леопольдовна, давайте поговорим утром, сейчас я занята, — прервала я няню. — Но сразу предупреждаю: «Розовое счастье» должно уехать прочь из квартиры. Мирон в очередной раз напортачил, подключил сортир невесть к чему. Ему не пришло в голову, что вообще-то биотуалет работает автономно, ему не требуется соединения с канализацией?

— Несправедливыми упреками вы разбиваете мне сердце, — всхлипнула Краузе. — Мирон лучший мастер из всех мне известных!

Я хотела осведомиться, с каким количеством специалистов на все руки знакома няня, а также кто из них подсоединял биотуалет к кухонной вытяжке соседей, однако вслух сказала:

— Бесполезно мне перечить. Ваш муж должен вернуть «Розовому счастью» первозданный вид и отвезти унитаз в магазин.

— Простите, сегодня Мирона не отпускают со службы, — заныла Роза Леопольдовна. — А вот завтра у него выходной.

— Ладно, — сдалась я.

— Когда мужу приступить к работе?

— Утром.

— Уточните, пожалуйста.

— Чем раньше, тем лучше.

— В четыре часа? В три?

— Конечно, нет. В это время все спят! — начала сердиться я. — В восемь-девять-десять.

— Так когда? — не успокаивалась Краузе.

— В девять, — определилась я.

— Поняла. Теперь следующий вопрос.

— Нет, все. Остальное завтра.

— Про Егора!

— Мальчик звонил из США? — напряглась я.

— Речь идет о кукле, которую вы собирали вместе с Кисой. Разрешите...

— Роза Леопольдовна, игрушка вполне может подождать до завтра.

— Но я уже третий раз пытаюсь сказать вам о проблеме с ней!

Я отсоединилась, и тут же раздался звонок.

— Ползла до машины в коленолоктевой позе? — возмутился Костин.

— Извини, — смиренно ответила я, — няня некстати влезла. Что ты хотел рассказать?

— Меня заставил задуматься твой вопрос, почему Иван Сергеевич решил удалить из дома Нину, да еще обвинив ее в том, что она разбила раритетную вазу, — начал Володя. — Поставил себя на место олигарха и удивился. Ладно, пусть он решил не спорить с обезумевшей от горя женой и ради ее душевного спокойствия согласился выдать чужого ребенка за Женю. Но в самом деле, неужели чужая дочь была ему милее родной? Ты совершенно правильно заметила: следовало отправить за рубеж Женю, придумать, что ей надо... ну, не знаю... скажем, лечиться в Германии. Вполне логичный повод, девочка же находилась в плачевном состоянии.

Я выехала на проспект, продолжая внимательно слушать друга.

Чем дольше Володя размышлял на эту тему, тем яснее понимал: что-то тут не так. Костин решил покопаться в биографии Буданова, проверить, чем он занимался в прошлом, и обнаружил весьма занимательные факты.

В Интернете на официальной странице фирмы, принадлежащей Ивану Сергеевичу, изложен жизненный путь бизнесмена. Там сказано, как четверть века назад скромный автомеханик продал доставшуюся ему в наследство от родителей дачу и основал небольшое предприятие по торговле запчастями, которое со временем превратилось в огромную империю, включающую в себя магазины по продаже иномарок, банк, который кредитует покупателей, и сеть автосервисов. «Иван Сергеевич с нуля поднял бизнес благодаря своему уму, трудолюбию и честности. И кредо его фирмы — прозрачность сделок с клиентами», — говорилось в жизнеописании.

Володя прекрасно понимал, что на сайте предприятия никто не напишет плохого слова о его владельце, но насторожился. Двадцать пять лет назад все, что было связано с автомобилями, принадлежало узкому кругу криминальных личностей, имена которых хорошо знала милиция. Простого мужика не приняли бы в компанию, не дали бы ему спокойно начать бизнес. А у Буданова случился вертикальный взлет. В марте он работал в одном московском парке садовником, вдруг бросил службу, через три месяца открыл сервис, спустя полгода обзавелся салоном по продаже иномарок... Дела Буданова полезли в гору со скоростью молодой обезьянки, и вот уже он на вершине. Из малообеспеченного садовника всего за два года Иван Сергеевич превратился в очень богатого человека. Что странно.

Костин принялся проверять криминальных авторитетов, поделивших в перестройку автомобильный рынок, и всплыла интересная деталь.

Двадцать пять лет назад Иван Сергеевич вовсе не работал в парке, а, похоже, просто там числился, деньги же получал совсем в другом месте. Фамилия «Буданов» всплыла в деле Андрея Лукьяненко, более известного под кличкой Череп. Тот был одним из первых бандитов, появившихся в перестройку, занялся разбоем еще летом 1985 года и к декабрю стал богат и опасен. Лукьяненко руководил крупной преступной группировкой, на счету которой числилось не одно тяжкое преступление. Так вот у Черепа и служили Будановы. Муж был садовником, а также производил мелкий ремонт по дому, жена работала горничной.

Черепа и его супругу Алевтину арестовали, осудили и отправили на зону. Лукьяненко получил огромный срок, жене, во всем ему помогавшей, дали меньше. Алевтина погибла в колонии во время драки. Череп же отсидел положенное и вышел на свободу. Причем, похоже, не нуждался в деньгах, — жил в коттеджном поселке в большом собственном доме, ездил на автомобиле бизнес-класса с шофером. Умер уголовник совсем недавно.

В момент ареста у Лукьяненко было две дочери: шестимесячная Лена и пятилетняя Галина. Полицейские многократно допрашивали всю прислугу бандита, и к Будановым у них претензий не возникло. Иван следил за садом, Вера мыла полы в особняке, ничего о преступных делах Черепа семейная пара не знала. Маленький нюанс — детей у них не было.

Кроме слуг, у семьи Лукьяненко был личный врач Глеб Алексеевич Миров. Следствие подозревало, что добрый эскулап оказывал помощь раненым браткам, но доказать его причастность к преступной группировке не удалось, Миров выскочил из огня, не опалив пяток.

После ареста Черепа и Алевтины их дочерей забрали в приют, где они обе вскоре умерли от каких-то болезней. Челядь разлетелась в разных направлениях. Куда подевались Будановы, неизвестно. Вероятно, они где-то снимали квартиру без регистрации и работали, получая «черную» зарплату. А далее — внимание! Через полгода Иван Сергеевич и Вера Петровна выныривают из тьмы, и у них откуда-то взялось двое детей. Муж лихо поднимает бизнес, вскоре покупает пятикомнатные хоромы и въезжает туда вместе с супругой и дочерьми Ниной и Женей. В стране творится полнейший беспредел, Россия живет не по закону, а по понятиям, на улицах стреляют. Никого не заинтересовало, откуда у Будановых взялись дети. Время идет, Нина становится школьницей, Женю воспитывают дома. Вера Петровна не работает, присматривает за наследницами. А у Ивана Сергеевича пышно цветет бизнес...

Костин закашлялся.

— Думаешь, Лукьяненко велел Ивану взять под крыло своих дочерей и щедрой рукой отсыпал бывшему работнику денег? — озвучила я напрашивающийся вывод.

— У меня возникли вопросы, — прохрипел Володя. — Откуда у Будановых появились дети, чей возраст совпадает с возрастом дочерей Черепа? Где Иван нарыл денег?

Как простой садовник, без средств и связей, ухитрился запустить и сохранить автобизнес?

— Когда Иван начинал, состояния в России делались за считаные месяцы. Буданов мог где-то украсть миллионы, — вздохнула я.

— Возможно, — согласился Костин. — Но повторяю: в те смутные годы автобизнес был одним из самых криминальных. Мелких владельцев типа Ивана Сергеевича запросто отстреливали бандиты. Следовало обладать изрядной хитростью, умом, а главное — нужными связями, чтобы не очутиться на кладбище и удержаться на плаву. А кем являлся Буданов до ареста Черепа? Иван ухаживал за клумбами, мел дорожки, чистил камин в особняке Лукьяненко, поправлял забор. Обычный работящий, честный мужик. В деле Черепа есть бланки допросов его служащих. Интересный штришок: все они поливали грязью хозяев, рассказывали, какими злыми людьми являлись Андрей и Алевтина, всячески подчеркивали: мы мучились в их доме, оставались там лишь потому, что в стране позакрывались заводы-фабрики-учреждения, а кушать хотелось. Ничего удивительного я в этом не увидел, так в основном поступают все люди, когда их шеф или покровитель оказывается за решеткой. Но вот Будановы повели себя иначе. Иван сказал: «Андрей Николаевич мне ничего дурного не делал. Платил аккуратно, ко всем праздникам нам с женой конверт дарил. Если в саду что-то погибало, не ругался. Не жадный. Вещи свои отдавал: два раза костюм-рубашку наденет, и носи, Ваня, красивые шмотки. Продуктов не считал, все ели от пуза. В общем, хороший Лукьяненко человек. Теперь говорят — он преступник. Да только я его с оружием никогда не видел, для меня Андрей Николаевич прекрасный хозяин». Понимаешь? Буданов был совсем не стратег, не хитрый политик, говорил, что думал. А у Черепа большие связи, он из тюрьмы людьми вертел.

Думаю, справка о смерти девочек в приюте липовая, Лена и Галя превратились в Нину и Женю. И вот тебе роза в букет. Помнишь, Нина говорила про увлечение отца Японией?

— Да, — кивнула я. — Иван Сергеевич собирал антикварные вещи страны самураев, покупал их на аукционах, злополучную вазу там же раздобыл. Но потом остыл, продал коллекцию.

Костин потер руки.

— Лукьяненко из интеллигентной семьи, отец его знал японский язык, мать тоже. До двенадцати лет Андрей жил в Японии, его родители там работали, преподавали на курсах русский, потом были аккредитованы как журналисты.

— Хм, яблочко далеко укатилось от яблони, — удивилась я.

— Случается такое, — согласился Вовка. — Но нам интересно иное. Череп собирал японский антиквариат. Говорят, его коллекция считалась лучшей не только в России. Но ее в день ареста в особняке не обнаружили. Я поинтересовался у Нины, когда Буданов охладел к собирательству. Жена ответила. А теперь фанфары! Это произошло именно в то время, когда Лукьяненко вышел на свободу. Дальше продолжать, или тебе все понятно? Еще конфетка на десерт. Помнишь про доктора Мирова, который остался на свободе? Он через пару месяцев после ареста Черепа женился и взял фамилию супруги. Брак просуществовал год, но Глеб Алексеевич после развода паспорт менять не стал и дальше жил как Верещагин. То-то я не мог понять, с какой стати врач пошел навстречу отцу умершего ребенка. Буданов попросил ни много ни мало тайно отдать ему труп малышки, ликвидировать бумагу о ее смерти, и медик согласился? Это же очень и очень странно. У мужика своя клиника, много пациентов, он человек с именем... А вдруг бы факт подмены Жени найденышем выплыл наружу? Тогда ведь Глеба Алексеевича накажут, он потеряет репутацию, лишится практики. Зачем ему ставить на карту личное благополучие ради совершенно чужих людей? Из-за денег? Но Верещагин был вполне обеспеченным и не глупым человеком, такой должен был, просчитав все «за» и «против», отказаться от стремной затеи.

Глава 32

Я попыталась систематизировать сведения, полученные от Костина.

— Верещагин лечил Лукьяненко, его жену и братков. Буданову хозяин велел забрать в свою семью его дочек, чтобы те не жили в детдоме, и заодно приказал спрятать коллекцию раритетов. У Черепа остались деньги, связи, и, вероятно, его адвокат организовал свидетельства о смерти Гали и Лены, купил новые метрики. Старшая пятилетняя девочка, став Ниной, наверное, плакала, звала маму с папой, но вскоре забыла родителей и прежнее имя, а ее сестра ничего не знала, так как была еще младенцем. Лукьяненко, находясь на зоне, руководил бизнесом. Иван Сергеевич Буданов пешка, которую двигал по доске умный и жестокий игрок. Кроме того, Череп даже пополнял свое собрание — бывший садовник по его указке покупал на аукционе японский фарфор. Врач тоже прикормлен бандитом — думаю, клиника Глеба Алексеевича основана на средства Лукьяненко, — он следил за здоровьем Нины и Жени. Криминальный авторитет небось регулярно получал отчеты Верещагина. Буданов прекрасно знал, что его благополучие и жизнь зависят от того, насколько счастливы девочки, поэтому в доме нет ни нянек, ни мамок, за детьми зорко смотрит Вера Петровна. А дальше что получается? Нина, веселая, бойкая, развивается нормально, а вот Женя, к сожалению, слабенькая, постоянно хворает. Верещагин лечит малышку, однако безрезультатно. Может, он не самый лучший педиатр, а может, у ребенка была какая-то хитрая форма болезни, во всяком случае, правильный диагноз крошке был поставлен только в пять лет. Врач кладет Женю в стационар, но ее состояние все ухудшается. В конце концов девочка умирает. Готова спорить на что угодно, ее отцу Верещагин правды не сказал, понимая, как отреагирует Череп на такое сообщение.

— И медик, и Будановы тогда здорово перепугались, — перебил меня Костин.

— До паники, — согласилась я. — Лукьяненко даже с зоны легко достал бы тех, кто не уберег его дочь, ему бесполезно было объяснять, что ребенок неизлечимо болел. Вот они и подменили Женю найденышем, Мариэттой. Кстати, насчет найденыша. В версию о случайно обнаруженной в лесу малышке мне отчего-то не верится. Теперь понятно, почему Верещагин решил помочь «несчастным родителям», он спасал собственную шкуру. Далее Будановы спешно отправили Нину в Англию, тоже не доложив Черепу об истинной причине этого. Наверняка сказано было так: «Ниночке лучше годик-другой пожить за границей, девочка в совершенстве выучит иностранный язык». Иван Сергеевич оказался не так прост, как полагал его босс, сумел обвести бандита вокруг пальца. Второй форс-мажор у бывшего садовника случился во время скандала с уже восемнадцатилетней Ниной. Та выросла своенравной, имела собственное мнение по каждому вопросу, спорила, хотела самостоятельно выбрать институт для учебы. «Отец» не сдержался и взлетел ракетой. А у Нины генетика Лукьяненко, поэтому она не приползла к порогу родного дома на коленях с повинной головой. Думаю, Череп, которому Буданов доложил о случившемся, порадовался, увидев в ее поступке свой характер, так сказать, свою кровь.

— М-да, — крякнул Костин.

Я осеклась. Совсем забыла, что мы говорим о супруге Володи! Конечно же, моему другу неприятно родство жены с криминальным авторитетом.

— Все в порядке, — пробормотал Вовка, догадавшись о моих мыслях, — дочь за отца не ответчица. Хотя понимаю, куда ты клонишь. Молоденькой девушке одной в Москве, без жилья, без денег, легко сгинуть. Но Нине начинает везти. На пути попадается добрая старушка, которая сдает ей комнату за три копейки и заботится о квартирантке, становится для нее другом, а умирая, завещает свою большую жилплощадь. И в адвокатской конторе Нину живо из уборщицы сделали секретарем... Слушай, Лампа, я не хочу рассказывать жене, что перед ней постоянно расстилали солому. Она гордится, что всего добилась сама, без чужой помощи.

— Я не страдаю болтливостью, — заверила я приятеля, — и все же Нине предстоит узнать, кто ее биологические родители.

— Ну да, — уныло согласился Костин. — Хорошо, что Черепа уже нет в живых. Мило бы мы с ним смотрелись за одним столом, тесть бандюган, зять — мент.

Я решила отвлечь Костина от неприятных мыслей.

— Давай продолжим ретроспективу. И вот в семье Будановых появляется Мариэтта. Теперь ее зовут Женей. Девочка совсем не похожа на Нину. Что естественно, та ведь ей не родственница. А она получила в наследство от мамы армянки тихий нрав. Но Иван Сергеевич, того не ведая и не желая иметь в доме вторую революционерку, крепко завинчивает гайки. Что из этого получилось, мы с тобой прекрасно знаем... Слушай, я уже доехала до салона, где работает Алиса.

— Завтра в полдень у меня в кабинете, — бросил Володя и отсоединился.

Я положила телефон в сумку, вылезла из машины и вздохнула. Костин здорово расстроен — ему предстоит очень трудный разговор с женой. Совершенно не понятно, как отреагирует Нина на правду о своем происхождении. Непросто осознать, что твой отец совсем не тот человек, кого ты считаешь родным папой. И не каждого обрадует известие о генетической связи с безжалостным преступником.

Интересно, почему Лукьяненко, нарушивший все божьи заповеди, руководивший бандой, избежал пожизненного заключения? Хотя чего я задаю этот вопрос? Продажные судьи, прокуроры и следователи существовали во все времена, во всех странах. Да и, к сожалению, до сих пор существуют. Мне лучше выбросить из головы мысли о Буданове, Нине и Черепе и настроиться на другую волну — надо постараться вызвать Алису на откровенность.

* * *

Когда я вошла в небольшой зал, стилист стояла спиной к двери. Но сразу повернулась и с приветливой улыбкой сказала:

— Рада вас видеть. Давайте халатик наденем.

Потом мастер замерла и холодным тоном спросила:

— Что вам надо?

— Волосы покрасить, — прощебетала я. — Вас мне рекомендовали как одного из лучших колористов. Ба! Да мы недавно встречались! Алина?

— Меня зовут Алиса, — мрачно поправила она. — Не врите, что решили воспользоваться моими услугами, с цветом волос у вас все в порядке.

— Хочу радикально изменить имидж, — весело заявила я. — Надоело ходить блондинкой, желаю превратиться в брюнетку.

Колорист улыбнулась краем губ.

— Тупая идея, вам это категорически не пойдет. Советую просто придать волосам иной оттенок.

Я храбро уселась в кресло.

— Вперед! Готова к любым экспериментам — хочу выглядеть, как модель с подиума.

Алиса подала мне халат.

— А вы их вблизи видели? Во время показов сплошной блеск, шик и перья, но на самом деле в обычной жизни девушки страшненькие. И они не красятся, не сооружают замки на голове. Давайте начнем с небольшого изменения, а если вам понравится, в следующий раз будем действовать смелее.

Минут через десять, когда Алиса принялась осторожно наносить на мои волосы серую массу, я завела разговор, издалека подбираясь к нужной теме.

— У Регины Натановны очень красивая прическа. Ваших рук дело?

— Да, — улыбнулась Алиса. — Я всех наших стригу и крашу. Рада, что вам понравилось.

— И Надю тоже? — с самым невинным видом поинтересовалаь я.

Мастер замерла.

— Какую Надю?

— Когда мы с вами беседовали в квартире Ошкиной, вы упомянули про то, что живете в комнате, которую прежде занимала Надежда, — напомнила я. — Но девушки с таким именем среди членов общины сейчас нет. Я спросила о ней у Регины Натановны, та сделала вид, что плохо себя чувствует, и ушла от разговора. Почему никто не хочет упоминать про Надю?

Алиса нахмурилась, а я продолжала:

— Вы же хотите выяснить, кто убил Вениамина! Чтобы найти преступника, нам надо узнать про все, даже, на первый взгляд, незначительные детали.

— Учитель скоро вернется, явится к нам в новом теле, — возразила Алиса. — Главное, не покидать Регину и копить деньги на создание женского эликсира.

— Конечно, — согласилась я, — вы совершенно правы. А теперь представьте, появляется перед вами Вениамин и спрашивает: «Дорогая Алиса, почему ты отказалась помочь людям, которые искали моего убийцу? Разве я планировал умирать? Работа над эликсиром находилась в самом разгаре, я хотел ее побыстрее закончить, напоить вас, чтобы мы более не потерялись во времени, но злой человек помешал осуществлению этих планов. Я надеялся, что преступника накажут, а ты скрыла, что знаешь про Надю».

Алиса замерла с поднятой кистью.

— Я не подумала об этом. Действительно, Вениамин пока не собирался перемещаться в новое тело. Один раз Регина Натановна заболела — ничего страшного, обычная простуда, — но Учитель примчался к ней с сумкой, полной лекарств. Велел Ошкиной лечь в постель, потом вышел на кухню и попросил: «Лисонька, сделай чайку, перенервничал я. Регина уже не молода, вдруг я не успею эликсир доделать до ухода ее тела. Потом опять придется ее душу разыскивать, а это не просто. И мы снова можем во времени с ней не совпасть». Нет, он вовсе не собирался менять тело. Смерть нарушила его планы. Я сейчас все расскажу про Надю. Понимаете, она подлая. Регина Натановна запретила про нее вспоминать, очень гадко становится на душе при мысли о ней. Но вы правы, надо наказать того, кто помешал работе Учителя, лишил нас общения с ним. Слушайте.

И Алиса, наматывая на мои волосы пищевую пленку, начала излагать...

Когда Осипенко, став членом общины «Сто жизней», переехала в квартиру Регины Натановны, Надя уже жила там. Девушка Алисе понравилась — тихая, молчаливая, все время улыбается. Алиса даже подумала, что они с ней, вероятно, станут подругами. Но завязать близкие отношения не удалось — примерно через неделю после переезда Алисы Надя скончалась. Причем косвенной причиной ее смерти стала именно Осипенко.

Накануне вечером она забежала в супермаркет, расположенный неподалеку от дома, чтобы купить колготки, и, проходя мимо кафетерия, увидела Надежду, которая разговаривала с незнакомой Алисе хорошо одетой женщиной. Ее охватило любопытство, поэтому Осипенко быстренько спряталась за искусственными туями, отгораживавшими кафе от центрального прохода, и, чуть раздвинув ветви, стала наблюдать. По обрывкам долетевших фраз Алиса неожиданно поняла: Надя беседует со своей матерью, и та упрашивает ее вернуться домой. Парикмахер удивилась: как же так, ведь в общину «Сто жизней» принимают только одиноких! Вениамин всегда подчеркивал это обстоятельство, говорил, что бессмертные души никогда не переселяются в тела тех младенцев, кто потом обзаведется семьей, а еще у носителей душ всегда рано умирают родители. Но у Нади, оказывается, есть мать, значит, девушка обманула Подольского, соврала о своем сиротстве. Ах как нехорошо! И если у Надежды жива мать, у девушки не бессмертная душа. Остальные-то близкие графа Сен-Жермена сироты...

Стилист замолчала.

— Почему вы решили, что Надя общается с матерью? — уточнила я.

Алиса пролепетала:

— Я слышала, как она говорила той тетке: «Нет, мама Жанна, пока не сделаю то, что задумала, не вернусь. И не смей меня больше на встречу вызывать, из-за тебя все сорвется».

— Мама Жанна? — повторила я. — Вы точно имя запомнили?

Глава 33

Алиса села на табуретку.

— Салон, где вы сейчас находитесь, раньше принадлежал Жанне Жановой, жене Виктора Ивановича, очень богатого человека. Все звали ее Двойная Жанна — ну, понимаете, имя и фамилия у нее похожи. Потом муж ее бросил и отнял у нее бизнес. Как раз в тот день, когда я за колготками пошла, у нас в салоне впервые появилась новая владелица. Тут же выяснилось, что она любовница бывшего супруга прежней. Всех работниц собрали вместе, приехал Виктор Иванович и объявил: «Предприятие теперь принадлежит мне, управлять им станет Жанна». Я сначала не поняла, решила, что Жановы помирились. И тут входит незнакомая тетка. Мы все чуть не упали — ее, оказывается, тоже Жанной звать. Специально мужчина, что ли, любовницу подбирал, чтобы в именах не путаться? Надо же, законная жена Жанна и незаконная тоже Жанна... Меня это насмешило. И потом, когда я услышала Надино обращение к матери, чуть не расхохоталась. Ну и ну, третья Жанна за сегодня! Просто анекдот! Но уже через пару секунд мне не по себе стало. Что делать-то? Надя нарушила условие, у нее есть мать. Наверное, надо об обмане рассказать Учителю. Но мне девушка нравится, если ее из общины выгонят, будет жаль. К тому же меня недавно в «Сто жизней» приняли. Что обо мне остальные подумают — только появилась и сразу ябедничать начала?

— Сложное положение, — согласилась я.

Алиса кивнула.

— Непросто было, но я приняла решение. И когда на следующий день увидела Учителя, потихоньку ему о сцене в кафе доложила. Вениамин пошел к Надежде, потом позвал Регину Натановну и Валентину. В квартире только я находилась, остальные еще с работы не вернулись. Не хотела подслушивать, но они очень громко разговаривали.

Стилист сложила руки на груди.

— В общем, Надежда оказалась журналисткой. Регина ее вещи обыскала, нашла диктофон, мини-камеру. Надя откуда-то узнала про общину «Сто жизней» и решила про нее написать. Прикинулась, что верит графу, а сама считала его обманщиком, хотела в своей статье опозорить, собиралась побольше о нас узнать, а потом...

Алиса сгорбилась.

— Неохота дальше про ее подлость рассказывать. В общине не принято друг друга расспрашивать. Существует негласное правило: если тебе расскажут что-то личное, не надо трепаться про чужую жизнь, а если ничего не сообщат, значит, не лезь с вопросами. Меня об этом еще до переезда предупредили, и я никому вопросов не задавала. Кстати, считала, что Надежда давно у Регины живет, а оказалось, ее незадолго до меня приняли. Причем уже на второй день пребывания Валентина заметила, как Надя в отсутствие Регины в ее комнату шмыгнула, и за новенькой пошла. А та на письменном столе шарит. Увидела Валю и сказала: «Ножницы ищу, маникюрные». Та ей в ответ: «У нас без разрешения в чужие комнаты не заруливают». Надя начала оправдываться: «Думала, раз в общине нахожусь, то все здесь общее».

Я пожала плечами.

— Вероятно, Надежда просто была плохо воспитана.

— Все так и решили, — согласилась Алиса. — Но потом правда наружу вылезла.

— А что случилось с девушкой? — спросила я.

Колорист схватила со столика бумажную салфетку и принялась ее комкать.

— Учитель сложил ее сумку и сказал: «Ступай с Богом, забудь дорогу в наш дом». Камеру и диктофон Регина на кухне молотком для мяса разбила.

Алиса замолчала.

Я заерзала в кресле.

— И дальше?

— Мы втроем — Ошкина, Учитель и я — встали у окна, — очень тихо продолжала девушка, — смотрели, как она по тротуару идет. Регина воскликнула: «Вот мерзавка! Чтоб ей под машину попасть!» Учитель ее обнял: «Понимаю тебя, я тоже расстроен. Но подлую девку покарает Господь, не надо чернить свою карму, желая людям зла». Надежда в этот момент стала переходить дорогу, и тут из-за угла вылетела машина и сбила ее. Ой, так страшно! Я в обморок упала. Очнулась в своей спальне, Учитель рядом сидит. Он меня попросил: «Дорогая, не надо никому рассказывать о происшествии. Над Надеждой свершился Божий суд, мы ни при чем». Вот и все.

— Как фамилия Нади? — спросила я.

— Не знаю, — промямлила Алиса. — Надя не говорила, а я не спрашивала.

* * *

Покинув салон, я схватила телефон и позвонила Костину.

— Надеюсь, у тебя что-то очень важное, — сонным голосом пробормотал Володя.

— Сущий пустяк! — воскликнула я. — Наверное, не стоило ради этого тебя от подушки отрывать, но на всякий случай я решила рассказать: Подольского убила Златова.

— Интересно, — хмыкнул приятель, сразу проснувшись. — Чем ты это мотивируешь?

— Кто знал, когда Вениамин пойдет через дорогу? — спросила я. — Только Жанна. Она никому о своих делах с «гением» не говорила, спектакль с покушением ставился втайне от владелицы рекламного агентства Елены Крестовой.

— Подольский сам мог кому-то растрепать, — возразил Костин. — Например, журналисту, которого нанял делать снимки. Мы, между прочим, так и не узнали, кто он.

— Нет, это Златова организовала покушение! Слушай меня внимательно, — рассердилась я.

— Говори, — вздохнул Володя.

Я быстро рассказала все, что узнала от Алисы, и спросила:

— Помнишь, Богатырева сообщила, что Саша гримировала перед погребением сестру Жанны Златовой, погибшую в ДТП?

— М-м-м... — промычал Костин.

— Ирина могла напутать, называя умершую сестрой, — наседала я на него, — под колесами машины погибла Надя, а она обращалась к женщине в кафе «мама Жанна». Вероятно, у Златовой была дочь.

— Ты подгоняешь сведения под свою версию, — укорил меня приятель. — В Москве много женщин с таким именем.

— Вовсе нет, — уперлась я. — Сколько у тебя знакомых Татьян?

— Не считал, штук десять.

— А женщин с именем Жанна?

— Ни одной, — нехотя ответил мой друг.

— Что мы знаем о Златовой? — не утихала я. — Не имеет семьи, моя соседка, занимается сводничеством. Ты рылся в ее биографии?

— Нет, — после короткой паузы сообщил Володя, — не было нужды.

— Так займись! — велела я. — Выясни, какие родственники у нее есть. Вдруг найдешь среди них покойницу Надежду? Что, если Жанна решила отомстить Вениамину за смерть дочери и наняла киллера?

— Йес, босс! — буркнул Костин. — Можно до утра подождать? Извините, генерал, спать охота, сил нет.

— Сама мечтаю в кроватке очутиться, — призналась я.

* * *

— Лампа, вы проснулись? — раздалось над ухом.

Я села и с закрытыми глазами спросила:

— Кто здесь? Который час?

— Девять пятнадцать, — ответил женский голос. — Это я, не узнали?

Мои веки приподнялись, я увидела Розу Леопольдовну, которая держала в руке белую блузку.

— Вот, погладила вашу кофточку, — сказала няня. — Джинсы почистила, повесила на стул.

— Привет! — донеслось от двери.

Повернув голову, я увидела Кису, одетую в праздничное платье и лаковые туфельки. Волосы девочки были завиты штопором, на макушке колыхался огромный бант.

— К нам приехали гости, — сообщила девочка. — Тетя и дядя с фотоаппаратом. Они пописать пошли!

Я не успела сообразить, о ком говорит малышка, — в спальню вбежали собаки. Шею Фиры украшал мой розовый шелковый платочек, купленный в Париже, Муся щеголяла в жемчужных бусах, а Боню нарядили в ярко-голубой комбинезон с красными пайетками.

— Сегодня же не Новый год? — потрясла я головой. — Вроде лето на дворе.

Роза Леопольдовна расхохоталась.

— Ах, дорогая Лампа, вы такой остроумный человек! Новый год в июле! Ха-ха-ха!

Я покосилась на Краузе. Что происходит? Отчего она, словно проштрафившаяся мопсиха, метет хвостом? До сегодняшнего утра мои шутки не вызывали у нее бурного восторга, наоборот, няня всегда спорила со мной. А сейчас даже в ладоши захлопала.

— Мы готовы! — закричал незнакомый женский голос. — Можно снимать!

— У нас правда кто-то в гостях? — удивилась я.

Роза Леопольдовна пошла красными пятнами.

— Ну... э... замечательный туалетик «Розовое счастье»... он... ну... Лампа, дорогая. Любимая! Карьера Мирона в ваших руках! Умоляю, дайте интервью журналу «Бытовая проблема». Его представители сейчас в санузле.

— Что журналисты делают в уборной? — обомлела я.

— Ждут вас, — пролепетала Краузе. — Сами же велели Мирону подойти к девяти утра.

— Ничего не понимаю! — воскликнула я. — Вашему мужу надо отсоединить биотуалет от трубы, ведущей на кухню Златовой. При чем тут репортеры?

— Милый! — заорала няня.

В дверь всунулась всклокоченная башка ее супруга, затем в комнате нарисовался весь Мирон и молча уставился на нас.

— Забери Кису, собак и налей корреспондентам чаю, — распорядилась его жена. — Лампочка сейчас оденется.

Парень поманил девочку пальцем, та пошла к нему. Мирон поднял Кису на руки и посмотрел на мопсих. Собаки на взгляд не отреагировали. Супругу Краузе все-таки пришлось открыть рот, и он нашел одно-единственное слово, волшебным образом подействовавшее на четверолапых:

— Сыр!!!

Муся и Фира сорвались с места с такой скоростью, что их задние лапы несколько секунд скребли когтями пол на одном месте, потом толстую попу Фиры занесло влево, а тощая Муся, успев опередить сестрицу, скрылась в коридоре. Фира взвизгнула, выправила траекторию движения и тоже исчезла за дверью. Через секунду я услышала звон и крик Кисы:

— Разбился!

Похоже, Фира, включив спортивный режим бега, не смогла вовремя остановиться и врезалась в этажерку, на которой стоят чайнички для заварки.

— Сейчас все объясню, — зашептала няня.

— Валяйте, — велела я.

Роза Леопольдовна затараторила.

Если исключить из ее рассказа бесконечные восхваления Мирона, то суть истории проста. Муж Краузе не имеет постоянной московской регистрации, поэтому никак не может устроиться на хорошо оплачиваемую работу. И вдруг — удача! Роза Леопольдовна на детской площадке познакомилась с женщиной, которая служит няней у самого Льва Борисовича.

Краузе замолчала и выжидающе уставилась на меня.

— Понимаете, да? Вы же знаете, кто такой Лев Борисович?

— Нет, — ответила я.

Краузе всплеснула руками.

— Как же так? Господин Клоткин владеет фабриками по производству сантехнического оборудования, а еще ему принадлежит журнал «Бытовая проблема». Лев Борисович выпустил новинку «Розовое счастье», и ее надо разрекламировать. Нужна известная личность, готовая рассказать, как хорош биотуалет. Но звезду никак не могут найти!

— Неудивительно, — хихикнула я.

Роза Леопольдовна откашлялась.

— Я сразу поняла: вот он, шанс Мирона. И сказала няньке Клоткина: «Я служу у знаменитости, Евлампии Романовой, которая вела программу на радио «Бум», а скоро будет работать на телевидении. Уговорю ее стать лицом биотуалета «Розовое счастье», если Лев Борисович возьмет Мирона на постоянный оклад».

— Лицо биотуалета... — в полном обалдении повторила я. — Звучит необычно. На мой взгляд, для рекламы унитаза более подходит другая часть тела. Роза Леопольдовна, я не принадлежу к подвиду селебретис. На «Бум» работала сто лет назад и давно забыла об этом[1].

— А вот Интернет вас помнит, — потерла руки Краузе. — В Сети есть полная ваша биография, я читала ее с интересом.

— С ума сойти! — удивилась я.

— Да, да, — закивала няня. — Еще там указано, что госпожа Романова служила в театре «Лео»[2]. Поэтому вы можете называться актрисой.

— М-м-м... — протянула я, не зная, как отреагировать на эти слова.

Роза Леопольдовна молитвенно сложила руки.

— Лампа, дорогая! Пожалуйста, скажите репортерам пару слов! Похвалите сортирчик, он на самом деле хороший. Тогда Мирона примут на фирму. Он прекрасный работник, креативный. «Розовое счастье» навсегда вам останется. Еще и скидочную карту дадут!

Я решила до конца разобраться в абсурдной ситуации.

— Так конкурса не было? Ну да, я же не заполняла в магазине никаких анкет. Значит, это вы договорились с журналистами...

— Им нужен оперативный повод, — перебила меня Краузе, — вот они и придумали, что проводилась викторина. Звезда пошла в магазин, заполнила анкету и ответила правильно на все-все вопросики, умная такая. А потом ей доставили хорошенький, прекрасненький унитазик. В «Бытовой проблеме» уже дали информацию об акции с вашим фото, которое Фрумкин сделал,

---

[1] Как Лампа попала на радио «Бум», рассказано в книге Дарьи Донцовой «Но-шпа на троих», издательство «Эксмо».

[2] Историю того, как Евлампия попала в театр «Лео», читайте в книге Дарьи Донцовой «Любовь-морковь и третий лишний», издательство «Эксмо».

когда приз доставил, и пообещали читателям интервью со знаменитостью. Я Гошу предупредила, что вы будете для вида отказываться, изображать, будто ничего не знаете, но это одно кокетство. На самом деле все в порядке, звезда согласна на пиар-компанию.

— Следовало до того, как затевать этот балаган, поговорить со мной! — запоздало возмутилась я. — Не хочу принимать участие в идиотстве! Так вот зачем Фрумкину понадобилось со мной сниматься... Роза Леопольдовна, вы меня втянули черт-те во что!

Няня поникла.

— Да, вы правы. Простите. Совсем голову потеряла. Я так обрадовалась, что Мирон устроится. Сейчас объясню корреспонденту... что вы не можете...

Краузе всхлипнула, шмыгнула носом, сгорбилась...

— Ладно, сейчас выйду к людям, — согласилась я, — только джинсы натяну.

Роза Леопольдовна взвизгнула и убежала. Я подошла к шкафу. Доброе утро, Лампа! Опять тебе не хватило смелости настоять на своем. Здравствуйте, любимые грабли, я без вас жить не могу.

Глава 34

— Мы вас надолго не задержим, — пообещала тощая девица в безразмерных гаремных штанах и обтягивающей маечке, надетой на голое тело. — Предлагаю сделать интервью прямо на «Розовом счастье».

— В смысле? — напряглась я.

— У нас онлайн-издание, — пояснила девица. — Ой, забыла представиться, меня зовут Ксения. А за камерой Леня.

— Хай! — помахал рукой парень в кожаных брюках. — Нам нужна простая бытовая картинка. Обычное утро, вы проснулись, пошли в туалет, устроились поудобнее и отвечаете на вопросы. Естественная ситуация. Не люблю постановочных съемок.

Я возразила оператору:

— А вам не кажется странным, что женщина беседует с прессой в процессе, так сказать... э... Ну, вы понимаете.

Ксения махнула рукой.

— Подумаешь! У звезд свои причуды. Пожалуйста, устраивайтесь.

Я покорно села на унитаз, предусмотрительно опустив крышку на круг.

— О'кей, — пробормотал Леонид. — Нет, это скучно. Невкусно. Нет драйва. Лампа, вам не трудно переодеться? Джинсы и рубашка это совсем не звездно. Селебретис должна быть в шубе, перьях, диадеме...

Мне стало смешно.

— Сидеть в сортире в манто уж совсем необычно. И у меня только полушубок из синтетики.

Леня снисходительно улыбнулся.

— Пошутил я насчет соболей. Подойдет вечернее платье, желательно однотонное. Ярко-красное, зеленое или оранжевое. В пол, с глубоким декольте.

Я рассмеялась. Потом увидела, что оператор стоит мрачнее тучи, и осведомилась:

— Вы всерьез? Предлагаете мне утром сидеть на толчке в наряде для пафосного вечернего выхода?

— Поверьте, получится прекрасно, — пообещал Леонид.

— Ну, ладно, — пробормотала я и отправилась в гардеробную.

— Драгоценности не забудьте! — крикнула мне в спину Ксения. — Колье, «люстры» в уши, кольца, браслеты.

Через пятнадцать минут, оглядев меня со всех сторон, Леонид издал одобрительное покашливание.

— Шикарно. То, что надо. Наденьте диадему, а то пустая голова плохо смотрится на экране.

— У меня нет такого украшения, — смутилась я. — И надеюсь все же, что моя голова не совсем пуста, внутри есть мозг.

— Ц-ц-ц, — зацокал языком оператор.

— Секундочку! — закричала Краузе и унеслась.

— Усаживайтесь, — велела Ксения. — Ножки налево, голову направо...

— Уймись, — процедил сквозь зубы Леонид, — твое дело текст, не мешай. Лампа, опустите плечи, поднимите подбородок...

— Вот! — завопила Роза Леопольдовна, вбегая в гостевой санузел. — Смотрите — корона! Ненастоящая, конечно, из железки со стеклами, на резинке. Мы ее для мопсихи Фиры на Новый год покупали. Мусю нарядили оленем, а Фирочку принцессой. Ну-ка, сейчас прилажу... Оп-ля! Как вам? Ничего, что украшение фальшивое?

— Дорогая, правда жизни никому не нужна, — снисходительно заявил Леонид. — Открою секрет: на экране лучше всего смотрится фейк. Суперисcимо! Лампа, ноги чуть правее... Ксю, поправь подол платья, чтобы виднелся фирменный знак «Розового счастья». Госпожа Романова, не двигая головой, поверните нос влево.

— Боюсь, не получится, — вздохнула я.

— Все равно неинтересно, — поморщился оператор. — Нет жизни. Картинка красивая, но где действие? Статика, а необходима движуха. Это же утро! А у нас унылость. Льву Борисовичу ваще ни на секунду не понравится. Стоп! Ребенок! Вроде тут мальчик есть?

— Девочка, — поправила Краузе. — Киса, иди сюда!

Раздался топот, в туалет влетела малышка, за ней прибежали собаки.

— Вот! — запрыгал Леня. — Сложилось! Делаем так. Лампа, вы отвечаете на вопросы Ксении. Потом по моей команде кричите: «Доченька, иди скорей сюда!» Девочка появляется в кадре, псы ее сопровождают. И вы раздаете всем печенье.

— В туалете? Сидя на унитазе? — обалдела я. — Кормлю Кису и мопсов?

— Верно поняли! — обрадовался Леонид. — Баночку вот сюда поставим, на пол. Принесите поскорей угощение.

Краузе с быстротой мухи слетала по маршруту санузел — кухня — санузел.

Леонид потер руки.

— Ну, готовы? Смотрите на Ксю. Камера, мотор, начали! — заорал оператор.

— Доброе утро. Сегодня мы совершенно случайно заглянули в семь утра к известной радиоведущей и актрисе Лампе Романовой, — зачирикала Ксения. — Хозяйку мы застали в момент сборов на работу, Лампа уезжала на съемку. О! Вижу вы пользуетесь биотуалетом «Розовое счастье»?

— Да, — ощущая себя полной идиоткой, ответила я.

— И как? — заулыбалась Ксения.

— Очень удобно, — сказала я.

— Передайте свои ощущения, — потребовала корреспондентка.

Я растерялась.

— Ну... вполне хорошие.

— Вы сели на круг. Он комфортный?

— Очень, — покривила я душой.

— Мягкий?

Я поерзала на закрытой жесткой крышке.

— Да.

— Как нежная подушечка, правда? — проворковала Ксения.

Я кивнула.

— Угу.

— Работает бесшумно? — не успокаивалась Ксю.

— Нужен звук, — вклинился Леонид. — Открутите чуть-чуть кран.

Роза Леопольдовна мигом открыла воду. За моей спиной раздалось мерное журчание.

— Шикарно! — восхитился Леня. — Тишина, пишем!

— Цвет унитаза восхитителен! — разливалась соловьем Ксения. — А какой аромат издает «Розовое счастье»! Лампа, как он вам? Что ощущает ваш нос?

Я изо всех сил старалась удержать на лице улыбку. Аромат биотуалета? Чем унитаз, по мнению репортерши, должен пахнуть?

— Веет жасмином и розами, — подсказала Ксения. — Это от бионаполнителя, он с натуральной отдушкой. Кстати! Есть вариант и для детей с ароматом Буратино.

Вот тут я не смогла сдержаться.

— Оригинально.

— Да, да, да! — затараторила журналистка. — Очень хочется, чтобы смотрящие нас родители поняли: «Розовое счастье» лучший выбор для ребенка. При его производстве не использовались ГМО и искусственные материалы, исключительно природные составляющие.

Незаметно пощупав пластиковую крышку, я задумалась. Интересно, в каких краях находятся поля, на которых хозяин фирмы без ГМО и удобрений выращивает пластмассу? Наверное, она колосится в горах, где чистые реки, зеленая трава и веселые гномы руками срывают будущие крышки, распевая песни.

— И наполнители-адсорбенты только натуральные, — пела Ксения. — Да, Лампа?

Что мне оставалось делать? Я кивнула.

— Роза, жасмин, ландыш, сирень и, конечно же, Буратино! — восторженно вещала дуреха. — Лампа, вам нравится, как пахнет Буратино? Оцените аромат, на что он похож?

Я снова впала в задумчивость. Чем может пахнуть от деревянного человечка? Опилками?

— Лампа! — не успокаивалась Ксения. — Буратино потрясающий, да?

Я судорожно закивала.

Корреспондентка захлопала в ладоши.

— Хочется отметить, что при изготовлении нашего прекрасного биоунитаза не погиб ни один Буратино. Наполнитель одорирован ароматом, идентичным запаху сока натурального Буратино.

Мне стало смешно. «Розовое счастье» сделали исключительно из экологически чистых материалов, взращенных в райском уголке Земли, а вот в адсорбент засунули отдушку, произведенную на химическом заводе. Иначе как понять заявление Ксении про «аромат, идентичный запаху сока натурального Буратино»? Ох, похоже, креативные пиарщики не продумали рекламный текст до конца, лучше бы говорили о бесконечных лесах, где на ветвях зреют деревянные человечки. Хотя у потребителей может возникнуть вопрос: каким образом из чурки выдавили сок? Возьмут и обвинят фирму в жестокости. «Розовому счастью» надо выпустить детский унитаз, который благоухает шоколадом или жвачкой, ни к чему упоминать героя «Золотого ключика».

— Отлично, — подал голос Леонид, — выключаем воду.

— Почему? — удивилась Ксения. — Звук оживляет репортаж.

— Журчит уже десять минут, — фыркнул оператор. — Ты можешь столько времени писать? Народ нам не поверит.

Я онемела. Только сейчас поняла, зачем Леониду понадобилась текущая вода.

— Запускаем ребенка, — распорядился парень. — Лампа, пожалуйста, выдайте эмоцию. Нам требуется естественная, живая реакция матери, которая рада видеть дочь. Сначала обнимаете малышку, затем нежно целуете...

— Киса терпеть не может лобзаний, — возразила я.

— Ладно, посадите ее к себе на колени, — не стал вредничать Леня. — Затем вбегут собаки. Айн, цвай, драй... Начинаем. Камера! Мотор! Работаем! Лампа, к вам пришла дочь, где радость?

Выпучив глаза, я растянула губы в улыбке, развела руки в стороны и увидела Кису, которая, опустив голову, медленно бредет к унитазу, сжимая в руке куклу.

— Здравствуй, дорогая, — фальшиво сладким голосом пропела Ксюша. — Как тебя зовут?

— Не скажу, — пропищала девочка.

— Какое интересное имя — Нескажу, — засмеялась корреспондентка. — А где Лампа?

Киса показала на меня пальцем.

— Ай, умница! — похвалила Ксения.

— Киса, иди сюда, — попросила я.

Девочка сдвинула брови, но послушалась. Я взяла ее на руки.

— Леня, ты снимаешь? — спросила Ксения.

— Есть сомнения на сей счет? — огрызнулся оператор. — Займись своим делом. Картинка шикарная, но нужно о малышке пару слов.

— А кого Киса принесла? — просюсюкала репортер.

— Егора, — нехотя ответила девочка, — мы его с Лампой вместе собрали, только у него...

— Крупняком пупса возьму, — пробормотал оператор. — Деточка, подними куколку, ее тогда в телевизоре покажут.

— Зачем? — спросила Киса.

— Не понял, — удивился Леонид. — Что зачем?

— Зачем Егору в телевизор? — уточнила Киса. — Ему и без него хорошо.

Я ухмыльнулась, Ксения скорчила гримасу.

— Киса, ты любишь Буратино?

Девочка не успела ответить, потому что Леонид спросил:

— Эй, а что это у него с носом?

— Кого ты имеешь в виду? — деловито осведомилась журналистка.

— Игрушку, — буркнул Леонид. — Ну жесть! Франкенштейн!

Мне стало обидно.

— Егор очень симпатичный.

— У каждого свой стандарт красоты, — дипломатично заметила Ксения, прищурилась и взвизгнула. — Ну ваще! Что за дрянь сейчас выпускают...

Глянув на лицо пупса, я разинула рот. А вы бы как поступили, увидев, что у Егора вместо носа торчит большой палец ноги?

— Это Лампа воткнула, — радостно сообщила девочка. — Мы собирали Егора, я за водичкой побежала, и она без меня его доделала.

Я напрягла память. Действительно, я захотела пить, отправила малышку на кухню, а сама решила завершить сбор игрушки. На столе лежали две последние детали, нос и большой палец ноги.

— А носик вот где, — доложила Киса и потрясла ногой пупса. — Егор теперь ножкой дышит, поэтому я ботиночки ему не надеваю.

Я судорожно вздохнула. Помнится, нос игрушки никак не влезал на место, пришлось поднажать, раздался щелчок... Я перепутала нос с пальцем!

— Почему раньше никто ничего мне про Егора не сказал? — помимо воли вырвался у меня вопрос.

Роза Леопольдовна обиженно вздернула подбородок.

— Я многократно пыталась, но вы говорили: «Об игрушке потом, сейчас мне некогда».

— Снято! — объявил Леонид. — Прекрасная сцена. Живо, свежо, по-домашнему. Теперь собаки. Киса остается на коленях у Лампы. Камера! Мотор! Начали! Псы! Эй, зовите их...

Я ощутила головокружение и подкатывающую тошноту.

— Муся! — завопила Киса.

Раздалось сопение, цокот когтей, и в санузел внеслись мопсихи с Боней. Тут только до меня дошло, по какой причине их нарядили, как на Новый год, и почему на девочке самое красивое платье. Роза Леопольдовна абсолютно не сомневалась в том, что уговорит меня на идиотскую съемку, и нарядила всех участников действа заранее.

— Берите банку, — скомандовал Леонид.

Я потянулась к фарфоровой емкости.

— Нет, — остановил оператор, — с прямой спиной и глядя в камеру. Смотрите, чтобы корона не свалилась, не шевелите головой.

— Погодите, — засуетилась Ксюша, — самое главное забыли! Лампа, надо произнести слоган рекламы унитаза.

— И какой у нас слоган? — испытывая желание придушить сначала няню, потом Мирона, а следом всю съемочную группу, поинтересовалась я.

— Какое счастье, когда есть «Розовое счастье», — продекламировала Ксения. — Сначала вы гладите Кису, затем отрываете кусок туалетной бумаги, говорите эту фразу, берете печенье, угощаете всех, встаете и уходите. Роза, как только унитаз освободится, ваша задача нажать на кнопку смыва. О'кей? Лампа, вы готовы? Поехали!

— Тот, кто командует съемкой, стоит за камерой, — разозлился Леонид. — Мотор! Начали! Лампа!

Я провела ладонью по волосам Кисы, схватилась за рулон, затем, быстро выпалив идиотский слоган, начала наклоняться вбок, стараясь не согнуть спину. Эта задача оказалась совсем не простой. Чтобы корона не съехала с макушки, я изо всех сил напрягла шею и постаралась не шевелить головой. Киса ерзала на моих коленях, собаки пытались запрыгнуть на девочку. В какую-то секунду я поняла, что теряю равновесие, хотела вернуться в вертикальное положение, но не смогла. Сила земного притяжения победила, я завалилась на бок, Киса с радостным хохотом упала на пол, Фира, отчаянно сопя, вспрыгнула ей на спину, Муся разразилась звонким лаем и принялась нарезать круги по санузлу, Боня заскакал на задних лапах...

В этот момент Краузе откинула крышку стульчака и ткнула пальцем в красную клавишу. Послышался странный чавкающий звук.

Я рухнула около малышки. Корона почему-то взлетела вверх, а затем спланировала прямо в «Розовое счастье». Раздался раскат грома, из биотуалета, заливая все вокруг, забил фонтан воды.

— Беги, дед Мазай, нехай зайцы тонут! — завопил Леонид и с камерой бросился в коридор.

Краузе подхватила Кису и побежала за оператором. Собаки пogалопировали следом. Ксения понеслась за ними. Я осталась в санузле одна — вечернее платье мешало оперативно подняться. После нескольких неудачных попыток мне удалось встать на четвереньки, я медленно поползла к двери. «Розовое счастье» за спиной заорало паровозной сиреной, мне на голову упало что-то небольшое, легкое, и тут раздался звонок в дверь.

Глава 35

Путаясь в мокром шелке, я все же выползла в коридор и увидела Жанну, которую Роза Леопольдовна впустила в квартиру.

— Господи! Что у вас происходит? — забыв поздороваться, заголосила Златова. — Лампа, у меня опять хлещет вода на кухне! Что за ерунда? Бог мой, чем вы тут занимаетесь? Почему ты на четвереньках?

— Сейчас Мирон перекроет вентиль, — крикнула Краузе и испарилась.

— Потоп в кухне начинает мне надоедать, — сердито произнесла Жанна. — Один раз это было смешно, но сейчас совсем не весело.

Я встала, держась за стену, хотела улыбнуться, но вместо этого выпалила:

— А мне осточертело, что ты постоянно врешь!

Соседка попятилась, бормоча:

— Я не имею обыкновения лгать.

— Да ну? — рассмеялась я, выжимая юбку. — А как насчет убийства Вениамина Подольского?

Жанна попятилась к двери. Я опомнилась, задрала подол, одним прыжком преодолела разделявшее нас расстояние, схватила Златову за руку, чуть не волоком притащила в свою спальню и скомандовала:

— Садись в кресло.

— Дорогая, тебе надо переодеться, — покачала головой Жанна, — еще простудишься.

Я схватилась за телефон и набрала номер Костина.

— Срочно приезжай ко мне домой, тут Златова!

— Интересное кино, — вздохнула Жанна. — Кого ты позвала? Мужа?

— Владимира Костина, — процедила я. — Расскажешь ему, как лишила жизни Подольского.

— Прости, у тебя на ухе висит корона из проволоки, — сказала соседка.

Я провела рукой по волосам. Ага, теперь понятно, что упало мне на голову, когда я пыталась отползти к двери туалета, — это было новогоднее украшение Фиры.

— Глупо обвинять меня в убийстве, — спокойно сказала Жанна.

Я решила не ждать Володю.

— У тебя в ДТП погибла дочь. Ее звали Надеждой.

Златова резко переменилась в лице.

— А ты откуда знаешь?

— Не важно, — отмахнулась я. — Надя была журналисткой и обманом проникла в общину «Сто жизней», основанную Подольским. Она хотела сделать материал о мошеннике, который, прикидываясь графом Сен-Жерменом, обещал наивным людям бессмертие души, переселение в новое тело, а сам обирал несчастных. Но одна из учениц Подольского стала случайной свидетельницей того, как Надежда беседовала в кафе с женщиной, называя ее «мама Жанна», и рассказала Вениамину, что девушка не сирота. А в общину принимают только тех, кто совершенно одинок. Авантюрист разозлился, выгнал Надю из дома, та стала перебегать улицу и угодила под машину. Ты решила отомстить за дочь, подстроила покушение. Не надо отпираться, та самая девушка, которая подслушала в кафе вашу беседу, тебя опознает.

Жанна шумно выдохнула, а мне почему-то стало тревожно. Златова вынула из кармана черный телефон, ткнула пальцем в экран и спустя пару секунд нараспев произнесла:

— Стоматология? Соедините меня с протезистом... Алло, Олег Семенович? Это Златова. Извините, не смогу прийти сегодня в назначенное время. Нет, нет, просто у моей соседки Евлампии Романовой случился нервный срыв, я должна остаться с ней, она меня не отпускает. Да, да, вы все правильно поняли, верно. Очень прошу, узнайте, когда это можно сделать сегодня, и перезвоните. Нет, именно сегодня. Спасибо.

Жанна положила телефон на стол, пояснив:

— Мой стоматолог невероятно ответственный человек. Поставил мне имплантат пару дней назад и теперь переживает.

Затем без перехода с той же интонацией заявила:

— Обвинять меня в смерти Подольского абсурдно.

— У тебя была дочь Надя, — повторила я, — она погибла в ДТП.

Златова сложила руки на груди.

— Откуда сведения?

— Какая тебе разница, — разозлилась я.

— Не надо собирать сплетни, — улыбнулась соседка, — они в большинстве случаев лживы. Ой, извини, мне звонят! Алло... Да, да. Когда? В семнадцать? А пораньше никак? Есть в пятнадцать? Это намного лучше. Вот черт! Вы уверены? Вдруг кто-то откажется? Три часа прекрасное время. Да, да, конечно, естественно, как только, так сразу!

Златова положила сотовый на стол.

— На чем мы остановились? Ах да! Понимаешь, Евлампия, досужие домыслы...

— Доброе утро, — произнес за моей спиной знакомый голос.

Я обернулась.

— Володя! Я не слышала звонка в дверь.

— А она открыта, — мрачно сказал Костин.

Златова скорчила гримасу.

— Как я понимаю, вы и есть главный обвинитель. Судя по вашему лицу, вы уже узнали правду про Надежду?

Мой друг кивнул.

— Прекрасно! — оживилась Жанна. — Теперь донесите ее до своей помощницы.

— Извините, — сказал Вовка, — это недоразумение. Вас никто не задерживает.

— Ну уж нет! — воскликнула соседка. — Я хочу поприсутствовать при вашей беседе, а после ее завершения намерена услышать от госпожи Романовой извинения. Сами начнете или я первая?

Костин сел в кресло, вздохнул.

— Жанны Златовой не существует. На самом деле вы Жанна Козá.

— Вообще-то Кóза, — поправила она. — Люди всегда ставят ударение не на тот слог. В детстве я намучилась, в юности тоже, поэтому стала представляться Златовой.

— Но паспорт менять не стали, — продолжил Володя.

— Представляете геморрой? — усмехнулась соседка. — На руках куча разных документов, потом всю жизнь, если понадобится справка из полиции, диспансера или диплом, придется объяснять, какое отношение ко мне имеет Жанна Кóза.

— Но свою дочь вы записали как Надежду Игоревну Лапину, — отметил Костин.

— Это фамилия ее отца. Брак был не зарегистрирован, я родила девочку, едва закончив школу, — без тени смущения пояснила Жанна и посмотрела на меня. — Родители Игоря резко воспротивились оформлению наших отношений, не стесняясь называли меня шлюхой, которая решила стать членом достойной семьи. Моя мать пила по-черному, отца я не знала. Игорь открестился и от меня, и от малышки. Теперь-то я понимаю, что мне следовало сделать генетический анализ, подать на Лапина в суд. Но в шестнадцать лет головы нет, а верный совет мне дать было некому. Ничего, мы выжили.

Володя понизил голос.

— Два года назад ваша дочь попала в психиатрическую больницу после попытки самоубийства. В тот раз ее спасли, но через шесть месяцев она выбросилась из окна.

Златова кивнула.

— Надя была очень эмоциональна, про таких говорят — человек без кожи. Любая, даже самая маленькая неприятность, например, порванные колготки, приводила ее в отчаяние. Девочка рыдала: «Я никчемное существо, не способна ни учиться, ни работать, ни любить».

Увы, это было правдой. Надежда впадала в эйфорию, когда у нее начинался роман, принималась активно опекать кавалера, а мужики терпеть не могут, когда кто-то пытается их приватизировать. Поэтому романы Нади длились не более месяца. Я пыталась объяснить девочке, как надо себя вести, но она отмахивалась. К сожалению, во всех своих бедах дочка винила меня. Став совершеннолетней, она ушла из дома, и с тех пор наше общение стало эпизодическим. Поэтому я ничего не могу рассказать о том, как Надежда жила до того, как попала в психушку. Звонок из лечебницы был для меня шоком. Дочь наглоталась таблеток и могла умереть, но к ней в комнату зашла соседка по квартире и подняла шум. В больнице посмотрели паспорт и выяснили, что у больной есть мать. В тот раз Надюшу удалось откачать. Из клиники она вышла, ненавидя меня еще больше, жить со мной отказалась. Чем все закончилось, вы знаете — дочь спрыгнула с последнего этажа высотного дома, не оставив даже записки. Легко проверить, что несчастье случилось задолго до того, как ко мне обратился Вениамин со своей идеей о покушении на себя. Мне жалко совершенно незнакомую тезку дочери, которая погибла под колесами машины, только на момент этого ДТП Надя давно лежала в могиле. Но почему вы решили, что моя девочка жертва наезда?

— Приятельница одной моей знакомой присутствовала на погребении Надежды, — пробормотала я, — и сказала, что хоронила твою сестру, которая попала в ДТП. Но мне подумалось... что она дочь... И девушка из общины слышала, как другая ученица Подольского, Надя, обращалась к женщине «мама Жанна». Имя-то не слишком распространенное.

Златова поморщилась.

— Лампа, я думала, ты умнее, просто прикидываешься дурочкой. Играла в детстве в испорченный телефон?

Знаешь, что это такое? Дети становятся в ряд, крайний шепчет на ухо соседу фразу или, например: «Доброе утро», тот ее переиначивает, передает третьему...

— Знаю, — перебила я, — до последнего человека слова доходят как «китайский чай», и все хохочут, когда он их произносит. Со сплетнями так же получается.

— Вот только мне не весело, — протянула Жанна. — Я никому не рассказывала, что дочка лишила себя жизни, всем говорила про ДТП. Не хотела глупых разговоров, охов, ахов.

— А с кем тогда журналистка Надя сидела в кафе в супермаркете, называя собеседницу «мама Жанна»? — уцепилась я за последнюю надежду.

Златова скривила рот.

— Отличный вопрос. Но зачем ты задаешь его мне? Я понятия не имею. К сожалению, на этом свете нет людей, которые могли бы обратиться ко мне подобным образом.

— Есть же свидетельница, — пискнула я. — Она может опознать женщину из кафе.

— Чудесно, — кивнула Жанна, — я готова встретиться с ней, чтобы внести окончательную ясность. Как насчет завтра? Сегодня у меня весь день занят. Если в девять утра? Между прочим, Лампа, мое имя хоть и не очень популярное, но не уникальное. Можешь не извиняться, вижу, тебе стыдно. В другой раз, когда займешься расследованием, включай логику. Если я задумала убить Подольского, какого черта нанимала тогда водителя, чтобы симулировать наезд? Мне бы следовало внушить тебе, что Вениамин сам договорился с киллером. Разве не так?

На столе отчаянно запищал телефон, я машинально схватила его и тут же ощутила сильный тычок в бок.

— Немедленно положи! — взвизгнула Жанна. — Ненавижу, когда лапают мою трубку!

— Извини, я думала, это мой, все айфоны похожи, — пролепетала я. Увидела, что мобильник черного цвета и удивилась: — У тебя же был другой аппарат, с прикольным розовым чехлом в виде конфеты.

Златова выдохнула, потом, брезгливо морщась, двумя пальцами взяла сотовый, отключила звук, вытерла трубку о джинсы и положила в карман кофты со словами:

— Фу, теперь снова придется менять аппарат.

— Снова менять? — повторила я. — А почему ты тот, в розовеньком чехольчике, выбросила?

— Не твое дело! — огрызнулась Жанна. — Дам вам совет: Вениамин был бабник, поищите ревнивого мужа. Поговорите с бывшей женой Подольского, она постоянно ему трезвонила, жаловалась, что ей покоя брошенные им бабы не дают, а какие-то мужики грозились убить Вениамина.

— Мы с ней общались, но ничего подобного не услышали, — возразил Костин.

Жанна рассмеялась.

— Еще разок попробуйте. Не слезайте с нее, пока правду не расскажет. Прощайте, господа. Надеюсь в дальнейшем никогда не иметь с вами дела.

Златова резко развернулась и удалилась.

— Ну ты даешь! — возмутился Вовка. — Разве так можно? Какого черта ты налетела на человека с обвинениями в убийстве? Не могла подождать, пока со мной переговоришь?

— Все указывало на Жанну, — сказала я. — Давай все-таки покажем Алисе ее фото.

Костин закатил глаза.

— Нет. Забудь про Златову. Ее дочь Надежда состояла на учете в психдиспансере, совершила две попытки самоубийства, вторая увенчалась успехом. Девушку похоронили до того, как Алиса появилась в квартире Регины Натановны.

— Стоп! — воскликнула я. — А когда была основана община «Сто жизней»?

— Точно не отвечу, — протянул Костин, — наверное, несколько лет назад. Думаю, Вениамин стал выдавать себя за графа, когда ушел от жены. Тогда у него и появились деньги.

— Что-то здесь не так, — прошептала я, — но не могу понять, что именно...

Резкий звонок телефона помешал договорить фразу, я взяла на этот раз свой мобильный, тоже лежавший на столе, увидела на дисплее незнакомый номер и сказала:

— Слушаю.

— Вы Торшер Романова? — спросил приятный мужской голос.

— Лампа, — поправила я.

— Простите, — смутился незнакомец, — не хотел вас обидеть или посмеяться над вами.

— Ерунда, — успокоила я собеседника, — Лампа и торшер в принципе одно и то же.

— Я привез ваш чемодан, — сообщил мужчина.

— Ой! Огромное спасибо! Где вы?

— В аэропорту. Рукы-мама пообещала, что Лампа меня встретит и отвезет в гостиницу.

— Ну конечно! Сейчас примчусь. Извините, забыла ваше имя, — зачастила я.

— Сомневаюсь, что в Москве его кто-нибудь сумеет произнести, — рассмеялся собеседник, — зовите меня Николаем.

— Отлично. У вас много багажа?

— Ваш чемодан, клетка и мой собственный небольшой саквояж на колесах.

— Уже бегу к машине, — заверила я. — Идите в зону отлета, найдите ресторанчик «Самолет», он прямо в центре зала. Ждите меня там.

— Хорошо, — согласился Николай.

Я повернулась к Вовке:

— Я сейчас смотаюсь за чемоданом, один добрый человек привез вещи Макса. Пожалуйста, поройся еще в биографии Жанны и ее дочери, может, все-таки выплывет какая-то связь с Подольским.

— Езжай уже, — скривился Костин. — Я отправлюсь в офис. Звякни, как только освободишься.

Глава 36

Николай сидел в «Самолете». Столик ему достался посередине зала, вокруг сновали туда-сюда люди с пакетами. Многие пассажиры не хотели «лакомиться» едой, которую им предложат в лайнере, предпочитали захватить с собой вкусные бутерброды и пирожные из кафе.

— Будете проверять вещи? — деловито осведомился Николай. — Я не открывал ваш чемодан.

— Спасибо, что привезли, — улыбнулась я, — не стану сейчас возиться со шмотками, дома разберусь.

— Еще клеточка, — напомнил он. — Вот!

Николай нагнулся и вытащил из-под стола куполообразное сооружение из проволоки. Я попятилась.

— Держите! — сказал Николай. — Он себя хорошо в полете вел.

Ко мне вернулся дар речи.

— Но это же кот! Тигрового окраса!

Новый знакомый кивнул:

— Да. А вы кого ждали?

— Птичку, — растерянно ответила я. — И в Нью-Йорке, и в Айдахо, и Рукы-мама говорили сначала про цыпленка, потом упоминали орла, о коте ни слова никто не сказал.

— Там на клетке конверт прикреплен, — подсказал Николай. — Может, в нем объяснение?

Я осторожно сняла с прутьев небольшой пакет, достала из него листок в клеточку, без сомнения, выдранный из общей тетради, и начала внимательно читать текст.

«Здрасти! Пиш*и*т вам а*и*ропорт. Ваш птиц ул*и*тел как я ево кармит начал. Не виноват с*а*всем. Он сам ул*и*тел, замахал крылами и усвистел. Пр*а*стите. Вы не растраивайтес. *Ш*тоб вы не плакали *а*тправил вам кота. Е*в*о з*а*вут Василий. Он не имеет дома, живет в а*и*ропорт, одинокий. Василию нужен дом, вам нужен птиц. Василий лут*ч*е птиц. Василий ловит мыш, ест чево бросите. Лазковый. Срет на улице. Вы будете е*в*о отец и мат. Он вас любит зтанет. Ж*и*лаю вам *щ*астья с Василием. За ним ухаж*е*вала женщина Катя, п*а*этому он Василий Екатеринович, отзывается тока с отчеством. С уважением Абргдмстворстук».

Я сунула восхитительное письмо Николаю под нос, ткнув пальцем в подпись:

— Вот этот набор букв кто?

— Племянник Рукы-мама, грузчиком работает, — пояснил приезжий. — Он дурачок, лет ему сорок, а по уму семь. Хороший человек, добрый, трудолюбивый, но как ребенок. Вон чего начудил, кота вам вместо курицы послал. Я просто взял чемодан и клетку из отсека и улетел. Рукы-мама грипп подцепила, ее другая сотрудница заменила, она не в курсе была, что именно в Москву доставить надо. Как поступите с котом? Может, выпустить его тут? Раз в одном аэропорту хорошо прижился, так и в московском не пропадет.

Присев у клетки на корточки, я посмотрела на котяру.

— Здравствуйте, Василий Екатеринович. Со счастливым прибытием в столицу нашей Родины, город-герой Москву. Какой у вас красивый ошейник! С камнями!

Василий тихо замяукал. Потом просунул между прутьями лапу и осторожно, не выпуская когтей, тронул меня за руку.

Я встала.

— Он хочет есть и пить. Можете посидеть еще пару минут? Сбегаю вон в тот ларек. Там торгуют товарами для животных, возьму путешественнику баночку консервов.

— Хорошо, — неконфликтно согласился Николай.

Я вышла из кафе и пошла вперед, лавируя между людьми, тащившими чемоданы. Летом в аэропортах начинается ад. Сотни тысяч пассажиров летят отдыхать за границу, к регулярным рейсам добавляются чартеры. Остается только пожалеть всех сотрудников, я бы сошла с ума, атакуй меня орда людей с хныкающими детьми.

Поворачивая к ларьку, я налетела на тележку с багажом, пошатнулась, машинально схватилась за здоровенный чемодан, лежавший на самом верху, и благодаря этому удержалась на ногах. А вот саквояж, стоявший сбоку, свалился на пол, висевшая на его ручке бирка отцепилась и отлетела в сторону. Я подняла его, машинально прочитала на карточке: «Надежда Коростылева +7903723...» — повернулась к владельцу тележки, чтобы отдать бирку, и изумилась:

— Вы?

— Вот так встреча, — пробормотала женщина.

Я сделала попытку положить саквояж на тележку.

— Он неподъемный, — засуетилась хозяйка, — давайте вместе.

Кое-как мы пристроили поклажу на место.

— Отдыхать летишь? — осведомилась я.

— Да вот, в отпуск, как все, — ответила моя собеседница.

— Вроде же не собиралась, — протянула я, — говорила, дел по горло.

— Надоело в Москве, — нервно пояснила дама, — душно, грязно, хочется к морю.

— И куда, если не секрет? — не отставала я.

— На Кипр, — после небольшой паузы уточнила она.

Я удивленно посмотрела на тележку. Хм, некоторые люди берут на каникулы гору вещей: пять чемоданов, кучу сумок. Зачем столько на пару недель? Впрочем, у меня есть еще один вопрос.

— Почему на бирке имя «Надя»?

— Э... чемодан мне дала подруга, — ответила отпускница, — я не обратила внимания на бирку.

Я покосилась на наклейку «Air France» на саквояже, дама поймала мой взгляд и оторвала бумажку со словами:

— Надо же, я ее не заметила.

И тут с потолка донесся хорошо поставленный женский голос:

— Заканчивается регистрация на рейс номер семьсот сорок восемь девяносто два, следующий рейсом Москва – Бангкок, пассажиров просят срочно пройти к стойке сто сорок девять.

— Пардон, — занервничала собеседница, — мне пора. До свидания.

Прежде чем я успела раскрыть рот, она толкнула тележку и понеслась по залу. Проводив ее глазами, я вынула мобильный и набрала телефон Костина.

ЭПИЛОГ

Спустя десять дней Володя, я и мой супруг сидели в гостиной нашей квартиры и разговаривали о деле Подольского.

— Понимаешь, Макс, после неприятной беседы со Златовой здесь, у вас, — рассказывал Вовка, — я не очень-то хотел делать то, о чем просила Лампа, позвонив мне из аэропорта. Но твоя жена умеет быть настойчивой, вот я и решил: легче посмотреть биографию путешественницы с необъятным багажом, с которой столкнулась Романова, чем объяснять, почему я не хочу этого делать. А Лампа требовала проверить, есть ли у женщины сестра или дочь по имени Надежда. Вот что мне удалось узнать...

Оказалось, что таковая имеется. Вернее, имелась. Надежда Коростылева погибла в результате ДТП. Водитель автомобиля, сбивший ее, не остановился и до сих пор не найден. Случилось несчастье рядом с домом Регины Натановны. Алиса не обманула, она видела наезд.

Журналистка Надежда Сергеевна Коростылева работала в «Болтуне», злейшем конкуренте «Желтухи», и у нее была лучшая подруга — дочь Жанны Златовой, Надежда Игоревна Лапина, безработная. Девушки были вместе с первого класса. Школьницы, жившие в соседних домах, часто бегали друг к другу в гости, и в конце концов их мамы тоже стали дружить. У них нашлось много общего — обе в одиночку воспитывали детей, жили бедно, мечтали вылезти из нищеты.

После окончания школы Коростылева поступила на журфак. Лапина тоже сдавала экзамены в МГУ, но срезалась и попала с нервным срывом в больницу. С той поры дочка Жанны регулярно лежала в психушке. Работала она эпизодически, постоянно ругалась с матерью и после одной из ссор ушла жить к подружке, у которой была собственная двухкомнатная квартира, доставшаяся ей в наследство от покойной бабушки. Коростылева очень переживала за свою тезку, пыталась помирить ее с мамой, а Златова давала ей потихоньку деньги, чтобы та могла купить для дочки одежду и лекарства.

Надя Лапина была влюбчива, но отношения с мужчинами у нее не складывались. Девушка выбирала не тех парней, в основном крутила романы с женатыми. Так продолжалось до тех пор, пока она не познакомилась с Подольским. Где состоялась судьбоносная встреча, Коростылева не знала, просто заметила, что подруга стала безудержно веселой, и сообразила — у Надюши новый кавалер. Девушка стала ее расспрашивать, и дочь Жанны рассказала про графа Сен-Жермена, про создание эликсира бессмертия для женщин, про то, что она теперь любимая младшая сестра Учителя. А еще про то, как взяла кредит в банке, чтобы помочь Вениамину купить лабораторное оборудование для исследований.

— Тебе, безработной, дали ссуду? — поразилась Коростылева.

Лапина засмеялась.

— Есть такие люди, посредники, которые помогают получить любой кредит, а ты им за это отдаешь часть денег.

— С ума сошла? — пришла в ужас Коростылева. — Возвращать-то сумму плюс проценты предстоит тебе! С каких доходов ты собираешься расплачиваться?

— Ерунда, — отмахнулась дочь Жанны, — выкручусь. И я выхожу на работу — продавщицей в магазин.

Лапина на самом деле устроилась в гипермаркет, но все получаемые деньги относила Вениамину. Коростылева пыталась вразумить ее, но успеха не достигла. И вдруг однажды подруга наглоталась таблеток. Слава богу, в тот день хозяйка квартиры пришла домой раньше обычного, очень вовремя обнаружив самоубийцу. Она вызвала «Скорую», Надежду откачали.

На вопрос подруги: «Почему ты решила лишить себя жизни?» — Лапина ответила:

— Вениамин сказал, что нам надо временно расстаться. В Москву приехал князь Варгаши, давний враг Сен-Жермена, тоже бессмертный, и начал охотиться на нашу семью, необходимо залечь на дно. Учитель велел не звонить ему, не приходить в общину. Мне так плохо без него, я не выдержу десять лет!

— Десять лет? — повторила Коростылева.

Ее тезка зарыдала.

— Да! На такой срок надо разорвать отношения, чтобы враг ничего не заподозрил. Вот я и подумала: лучше умереть, чем столько ждать.

Коростылевой все стало ясно — мошенник, поняв, что Лапина психически не совсем здоровый человек, решил от нее отделаться. Надя позвонила Златовой, рассказала ей о Подольском.

Коннектер сильно занервничала.

— Почему ты мне раньше не сообщила о мерзавце?

— Не хотела тебя волновать, мама Жанна, я думала, у Нади очередное глупое увлечение, — пояснила Коростылева, — полагала, сама сумею убедить ее не общаться с подлецом. Извини, но она же плохо к тебе относится, и если бы ты начала ее ругать, требовать не встречаться с Подольским, Надя точно поступила бы наоборот.

— Да уж, — мрачно согласилась Жанна, — мне лучше ничего дочери не советовать. Надюшка не понимает, как я ее люблю, мать для нее враг номер один. Очень грустно это осознавать. Ладно, надо попытаться взбодрить Надю. Давай отправлю вас на море? Слетаете к солнышку, поплаваете, отдохнете две недели, а там поглядим.

— Хорошая идея, — обрадовалась девушка.

Златова купила путевки. Однако воспользоваться ими никто не успел — дочь Жанны опять решилась на самоубийство, и на сей раз попытка оказалась успешной.

Коростылева кинулась в полицию с заявлением о том, что виноват в смерти подруги Вениамин Подольский. Но в отделении ее спросили:

— У вас есть какие-то доказательства близких отношений Лапиной с мужчиной? Вы лично видели или слышали, как тот подталкивает девушку к самоубийству?

— Нет, но она набрала кредитов, отдала деньги Вениамину, приносила ему свою зарплату, — перечислила Коростылева.

— Вы сами видели факт передачи средств? Может, у вас есть расписки Подольского? — продолжал полицейский.

— Издеваетесь, да? — возмутилась журналистка. — Какой мошенник станет давать расписки? И я вообще никогда не встречалась с мерзавцем.

— Значит, обстоятельства дела вам известны исключительно со слов Лапиной, — спокойно подвел итог дознаватель. — Надежда Игоревна была психиатрической больной, состояла на учете, таким людям свойственно фантазировать, они слышат голоса в голове.

Поняв, что представители закона не собираются ничего предпринимать, Коростылева решила сама наказать Вениамина. Подруга много рассказывала ей о графе Сен-Жермене, журналистка знала, что в общину «Сто жизней» принимают только одиноких людей. Лапина даже не раз говорила:

— Учитель может позвонить нам домой. Если он начнет задавать вопросы, скажи, что я сдаю тебе комнату, ты мне никто, торгуешь на рынке. Иначе меня из общины выгонят...

Макс постучал пальцами по столу, и Костин прервал рассказ.

— Подольский не проверял тех, кого обманывал? — спросил у него Вульф. — Неужели не пытался разузнать об ученице?

— Похоже, нет, — ответил Володя. — Во всяком случае, на квартиру к Коростылевой не звонил. И сомневаюсь, что он пробивал Лапину по базам, которые доступны в Интернете, иначе б сразу увидел — у нее есть мать. Про Коростылеву, когда журналистка проникла в общину, тоже, по всей видимости, он не наводил справок. Мать ее жива-здорова.

Мой муж поморщился.

— В Сети в открытом доступе находится масса устаревшей информации. Если посмотреть сведения о Лампе, то она до сих пор прописана в квартире родителей и замужем за Михаилом Громовым[1].

— Подольский был слишком самонадеян и считал себя выдающимся психологом, — объяснила я поведение «гения». — Увидел меня первый раз в кабинете у Володи и заявил: «Эта женщина подойдет. Всегда сразу могу правильно оценить человека, у меня дар, я никогда не ошибаюсь».

— Уж сколько раз людей предупреждали о мошенниках, но тем не менее находятся такие, как Регина Натановна, Алиса или Надежда Лапина, — вздохнул Костин. — Но слушайте дальше...

Коростылева начала действовать. Она познакомилась с Вениамином, прикинулась наивной дурочкой, рассказала, что одинока, владеет хорошей квартирой,

---

[1] Биография Евлампии Романовой рассказана в книге Дарьи Донцовой «Маникюр для покойника», издательство «Эксмо».

и вскоре оказалась в апартаментах Ошкиной. В планы журналистки входило разузнать как можно больше сведений о мошеннических действиях «графа», набрать аудио- и видеоматериалы, а потом написать большую разоблачительную статью в газете «Болтун» — сей желтый листок имеет многомиллионный тираж. Коростылева надеялась, что поднимется шум, и тогда полиция наконец-то займется Подольским.

Но, как мы уже знаем, Алиса случайно услышала разговор Нади с «мамой Жанной».

Златова знала, что затеяла подруга дочери, вызвала ту на свидание, просила перестать шпионить за Вениамином, говорила:

— Мою Надю уже не вернуть, а ты можешь пострадать. Вдруг аферист догадается, что в его общине находится тайный наблюдатель?

Но девушка отрезала:

— Нет! Я отомщу за Надюшу!

Чем закончилось ее расследование, известно — журналистку разоблачили, выгнали из квартиры Ошкиной, и она попала под машину.

Мать Надежды, которая по-прежнему дружила с Жанной Златовой и, естественно, знала историю самоубийства Нади Лапиной, бросилась в полицию. Она не сомневалась, что в смерти дочери виноват Подольский. Дознаватель вежливо побеседовал с убитой горем матерью, показал ей документы и объяснил:

— К сожалению, Надежда Сергеевна Коростылева перебегала дорогу в неположенном месте. Ее никто не толкал под колеса проезжавшего автомобиля, есть свидетели ДТП. Увы, ни один из них не запомнил ни номер, ни марку машины.

— Шофера нанял Вениамин Подольский, я уверена! — закричала мать. — Именно он фактически убил ранее подругу дочери, та из-за мерзавца покончила с собой, а теперь он лишил жизни и мою девочку.

— Не волнуйтесь, непременно разберемся, — заверил полицейский. — Ступайте домой, мы с вами свяжемся.

Женщина стала методично ходить в отделение. Потом до нее дошло: никто дел об убийстве подруг-тезок открывать не собирается. И тогда матери погибших решили действовать самостоятельно. Они не торопились, тщательно изучили информацию о Подольском. Во многом им помогли записи, оставленные Надей Коростылевой...

— Стоп! — снова прервал Костина Макс. — Ранее ты говорил, что Регина Натановна и Вениамин уничтожили собранные ею материалы.

— Да, камера, диктофон и мобильник были разбиты, — подтвердил Володя. — Но журналистка каждый вечер отправляла добытые с утра сведения к себе на электронную почту. Дома в ее компьютере вся информация благополучно сохранилась.

— Вениамин вовсе не так умен, как сам полагал, — вмешалась я. — Не сообразил, что Коростылева могла куда-то перекидывать данные. Он считал себя великим человеком, гением во всех областях, лучшим в мире психологом, поэтому попался в капкан, который расставили Златова и ее подруга Крестова.

— Владелица рекламного агентства решила помочь Жанне и матери Коростылевой? — удивился Макс.

— Елена Крестова и есть мать Нади Коростылевой, ее дочь носила фамилию отца, — пояснил Володя. — Женщины разработали хитрый план. Коннектер нашла в Интернете книгу «Нежность», подошла к Подольскому, когда тот ужинал в кафе, вытащила из сумки роман, прикинулась его фанаткой, попросила автограф. А самовлюбленный упырь ни на секунду не усомнился в искренности Златовой.

Взяв из вазочки печенье, Костин продолжил.

— Бывшая жена Подольского говорила, что Вениамин умел очаровывать людей. Кое-кто полностью попадал под его обаяние, верил любой чуши, которую нес мерзавец. Например, Петр, «брат» самозванца «графа», отдал ему рукопись своего романа. Когда Подольский выпустил чужое произведение под своим именем, морально порабощенный им Петр все же спросил: «А почему на обложке твое имя?» Затем произошло удивительное. «Потому что это моя книга, — без тени смущения ответил Вениамин. — Редактор посчитал твою рукопись слабой, а я ее полностью переделал». И автор не посмел возражать.

Володя схватил еще одно курабье, рассказывая дальше.

— Я не поленился полистать готовое издание и рукопись Петра, сравнил текст и увидел: Подольский действительно потрудился над повестью — поменял кое-какие слова. Ну, к примеру, прилагательное «красный» на «алый» или глагол «бежать» на «нестись».

— Хочешь сказать, он верил в то, что сам наваял «Нежность»? — удивился Вульф.

— Да, — кивнул Костин. — Я побеседовал с опытным психологом, и тот мне кое-что объяснил. Люди, подобные Вениамину, способны к самогипнозу, поэтому через некоторое время собственная брехня начинает им казаться правдой.

— Очень удобно, — хмыкнул Макс. — Жанна прикинулась его фанаткой, а самовлюбленный «гений» не усомнился в истинности ее восторга.

— Конечно, — подтвердила я, — он же считал себя великим. Познакомившись с ним, Златова обещала Подольскому бесплатный пиар, рассказала, что ее подруга Елена Крестова обожает написанные им песни, и тоже в восторге от «Нежности», вот и...

— Понятно, — остановил меня супруг. — Вениамин мечтал о славе, и появление поклонниц, да еще предлагающих бесплатные рекламные услуги, его очень порадовало. Значит, идея с нападением на «писателя» принадлежала двум женщинам?

Я повысила голос.

— Все рассказы Жанны и Елены о том, как Подольский пришел в агентство Крестовой, как его выставили вон, как он вернулся, ложь. Равным образом и их слова о том, что они познакомились недавно. Реальность такова: Подольскому предложили инсценировку наезда на дороге. «Аварию» назначили на день рождения Жанны, чтобы, по их словам, вечером Вениамин пришел на тусовку и рассказал журналистам о происшествии. «Писателю» план чрезвычайно понравился. Но на самом деле Подольского должны были застрелить на проезжей части. Исполнителя нашла Жанна. Тот приехал из Сибири и улетел сразу после выполнения заказа. Естественно, про снайпера никто Вене не доложил.

— То-то мы удивлялись, почему он согласился на выстрел. Думали, что он велел стрелять в себя холостыми, — вставил Костин.

— Подольский ничего не знал о снайпере, — повторила я. — Он сразу согласился на сценарий Златовой и Крестовой, но решил внести свои поправки. Например, захотел, чтобы история стала более драматичной. Вениамин сказал женщинам: «На меня должен охотиться фанат, который пишет и подкидывает письма с угрозами. Я обращусь в полицию, сгущу краски...» — «Нет, — испугалась Жанна, — нельзя привлекать людей в форме! Могут затеять расследование, и неизвестно, куда оно заведет». Златова и Крестова решили, что Подольский внял их уговорам, успокоились и начали готовить акцию. А через неделю Вениамин явился к Елене и радостно сообщил: «Я улучшил ваш план, нанял частного детектива, рассказал ему о фанате. Теперь у меня в подъезде будет сидеть баба, которая станет свидетелем наезда. Я все гениально устроил. Нашел лучших специалистов, самую крупную, респектабельную контору». Злая до невозможности Златова в сердцах воскликнула: «Уж лучше бы ты обратился к неудачнику, который следит за неверными супругами!» Но Вениамин возразил: «Нет, мне нужны солидные люди, которые подтвердят, что мне грозила нешуточная опасность. Они дадут интервью журналистам, сообщат, что я их нанял для поимки фаната. Идиот, не способный даже муху изловить, не вызовет доверия, а сотрудникам Вульфа газеты поверят. Ну неужели вам надо объяснять прописные истины?» Златова хотела ответить: «Сам ты полный идиот!» Но, конечно же, промолчала. Вот почему в этом деле оказались мы. Ни Жанна, ни Елена не планировали обращаться к сыщикам, но Подольский, проявив активность, спутал их планы. Сначала женщины растерялись, ведь ищейки им совершенно не нужны. Но потом Златову осеняет: агентство Вульфа — это же Макс и Лампа, живущие этажом выше! И она изо всех сил пытается исправить положение — начинает прибегать ко мне чуть не каждый день, вручает приглашение на свой день рождения...

— Кстати, зачем она так поступила? — удивился мой муж.

Володя откашлялся.

— Жанна узнала, что ты постоянно в разъездах, Подольским занимается некий Костин, человек в агентстве новый. Вениамин в качестве свидетеля происшествия выбрал Лампу, которая привлекла его своим заурядным видом — на ее лице словно большими буквами написано: «Непрофессионал».

— Эй, эй! — возмутился Макс.

— Это же огромный плюс, — залебезил Костин, — очень хорошо, что люди считают Евлампию дурочкой.

— Ты так полагаешь? — прищурилась я.

Мой друг сделал вид, будто не слышит моих слов, и продолжал:

— Жанна полагала, что Лампа, увидев труп Вени, перепугается насмерть. Златова мне на допросе со смешком рассказала, как один раз забежала к Романовой, а та в панике — у нее по кухне бегает таракан, хозяйка боится подойти к плите.

Я разозлилась.

— Да, прусаки нагоняют на меня ужас. Но давай вспомним эпизод, когда сама Жанна примчалась ко мне с воплем: «У меня в доме крыса!» Кто тогда сразу помчался прогонять грызуна?

Володя поднял руки.

— Спокойно. Я же не свое мнение высказываю, а говорю, что о тебе думала Златова. Они с Еленой попали в сложное положение — Подольский своим обращением к детективам поставил под угрозу весь спектакль, срежиссированный ими. Теток чуть кондратий не хватил. Что, отменять убийство? Но ведь Крестова подписала договор с «писателем», и если того не пристрелят, придется им раскручивать «гения».

— Да уж, эта перспектива им наверняка совсем не понравилась, — заметил Макс.

— Конечно, — согласился Костин, — у них прямо паника началась. Но потом Жанна подумала: Лампа глупышка, все обойдется. И успокоилась. Сбегала к ней чайку попить, узнала, что Макс опять в отъезде, и потерла руки. Вульфа обмануть трудно, а его жену — как не фиг делать. И новенького мужика в конторе, похоже, тоже, он же только начал работать. Используя Романову, Златова надеялась узнать, что думают в агентстве о Подольском, какие шаги собираются предпринимать. Вот почему она стала переводить соседские отношения в дружеские. Зачем ей вдруг понадобилось приглашать

Лампудель в ресторан? А для укрепления этих самых дружеских отношений. Она никак не ожидала увидеть соседку на празднике, думала, что та после убийства Вени свалится с нервным приступом. Полагала на следующее утро подняться к Романовой, спросить: «Милая, почему тебя не было?» — и узнать, что в агентстве собираются делать в связи со смертью Подольского.

— То-то Жанна, помню, удивилась, когда я появилась в ресторане, — пробормотала я. — И они с Крестовой усиленно внушали мне, что познакомились совсем недавно, вовсе не являются близкими подругами. Да только все в этой истории пошло вкривь и вкось, вопреки ожиданиям матерей, потерявших своих детей. Совершенно случайно в нее вклинилась Саша Рудакова, изображающая Мариэтту. Сейчас-то мы знаем: на дороге рядом со мной и Подольским Александра оказалась потому, что шла в кафе на встречу с Самохваловой.

Костин покосился на уже пустую вазочку, где раньше лежало курабье.

— Диана Варкесовна, узнав о том, что дочь нашлась, была обрадована и испугана одновременно. Когда Илья сообщил ей, что отыскал-таки Мари, та жива-здорова и готова встретиться с родной матерью, женщина чуть не лишилась чувств. А потом закричала: «Хочу ее увидеть как можно скорее!» «Лучше провести первое свидание на нейтральной территории, — предложил Илья. — Мама, выбери ресторан, а я привезу туда Мари. Сам останусь в машине, мешать вам не буду». — «Я не хожу по ресторанам, — занервничала Самохвалова, — понятия не имею, куда направиться. Хотя постой! Одна женщина мне рассказывала, что забегает в кафе под названием «Диана», говорила: «На вывеске ваше имя, и хозяин заведения его не позорит, там очень вкусно готовят». Уверена, это знак свыше, там все пройдет очень хорошо, мы с Мариэттой поймем друг друга». Ну, мы в курсе, что случилось потом. Лампа, которой не понравилось, что какая-то девица идет слишком близко от Подольского, дернула его за руку, и пуля, предназначенная «гению», угодила в Александру. Снайпер мигом понял ошибку и сделал второй выстрел. Как мы и предполагали, исполнитель не профессионал, а просто меткий охотник на белку, который решил подзаработать.

— Понятно теперь, почему Саша на пару секунд задержалась посреди дороги, небось готовилась к роли Мари, вот и решила сконцентрироваться, — грустно сказала я.

— Когда Лампа, потеряв самообладание, налетела на Жанну, прибежавшую в нашу квартиру... — начал Макс.

Но я не дала мужу договорить.

— Да, у меня слетел стоп-кран. Сначала я пошла на поводу у Краузе, участвовала в идиотском интервью, сидя на унитазе, потом увидела куклу, у которой вместо носа торчал большой палец ноги, затем из «Розового счастья» забил фонтан воды, я упала, платье намокло, встать долго не могла... Тут как раз возникла Жанна, и я сорвалась.

— С каждым случается, — произнес супруг. — Ты слетела с катушек, а вот Златова сохранила самообладание. Она спокойно рассказала про свою дочь, не сообщив об участии Вениамина в судьбе Нади. У Костина не было причин ей не верить — Надежда Лапина действительно погибла не в ДТП, а совершила самоубийство. Потом ты поехала в аэропорт за моим чемоданом...

— И случайно налетела на Крестову, — закончила я. — Все это дело — цепь таких случайностей, что невольно начинаешь думать: есть некая таинственная сила, которая руководила всем происходящим. Саша приезжает на встречу с Дианой Варкесовной и случайно оказывается рядом с Подольским, а я дергаю его в сторону, и пуля случайно попадает в Рудакову. Эжени случайно видит приглашение на день рождения Жанны, и мне приходится идти с ней на вечеринку...

— Ты случайно путаешь телефон Златовой со своим и узнаешь про шофера, — подхватил Макс.

— Нет! — остановил нас Костин. — Вот это был специально продуманный ход. Водителя не нанимали. Златова решила подстраховаться. Ей пришло в голову использовать Лампу не только для получения информации о действиях агентства Вульфа в связи со смертью Подольского, но и для того, чтобы подтвердить свою непричастность к его убийству. Жанна рассчитывала, что они с Еленой не привлекут внимания сыщиков. Если же, паче чаяния, им станут задавать вопросы, они спокойно ответят: «Да, мы взялись пиарить Подольского, вот договор, Крестова действует по стандартной схеме, Златова знакомит писателя с нужными людьми». — Володя снова бросил тоскливый взгляд на пустую вазочку и продолжил свои выкладки. — Подольский ведь о своем мошенничестве помалкивал, никому из посторонних не сообщал про общину «Сто жизней», зато налево-направо кричал, что получает гонорары за книгу и концерты. И как тогда связать рекламщицу и Златову с его кончиной? Какой у них мотив? Надя Лапина покончила с собой, Надя Коростылева, перебегая улицу в неположенном месте, угодила под машину. И где в этих трагических историях Вениамин? О том, что тот обирал наивных людей, никто не знал, все должно было пройти гладко. Сыщики заподозрят ревнивого мужа, но искать его не станут — частные детективы работают за деньги, а клиент мертв, какие вопросы? Полиция тоже особого рвения не проявит, дело сдадут в архив. Вот так женщины думали. Но получилось иначе, погибла еще Саша Рудакова. А мы с Евлампией, вопреки ожиданиям убийц, не прекратили работу в связи со смертью заказчика, а, наоборот, развили бурную деятельность. И тогда

Жанне приходит в голову наврать Лампе про историю с наездом. По убеждению Златовой, ложь про каскадера должна была полностью вывести ее из-под удара: она же планировала пиар-акцию с машиной, значит, никак не могла нанять киллера. Зачем договариваться одновременно с шофером и киллером?

— Ну... — протянул Макс, — могу припомнить несколько случаев, когда люди проделывали и такое. На мой взгляд, Златова придумала редчайшую глупость.

Я разозлилась.

— Она же была в истерике, испугана. Все получилось не так, как планировалось, убита ни в чем не повинная прохожая, Жанне стало элементарно страшно, отсюда и ее поведение. Крестову она сразу вывела из-под подозрений, — сказала мне, что обманула приятельницу, хотела побольше денег срубить, рекламщица вообще ни при чем. Но перед ней встал вопрос: как сообщить сыщикам о водителе? Соседка не могла просто прийти ко мне на кухню, сесть за стол и сказать: «Лампуша, сейчас поведаю тебе интересную историю...» С чего бы Златовой так поступать? Вот это было бы глупо.

— Как и вся придуманная ею история, — не выдержал муж.

— Нам без разницы, умна или глупа сия идея, главное, так полагала Жанна, — зашипела я. — Мы не оцениваем сейчас сообразительность Златовой и Крестовой, а разбираем их поведение.

Макс похлопал ладонью по столу.

— Не кипятись.

Я схватила его за руку.

— Я спокойна, как танк. Дай мне договорить. Жанна попросила одного парня позвонить ей. Предупредила, что трубка окажется в руках другой женщины, и ему надо изобразить, будто он принял ее за Златову, и произнести нужный текст. Когда я спустилась в квартиру к соседке, та сочла момент подходящим и незаметно нажала на кнопку своей трубки. К «шоферу» ушла заранее заготовленная эсэмэска — «Давай», и он вступил в игру. Я попалась на эту удочку. А потом еще подслушала, как Златова беседует с «водителем». Стоит ли упоминать, что Жанна никому не звонила, просто изобразила диалог?

Я сделала короткую паузу. Вульф промолчал, Костин тоже. Значит, можно продолжать.

— Соседушка рассчитала верно: госпожа Романова устроилась подслушивать под дверью. Жанна распахнула створку, «застала» меня за неблаговидным занятием, я пошла на нее в атаку, стала задавать вопросы. Хозяйка квартиры вздохнула и выложила «правду» про пиар-ход с наездом. Тогда вопроса, почему она вдруг разоткровенничалась, у меня не возникло. Все понятно — я услышала ругань мужика, Златовой было глупо отпираться. Надо отдать должное дамочке, запутать меня у нее получилось лучше некуда. Замечу, что вообще у Жанны и с фантазией, и с самообладанием полный порядок. Итак, она усиленно старается отправить меня по ложному пути, убеждает, что Подольский бабник, рассказывает, как сидела с ним в кафе, а туда вбежала женщина и устроила «гению» скандал. Более того, сообщает не только местонахождение кафе, но даже «припоминает» имя владельца заведения — Арам. Мол, тот может подтвердить ее слова о дебоше, затеянном брошенной Подольским любовницей. Златова рассчитывает, что я брошусь искать эту бабу.

И действительно, я поторопилась в кафе «Диана». И что же там узнала? Ресторанчик принадлежит москвичу Карену. А Арам, его брат, живущий в Армении в деревне, приезжает с домочадцами в столицу России, чтобы заменить родственников на кухне и в зале, когда те всей семьей отправляются отдохнуть за границу. Карен подтвердил, Подольский приходил в «Диану» с дамой, по его описанию, смахивающей на Жанну. Причем той так понравилось сациви, что она взяла несколько порций домой и спросила: «Повара поменяли? В прошлый раз не так вкусно было». Карен ей объяснил, что сейчас у плиты стоит его жена, но недавно готовкой занимался Арам, который уже укатил назад в Армению. Макс, оцени память и хитрость Златовой. Жанна вспомнила ту беседу с ресторатором и отправила меня к Карену, зная: тот не станет отрицать, что «писатель» его клиент, и не сможет ничего сообщить о скандале, потому что отсутствовал в столице. Арама же не опросить, он далеко, и там нет телефона. Но я получу подтверждение того, что Веня посещал «Диану», решу, что слова про потасовку тоже правда, и начну искать скандалистку. Следствие пойдет по ложному пути. А как Златова поступила, когда услышала от впавшей в истерику Лампы обвинение в убийстве Подольского? Великолепно изобразила полнейшее равнодушие и... позвонила своему стоматологу, чтобы отменить прием. Немного странно, не находишь? Мало кто будет думать о зубах, когда ему говорят: «Ты — преступник».

— Она переиграла от сильного желания выглядеть непричастной к смерти Вениамина, — предположил Вульф.

— Думаю, ты прав, — согласилась я. — Жанна тогда в разговоре попросила уточнить время приема. Дантист сразу не смог ответить на ее вопрос, перезвонил через несколько минут, и Златова воскликнула: «А раньше никак? В пятнадцать лучше. Ладно, в семнадцать тоже хорошо». Не могу ручаться, что дословно передаю услышанное, но цифры «пятнадцать» и «семнадцать» запомнила хорошо. Беседу соседка закончила словами: «И я тебя тоже». Когда ты произносишь эту фразу?

Макс улыбнулся.

— Когда слышу от жены: «Я тебя люблю».

— Вот-вот! — закивала я. — Но ведь стоматологу так не говорят! Нет, Жанна поняла, что дело плохо, и предупредила Елену. Позвонила не врачу, а ей, и велела живо смываться. И именно Лене сказала: «И я тебя тоже».

— Ну ты даешь! — восхитился Макс. — Так быстро понять, что к чему!

— Нет, меня озарило только в аэропорту. Я пошла за консервами для Василия Екатериновича и налетела на тележку с багажом, которую толкала Елена. Один чемодан рухнул на пол, с ручки слетела бирка, я ее подняла, прочла надпись «Надежда Коростылева» и номер мобильного. Крестова, похоже, собиралась на отдых в спешке. Вероятно, взяла чемодан у подруги, а чужую бирку не отцепила. Правда, имя «Надежда» меня насторожило. Количество вещей тоже. На мой вопрос, куда она летит, последовал ответ: «На Кипр». Но кто берет на две недели такую кучу мест? Тут по радио объявили об окончании посадки на рейс в Бангкок, и Крестова спешно убежала, задержать ее я не успела. А в мозгу словно факел вспыхнул. Вспомнился разговор Жанны с дантистом: тот перенес визит на пять вечера, и лайнер на Таиланд должен оторваться от земли в семнадцать часов с минутами. Тогда я подумала: что, если моя соседка говорила не с врачом, а с Крестовой? Наверное, Елена в конце беседы воскликнула: «Спасибо тебе за все, я люблю тебя!» И Златова машинально ответила: «Я тебя тоже».

— Что ж, вполне логично, — кивнул Макс.

— Затем мысли прямо бегом побежали. Как поступила Крестова, узнав, что я не отпускаю Жанну и что ей самой надо быстро смываться все равно куда? Естественно, она порылась в расписании самолетов, следующих в безвизовую для россиян страну, нашла свободное место на рейс до Бангкока, мигом приобрела билет, пошвыряла вещи в чемоданы и рванула в аэропорт. Сейчас она в Таиланде. Затеряться в далеком королевстве легко, вернуть Крестову в Москву нам не светит, а Златова все валит на нее. Адвокат у Жанны изворотливый, он трактует произошедшее так: его клиентка невинная жертва хитрой Крестовой, та вертела своей подругой, как хотела. Это Елена все придумала-организовала, Златова боялась ее, подчинялась ей. И вообще у Жанны после самоубийства дочери плохо с головой, она психически не стабильна, не отвечает за свои поступки. Защитник даже предъявил целый список людей, которые могут подтвердить, что Златова в последнее время была неадекватна. На самом же деле наша соседка хитрее обезьяны. Но она допускала ошибки. Жаль, я поздно разобралась, что к чему, вначале-то просто не обращала на ее косяки внимания.

— Например? — спросил Макс.

Я начала объяснять.

— В ресторане во время торжества Жанна напилась. А до того дня я никогда не видела ее подшофе. Но меня вид пошатывающейся именинницы не удивил — у человека ведь день рождения. Златова сказала: «У меня такой праздник! Самый огромный!» Я подумала, что у нее, наверное, круглая дата. Позже, стоя у занавески, которая прикрывала вход в комнату, куда Крестова отвела окосевшую приятельницу, я услышала, как Жанна воскликнула: «Мы это сделали! Все организовали! Сегодня счастливый день, лучше его не было!» Елена на нее цикнула: «Замолчи. Вот нажралась...» А Златова вдруг запела: «Наши девочки — ангелы, они сидят на облаках, вниз глядят, хорошо им, они сидят, глядят...» Вскоре она захрапела, я отодвинула занавеску, вошла в комнату и начала беседу с Крестовой. Странная песня Жанны меня не насторожила. Ну, мурлычет набравшаяся тетка какой-то хит из разряда тех, которые постоянно звучат по радио. Только теперь я понимаю, что Жанна имела в виду.

Вульф и Костин кивнули.

— Теперь о втором косяке. Разговаривая с Крестовой в комнате, где спала Жанна, я заметила, что на столе лежит мобильник в забавном розовом чехле. «Ой, какой миленький», — восхитилась я и хотела взять телефон, чтобы получше рассмотреть. «Не трогайте! — испугалась Крестова. — Сотовый принадлежит Жанне, а у нее мания: если кто, не дай бог, хоть пальцем прикоснется к ее трубке, у Златовой начинается истерика, и она немедленно бежит покупать новый». И в тот день, когда я, слетев с катушек, обвинила соседку в преступлении, мне довелось убедиться, что Елена говорила правду. На столе зазвонил айфон, я, решив, что сигнал подает мой телефон, схватила аппарат. Жанна заорала: «Не трогай! Ну вот, опять придется в магазин идти». Я опешила. И тут же вспомнила, что на дне рождения у нее был мобильный в розовом чехле, причем какой-то неизвестной мне фирмы. А сейчас вижу черный, как мой. Значит, Златова сменила мобильник. Но если у Жанны такая странная фобия, почему же она велела мне недавно ответить на звонок, сославшись на то, что у нее руки мокрые. Я тогда подчинилась и услышала ругань шофера. Похоже, Златова после того случая и приобрела черный айфон.

— Она пожертвовала мобильным, чтобы у тебя создалось впечатление, будто ты случайно узнала о водителе, — подхватил Костин. — А потом Жанна кинулась за новой трубкой. Что ж, дорога преступников в места исполнения наказания вымощена их ошибками.

Макс начал загибать пальцы.

— Подольский мертв, Крестова спряталась в Таиланде, Златова, вероятно, получит минимальный срок. А что с Евгенией?

Володя потер ладонью затылок.

— Ну, она в шоке. Впрочем, моя жена тоже. Они всю жизнь считали себя дочерьми Ивана Сергеевича и Веры Петровны Будановых, а теперь выяснилось, что они не сестры и никакая не родня воспитавшим их людям. Женя-то появилась на свет в семье Самохваловых и имя ее Мариэтта, а Нина дочь Андрея Николаевича Лукьяненко, бандита по кличке Череп, и его верной помощницы Алевтины. Диана Варкесовна почти обезумела от счастья. Она простила Илью, цепляется за руку Жени, боится ее отпустить. Эжи плачет, потому что любит простивших ее маму и папу, то есть Будановых, и не понимает, что ей теперь делать. Хорошо, хоть Череп уже скончался. Иначе бы, узнав правду о своей младшей дочке, наверняка наказал бы бывшего садовника. Кстати, Лукьяненко оставил все свое имущество Нине и Жене с условием, что им не станут рассказывать о нем, сообщат, что наследство от старого бездетного друга Ивана Сергеевича.

— Благородно, — хмыкнул Макс.

Костин передернулся.

— Малоприятная ситуация.

— Будановы действительно случайно нашли Мари? — осведомился Вульф. — Или украли ее?

— Они твердит, что крошка попалась им в лесу, — развел руками Вовка. — Прошло двадцать лет, истину мы никогда не узнаем. Как и не сможем разобраться и со смертью доктора Верещагина. На вопрос, в самом ли деле Глеб Алексеевич стал жертвой ДТП, или Буданов убрал человека, знавшего правду о Жене и Мариэтте, нет ответа. Сам Иван Сергеевич нам ничего не сообщит. Диана Варкесовна не горит желанием встречаться с ним и Верой Петровной, а те не хотят устраивать совместное чаепитие с родной матерью своей Жени. Мариэтта-Евгения давно совершеннолетняя, никакой суд не имеет права диктовать ей, кого считать своими родителями. Юридически она дочь Будановых, биологически — Самохваловых. Надеюсь, со временем ситуация как-то разрулится.

— Эжени мечтает выйти замуж, — вздохнув, продолжал Макс, — увидев в ресторане Илью, она приняла его за обещанного своим гуру жениха и отправилась с ним. Куда младший Самохвалов повез столь удачно подвернувшуюся ему сестру?

Костин налил себе воды.

— Илья в один миг сообразил, что Эжи считает его кем-то другим, поскольку она сразу повела себя с ним, как с дорогим и любимым человеком. Едва они познакомились, девушка сказала: «Я так счастлива, что выполнила все указания Альдабарана и увидела тебя». Самохвалов подумал, что Эжени пришла в ресторан на слепое свидание, которое организовала какая-то брачная фирма. Имя «Альдабаран» он посчитал названием конторы и решил включиться в игру. Он привез Евгению в дорогой отель и сказал: «Милая, сейчас уже поздно, отдохни до завтра, утром мы с тобой обо всем поговорим». Илья надеялся, что уговорит новую знакомую прикинуться его сестрой, хотел предложить ей много денег. Учтите, ему постоянно звонит в этот день мать, которая уже знает, что сын нашел Мариэтту. Диана Варкесовна требует сообщить, как себя чувствует ее дочь, говорит, что хочет поскорей увидеть Мари. А дальше было так...

В конце концов Илья вынужден был сказать матери:

— Мы с сестрой в отеле. Но она очень устала, напугана, у нее болит нога. Отложим вашу встречу на пару дней.

Но разве Диана Варкесовна могла ждать? Она двадцать лет искала свою девочку! Диана спрашивает название гостиницы, Илья выкручивается, не желая его сообщать. Самохвалова впадает в панику, заподозрив, что Мариэтту таки убили, а сын скрывает от нее правду. Потеряв голову от ужаса, Диана Варкесовна звонит компьютерщику, который делал реконструированное фото ее дочки, и, рыдая в трубку, просит:

— Можно как-то узнать, где сейчас находится мой сын?

— Если дадите номер его телефона, то я быстро раздобуду адрес, — обещает айтишник.

И действительно, вскоре у матери в руках оказывается и название отеля, и адрес. Самохвалова мчится туда, поднимается в номер, стучит в дверь руками-ногами, требует открыть... Илье приходится подчиниться. Диана Варкесовна вбегает в номер с воплем:

— Где Мари?

Крик будит Эжени, она высовывается из спальни. Мать видит дочь, кидается к ней. Евгения ничего не понимает, смотрит вопросительно на Илью, а тот растерянно лепечет:

— Простите, вы... э... моя сестра... э...

Он не знает, что делать, что говорить, Диана Варкесовна рыдает, произнося на разные лады: «моя Мари, Мариэтта». В конце концов Эжи делается плохо. Самохваловы отвозят ее в клинику, мать неотлучно сидит у постели обретенной дочери, держит ее за руку.

— А потом к Илье приезжаю я с вопросом: «Куда вы спрятали Евгению?» — завершил картину Костин.

— Парню не позавидуешь, — хмыкнул Макс. — Так, с этой ситуацией понятно. А подозрительный мужик, который приходил в подъезд незадолго до убийства Подольского, тот, кого Лампа приняла за фаната, оставившего очередное письмо с угрозой, он кто?

Костин оглушительно чихнул.

— Простите... Это был курьер из интернет-магазина, который привез заказанную книгу жильцу из квартиры под апартаментами нашего подопечного. Но мы же знаем, что Вениамин сам себе послания слал. Жанна, когда он озвучил свою «гениальную» идею, сказала ему: «Что за глупость посадить в подъезде Евлампию? Она же никакого фаната не увидит!» Мошенник ответил: «Главное, нам нужен свидетель наезда. Ну и пусть тетка твердит, что не заметила подозрительных лиц. Я ей скажу: «Вы просто прошляпили преступника, вот новое письмо, я получил его утром». Я все продумал.

— А журналист? — задал следующий вопрос Макс. — Ну, тот, кого Подольский нанял, чтобы сфотографировать попытку «фаната» задавить его. С ним вы говорили?

— Нет, — вздохнул Костин, — мы его не нашли, понятия не имеем, кто он. Снимков с места происшествия в газетах не появилось. Кстати, Жанна о нем ничего не знала до дня покушения. Вениамин сообщил ей о корреспонденте, только когда собирался выйти из квартиры, намереваясь упасть в подъезде на глазах у Лампы. Между прочим, хитрая Златова позвонила ему из автомата — не хотела, чтобы полиция, которая займется расследованием убийства Подольского, узнала, кто звонил жертве незадолго до смерти. «Ну, давай, смотри не опоздай», — сказала она. «Уже готов, — ответил Вениамин, — надеюсь, репортер на месте». Жанна переспросила: «Кто?» И «великий писатель» доложил о приглашении представителя прессы. Златова онемела от злости и растерялась.

— Представляю ее эмоции, — перебила я. — Когда в разговоре с ней я упомянула о корреспонденте, Жанна пошла красными пятнами.

— Понятно, почему она и после убийства бесилась, — хмыкнул Володя. — А в тот момент была в ярости. Что-либо предпринять она уже не успевала — снайпер занял позицию на чердаке, отменять операцию поздно... А Подольский отключил трубку и пошел навстречу своей смерти. Наверное, был очень собой доволен, радовался, как здорово все организовал, всех вокруг пальца обвел, сейчас его замечательная пиар-акция начнется.

— Вопросы почти закончились, — сказал Вульф. — Остался последний. Зачем Златова и Крестова все это проделали?

— Убили Вениамина? — опешила я. — Ты не понял? Они хотели отомстить...

— Наверное, я не так спросил, — остановил меня Макс. — Зачем Жанна и Елена избрали столь замысловатый путь — наняли киллера, а сами сделали вид, будто занимаются раскруткой Подольского.

Можно было решить проблему просто. Снайпер подстрелил бы «писателя» при выходе из дома и ушел. Его было бы трудно найти, еще сложнее установить причастность к убийству Полонского Златовой и Крестовой. Им не стоило светиться. Чего ради они по уши влезли в эту историю? Это же глупо и опасно.

Костин развел руками.

— Тот же вопрос пришел в голову и мне, и я задал его Жанне. Угадай, что та ответила?

— Теряюсь в догадках, — пожал плечами Макс.

Володя встал.

— Цитирую дословно: «Нам так захотелось». И все, понимаешь? Больше она ничего не сказала.

— Ну, это все объясняет, — кивнул мой муж. — «Нам так захотелось». Замечательный ответ. В принципе, отвечает на все вопросы.

— Да уж, — вздохнула я, — матрешка в перьях всегда шла на поводу у своих желаний.

— Матрешка в перьях? Ты о чем? — удивился Володя.

— Так подругу за любовь к нелепым нарядам называет Елена, — пояснила я.

— Интересная штука женская дружба, — протянул Костин, — дамы могут ходить рука об руку, проводить вместе время часами, дружить против всего мира, убить кого-то сообща, но они никогда не перестанут критиковать внешний вид лучшей подруги.

* * *

На следующее утро меня разбудил вопль Розы Леопольдовны:

— Лампа, скорей сюда!

Я, забыв надеть халат, ринулась на зов, наступила по дороге на Фиру, споткнулась о Мусю, чуть не растоптала Василия Екатериновича и влетела на кухню со словами:

— Что случилось? Все живы?

— Смотрите! — захлопала в ладоши няня. — Показывают!

Я бросила на экран взгляд и через секунду захихикала:

— Роза Леопольдовна, вы зачем вытащили меня из кровати? Почему решили, что мне будет интересно смотреть эту невероятную чушь? Какая-то страшная тетка в драгоценностях и вечернем платье сидит на унитазе и хвалит его. Ничего глупее в жизни не видела! Минуточку... Ой, это же я! «Розовое счастье»! Но корреспондент не говорила, что интервью покажут по телевидению.

— А зачем тогда его снимали? — удивилась Краузе.

Я растерялась.

— Ну... для показа в Интернете. Надеюсь, меня никто не узнает!

— Что вы, — заулыбалась няня, — вы тут прямо как живая. Вы теперь настоящая звезда, лицо биотуалета!

Я вздрогнула. Лицо биотуалета? О господи!

— Все отлично получилось, — ликовала Краузе. — Вы стали знаменитостью, мой муж получил работу, в нашем доме царят счастье и гармония. Жаль, конечно, что у куклы Егора вместо носа большой палец, выдернуть его не получилось даже у Мирона, но небольшая ложка дегтя всегда должна присутствовать в бочке меда. Лампа, вам не холодно в одной тоненькой маечке? Может, халатик принести?

Ко мне вернулся дар речи:

— Спасибо, пойду оденусь.

— Что-то вы раскраснелись, не заболели случайно? — крикнула мне в спину Роза Леопольдовна. — Лампочка, ваш телефон звонит.

Я оглянулась.

— А где он?

— Судя по звуку, в холле, на столике у вешалки, — подсказала Краузе.

Поспешив в прихожую, я взяла трубку и услышала:

— Госпожа Романова? Вас беспокоит Жанна Златова.

— Кто? — опешила я.

— Жанна Златова, — повторила женщина, — она же Жанна Ко́за. Вчера вечером газета «Желтуха» напечатала статью об убийстве Вениамина Подольского. Мне необходимо с вами встретиться как можно быстрее.

Я села на стул.

— Вы тезка Жанны Златовой, которая убила Вениамина Подольского?

Из трубки донеслось покашливание.

— Нет. Я Жанна Ко́за, которая из-за неблагозвучной фамилии взяла себе псевдоним «Златова».

— Ничего не понимаю. А кто сидит в СИЗО? — обомлела я.

— Вот об этом я и хочу рассказать. Преступница самозванка, она полагает, что меня давно нет в живых. Если подъедете через час в кафе «Яблочко», оно расположено...

— В торговом центре неподалеку от моего дома. Прекрасно знаю это заведение. Сейчас оденусь и примчусь.

— Буду вас с нетерпением ждать, — долетело из сотового, а затем раздались короткие гудки.

Я на секунду замерла, потом набрала номер Макса. «Абонент находится вне зоны доступа, оставьте сообщение...»

— Макс, позвони мне скорей, — сказала я и попыталась соединиться с Костиным. Тот тоже не откликнулся.

Держа трубку в руке, я поспешила в спальню. Ладно, побеседую с незнакомкой. Надеюсь, она возьмет с собой паспорт...

Мобильный снова запел, и я обрадовалась: номер скрыт, похоже, Макс мне перезванивает.

— Позовите госпожу Романову, — произнес незнакомый мужской голос.

— Слушаю вас, — ответила я.

— Извините за беспокойство, меня зовут Андрей Хромин. Вы получили из Нью-Йорка свой чемодан?

— О боже! Что еще нужно людям из аэропорта имени Джона Кеннеди? — простонала я. — Кстати, большое вам человеческое мерси за отправку багажа в Айдахо. Почему вам не пришло в голову, что женщина, говорящая исключительно на русском языке, живет в столице России, а не в штате кукурузы?

— Я тоже москвич, — остановил меня Андрей. — В Нью-Йорке была потеряна клетка с птицей. Мне с большим трудом удалось выяснить, что ее отправили вам вместе с чемоданом, они все перепутали. Мне надо забрать клетку. Она у вас?

Набрав полную грудь воздуха, я начала рассказывать мужчине про скитания багажа супруга, про грузчика из далекого аэропорта, упустившего птичку, про кота Василия Екатериновича... Но едва успела назвать кличку животного, как из трубки понеслись короткие гудки. Я в растерянности посмотрела на экран. Наверное, собеседник попал в зону отсутствия сети, но перезвонить ему я не смогу, номер-то не определился. Хотя что еще сказать этому Андрею? Птичка-то все равно тю-тю. И вовсе не по моей вине.

Телефон опять весело запел. Думая, что Хромин решил продолжить нашу увлекательную беседу, я воскликнула:

— Алло!

Но из сотового послышался женский голос:

— Лампуша! Только что видела тебя по телику. Вау! Шикарно выглядишь! Макс тебе такие цацки покупает! Диадема — шик! Платье — супер! Много денег за рекламу сортира получила?

— Простите, кто вы? — пробормотала я.

— Не узнала? Богатой стану. Ох, поскорей бы! Это же я, Света Фокина.

— Привет... — протянула я.

Фокина моя знакомая, одна из тех, с кем не общаешься постоянно, но всегда поздравляешь с праздниками. Светлана самозабвенная болтунья, сейчас она, завершив беседу со мной, начнет обзванивать сотни своих приятельниц, и уже к обеду пол-Москвы узнает, что я теперь лицо унитаза.

Я выслушала охи и ахи Светки, отсоединилась, пару секунд пребывала в расстроенных чувствах, потом, испугавшись, что опоздаю на встречу с теткой, назвавшейся Жанной Златовой, побежала в ванную.

Не буду переживать. Интервью снято и пошло в эфир. Дело сделано, ничего изменить нельзя.

Если в твоей жизни возникли проблемы, не надо причитать и хныкать: «Ах, я самая несчастная на свете». Любые проблемы можно решить, а если они нерешаемы, то не стоит делать из этого проблему.

Литературно-художественное издание

ИРОНИЧЕСКИЙ ДЕТЕКТИВ

Донцова Дарья Аркадьевна

МАТРЕШКА В ПЕРЬЯХ

Ответственный редактор *О. Рубис*
Редакторы *И. Шведова, Т. Семенова*
Художественный редактор *В. Щербаков*
Технический редактор *О. Лёвкин*
Компьютерная верстка *И. Ковалева*
Корректор *В. Соловьева*

Иллюстрация на обложке художника *В. Остапенко*

ООО «Издательство «Эксмо»
123308, Москва, ул. Зорге, д. 1. Тел. 8 (495) 411-68-86, 8 (495) 956-39-21.
Home page: **www.eksmo.ru** E-mail: **info@eksmo.ru**

Өндіруші: «ЭКСМО» АҚБ Баспасы, 123308, Мәскеу, Ресей, Зорге көшесі, 1 үй.
Тел. 8 (495) 411-68-86, 8 (495) 956-39-21
Home page: www.eksmo.ru E-mail: info@eksmo.ru.
Тауар белгісі: «Эксмо»
Қазақстан Республикасында дистрибьютор және өнім бойынша
арыз-талаптарды қабылдаушының
өкілі «РДЦ-Алматы» ЖШС, Алматы қ., Домбровский көш., 3«а», литер Б, офис 1.
Тел.: 8 (727) 2 51 59 89,90,91,92, факс: 8 (727) 251 58 12 вн. 107; E-mail: RDC-Almaty@eksmo.kz
Өнімнің жарамдылық мерзімі шектелмеген.
Сертификация туралы ақпарат сайтта: www.eksmo.ru/certification

Сведения о подтверждении соответствия издания согласно
законодательству РФ о техническом регулировании можно
получить по адресу: http://eksmo.ru/certification/

Өндірген мемлекет: Ресей
Сертификация қарастырылмаған

Подписано в печать 06.06.2014. Формат 80x100 $^1/_{32}$.
Гарнитура «Ньютон». Печать офсетная. Усл. печ. л. 14,81.
Тираж 30 000 экз. Заказ 97.

Отпечатано с электронных носителей издательства.
ОАО "Тверской полиграфический комбинат". 170024, г. Тверь, пр-т Ленина, 5.
Телефон: (4822) 44-52-03, 44-50-34, Телефон/факс: (4822)44-42-15
Home page - www.tverpk.ru Электронная почта (E-mail) - sales@tverpk.ru

ISBN 978-5-699-72530-4

9 785699 725304 >

Оптовая торговля книгами «Эксмо»:
ООО «ТД «Эксмо». 142700, Московская обл., Ленинский р-н, г. Видное,
Белокаменное ш., д. 1, многоканальный тел. 411-50-74.
E-mail: **reception@eksmo-sale.ru**

По вопросам приобретения книг «Эксмо» зарубежными оптовыми покупателями *обращаться в отдел зарубежных продаж ТД «Эксмо»*
E-mail: **international@eksmo-sale.ru**

International Sales: International wholesale customers should contact Foreign Sales Department of Trading House «Eksmo» for their orders.
international@eksmo-sale.ru

По вопросам заказа книг корпоративным клиентам, в том числе в специальном оформлении, *обращаться по тел. +7 (495) 411-68-59, доб. 2261, 1257.*
E-mail: **vipzakaz@eksmo.ru**

Оптовая торговля бумажно-беловыми и канцелярскими товарами для школы и офиса «Канц-Эксмо»:
Компания «Канц-Эксмо»: 142702, Московская обл., Ленинский р-н, г. Видное-2,
Белокаменное ш., д. 1, а/я 5. Тел./факс +7 (495) 745-28-87 (многоканальный).
e-mail: **kanc@eksmo-sale.ru**, сайт: www.**kanc-eksmo.ru**

В Санкт-Петербурге: в магазине «Парк Культуры и Чтения БУКВОЕД», Невский пр-т, д.46.
Тел.: +7(812)601-0-601, www.bookvoed.ru/

Полный ассортимент книг издательства «Эксмо» для оптовых покупателей:
В Санкт-Петербурге: ООО СЗКО, пр-т Обуховской Обороны, д. 84Е.
Тел. (812) 365-46-03/04.
В Нижнем Новгороде: ООО ТД «Эксмо НН», 603094, г. Нижний Новгород,
ул. Карпинского, д. 29, бизнес-парк «Грин Плаза». Тел. (831) 216-15-91 (92, 93, 94).
В Ростове-на-Дону: ООО «РДЦ-Ростов», пр. Стачки, 243А. Тел. (863) 220-19-34.
В Самаре: ООО «РДЦ-Самара», пр-т Кирова, д. 75/1, литера «Е». Тел. (846) 269-66-70.
В Екатеринбурге: ООО «РДЦ-Екатеринбург», ул. Прибалтийская, д. 24а.
Тел. +7 (343) 272-72-01/02/03/04/05/06/07/08.
В Новосибирске: ООО «РДЦ-Новосибирск», Комбинатский пер., д. 3.
Тел. +7 (383) 289-91-42. E-mail: **eksmo-nsk@yandex.ru**
В Киеве: ООО «РДЦ Эксмо-Украина», Московский пр-т, д. 9. Тел./факс: (044) 495-79-80/81.
В Донецке: ул. Артема, д. 160. Тел. +38 (032) 381-81-05.
В Харькове: ул. Гвардейцев Железнодорожников, д. 8. Тел. +38 (057) 724-11-56.
Во Львове: ТП ООО «Эксмо-Запад», ул. Бузкова, д. 2. Тел./факс (032) 245-00-19.
В Симферополе: ООО «Эксмо-Крым», ул. Киевская, д. 153.
Тел./факс (0652) 22-90-03, 54-32-99.
В Казахстане: ТОО «РДЦ-Алматы», ул. Домбровского, д. 3а.
Тел./факс (727) 251-59-90/91. **rdc-almaty@mail.ru**

Полный ассортимент продукции издательства «Эксмо» **можно приобрести в магазинах «Новый книжный» и «Читай-город».**
Телефон единой справочной: 8 (800) 444-8-444. Звонок по России бесплатный.

Интернет-магазин ООО «Издательство «Эксмо»
www.fiction.eksmo.ru
Розничная продажа книг с доставкой по всему миру.
Тел.: +7 (495) 745-89-14. E-mail: **imarket@eksmo-sale.ru**